eurolingua ★★★★★
Deutsch 1

Neue Ausgabe

Gesamtband

eurolingua **Deutsch 1**

Neue Ausgabe
Deutsch als Fremdsprache für Erwachsene
Gesamtband

Im Auftrag des Verlages herausgegeben von:
Prof. Dr. Hermann Funk und Michael Koenig

Erarbeitet von:
Knut Eisold, Ute Koithan und Christian Seiffert

Redaktion:
Dr. Ulrike Litters (verantwortliche Redakteurin)
Dr. Gunther Weimann (Projektleitung)

Beratende Mitwirkung:
Dr. Friederike Jin (Goethe-Institut Frankfurt),
Dr. Barbara Laue (AmkA Frankfurt)
und Dieter Maenner (Volkshochschule Frankfurt)

Redaktionelle Mitarbeit:
Nina Boie
Dieter Maenner

Illustrationen:
Laurent Lalo

Umschlagfoto:
Matthias Fischer

Gesamtgestaltung und technische Umsetzung:
Leonardi.Wollein, Berlin

Weitere Kursmaterialien:
Sprachtrainer
ISBN 978-3-464-21431-2

Audio-CD
ISBN 978-3-464-21462-6

Kassette
ISBN 978-3-464-21461-9

Vokabeltaschenbuch
ISBN 978-3-464-21463-3

Handreichungen für den Unterricht
ISBN 978-3-464-21466-4

Lernerhandbuch
ISBN 978-3-464-21225-7

www.cornelsen.de

1. Auflage, 2. Druck 2009

Alle Drucke dieser Auflage sind inhaltlich unverändert und können im Unterricht nebeneinander verwendet werden.

Druck: CS-Druck CornelsenStürtz

ISBN 978-3-464-21099-4

Inhalt gedruckt auf säurefreiem Papier aus nachhaltiger Forstwirtschaft.

Erläuterung der Symbole

- .... Partnerarbeit
- .... Gruppenarbeit
- .... Der Text ist auf Kassette oder CD zu hören
- A, B oder C .... Verweise zum Lernerhandbuch

Hinweise

Der vorliegende Band ist der erste des insgesamt dreibändigen Deutschlehrwerks, mit dem Sie das Niveau des *Zertifikats Deutsch* erreichen. Es zeichnet sich durch eine enge Orientierung am **Gemeinsamen europäischen Referenzrahmen** aus. Mit dem ersten Band erreichen Sie die Niveaustufe A1. Das Buch wird Sie während des Kurses und zu Hause beim Deutschlernen begleiten. Sie finden hier das Material, das Sie im Kurs benötigen (Texte und Aufgaben) und Materialien, mit denen Sie zu Hause das im Kurs Gelernte wiederholen und vertiefen können.

Das Kursbuch

besteht aus 16 **Einheiten**, 4 **Optionen** und einem **Anhang**. Jede **Einheit** beginnt mit einer bilderreichen Auftaktseite, die Sie mit einfachen Aufgaben an den Lernstoff heranführt. Es folgen drei bzw. vier Doppelseiten, auf denen der Lernstoff in einzelnen Abschnitten kleinschrittig präsentiert wird. Den Abschluss einer jeden Einheit bildet die Seite **So geht's**, die das Gelernte übersichtlich zusammenfasst.

Auf den Doppelseiten finden Sie vielfältige Materialien und Aufgaben, die das Lernen erleichtern und so abwechslungsreich wie möglich machen. Sie lernen in einfachen Alltagssituationen sprachlich zurechtzukommen, einfache gesprochene Texte zu verstehen, geschriebene Texte zu entschlüsseln und einfache Texte zu schreiben. Bei der Vermittlung von landeskundlichen Inhalten erhalten Sie die Gelegenheit, das Leben und die Menschen der deutschsprachigen Länder mit Ihren eigenen Lebenserfahrungen zu vergleichen. Besonderen Wert haben wir darauf gelegt, dass Sie beim Lernen über Ihre persönlichen Bedürfnisse nachdenken und auf diese Weise Ihren eigenen Lernstil finden können.

Die **Optionen** bieten zusätzliche Materialien an, mit denen Sie den Lernstoff der vorangegangenen Einheiten in spielerischer Form wiederholen und vertiefen können. Zudem ist in den Optionen ein **Phonetik-Kapitel** integriert, das Sie in systematischer Form an Rhythmus, Melodie und Aussprache des Deutschen heranführt. Am Ende einer jeden Option finden Sie eine Seite zur **Selbstevaluation**, mittels derer Sie in Erfahrung bringen, was Sie wie gut können.

Im Anhang finden Sie einen Modelltest *(Start Deutsch 1)*, eine systematische Zusammenfassung der behandelten grammatischen Themen, die nicht in den Einheiten abgedruckten Hörtexte, den Lösungsschlüssel, einen Überblick mit Redemitteln für den Unterricht sowie eine alphabetische Wortliste. Die Hörtexte für den Modelltest finden Sie in den **Handreichungen für den Unterricht.**

Im Vokabeltaschenbuch / In den Glossaren

stehen alle neuen Wörter in der Reihenfolge ihres Auftretens mit Angaben zur Intonation, der Übersetzung bzw. einer Leerzeile und einem Beispielsatz.

Die Kassetten oder CDs

enthalten alle Hörmaterialien, die im Buch mit dem Symbol 🎧 gekennzeichnet sind.

Der Sprachtrainer

ist für alle Lerner, die noch etwas intensiver „trainieren" möchten, gedacht. Er enthält zu jeder Einheit zusätzliche Übungen zum Wortschatz und zur Grammatik.

Das Lernerhandbuch

hilft Ihnen, Ihren persönlichen Lernprozess zu steuern. Es begleitet Sie vom ersten bis zum letzten Band von **euro**lingua **Deutsch** und bietet systematische Informationen zu drei wichtigen Bereichen des Sprachenlernens an. Der Teil **Das Lernen lernen** gibt Informationen und Hinweise zu Lern- und Arbeitstechniken. Im Abschnitt **Kommunikation** sind die wichtigsten kommunikativen Situationen geordnet, die Sie in **euro**lingua **Deutsch** bewältigen lernen. Die **Grammatik** fasst alle Strukturen zusammen, die Sie für das Zertifikat Deutsch benötigen. So dient das Lernerhandbuch als kursbeglei-tendes Nachschlagewerk, auf das Sie jederzeit zurückgreifen können.

Wir wünschen Ihnen viel Erfolg und Freude beim Lernen mit **euro**lingua **Deutsch**.

Inhalt

Kommunikation	Grammatik	Lernen lernen
– sich begrüßen und kennen lernen – sich vorstellen – Namen erfragen – **Wortfelder:** Begrüßung, Deutsch lernen	– bestimmter Artikel – Verb: 1. Ps Sg./Pl. – Wortarten erkennen – Wortakzent, Satzakzent	– Verben markieren – Wortkarten entwerfen – Vokabeln in den Alltag integrieren
– buchstabieren – Telefonnummern erfragen – zählen – **Wortfelder:** Zahlen, Telefonieren	– Aussagesatz – W-Fragen – Ja/Nein-Fragen – Verbposition – Verneinung mit *nicht* – Zahlen bis 1000	– Dialoge mit Stichwortzetteln vorbereiten
– etwas bestellen – sagen, was man (nicht) mag – **Wortfelder:** Speisen und Getränke, Kino, Small talk	– Verben im Präsens – *sein* und *haben* – unbestimmter Artikel – *kein/e*	– Lernstoff in der Freizeit wiederholen
– geographische Positionsangaben machen – Personen vorstellen – **Wortfelder:** Ländernamen, Reisen, Geographie	– Ländernamen und Artikel	– Texte erschließen – Informationen ordnen – eigene Übungen entwickeln
	– **Phonetik:** – Rhythmus (Betonung) – Melodie (Fragemelodie) – Aussprache (**sch**, **st** und **sp**) – die Umlaute **ä**, **ö** und **ü**	– Lernfortschritte überpüfen und einordnen – eine Bilanz ziehen

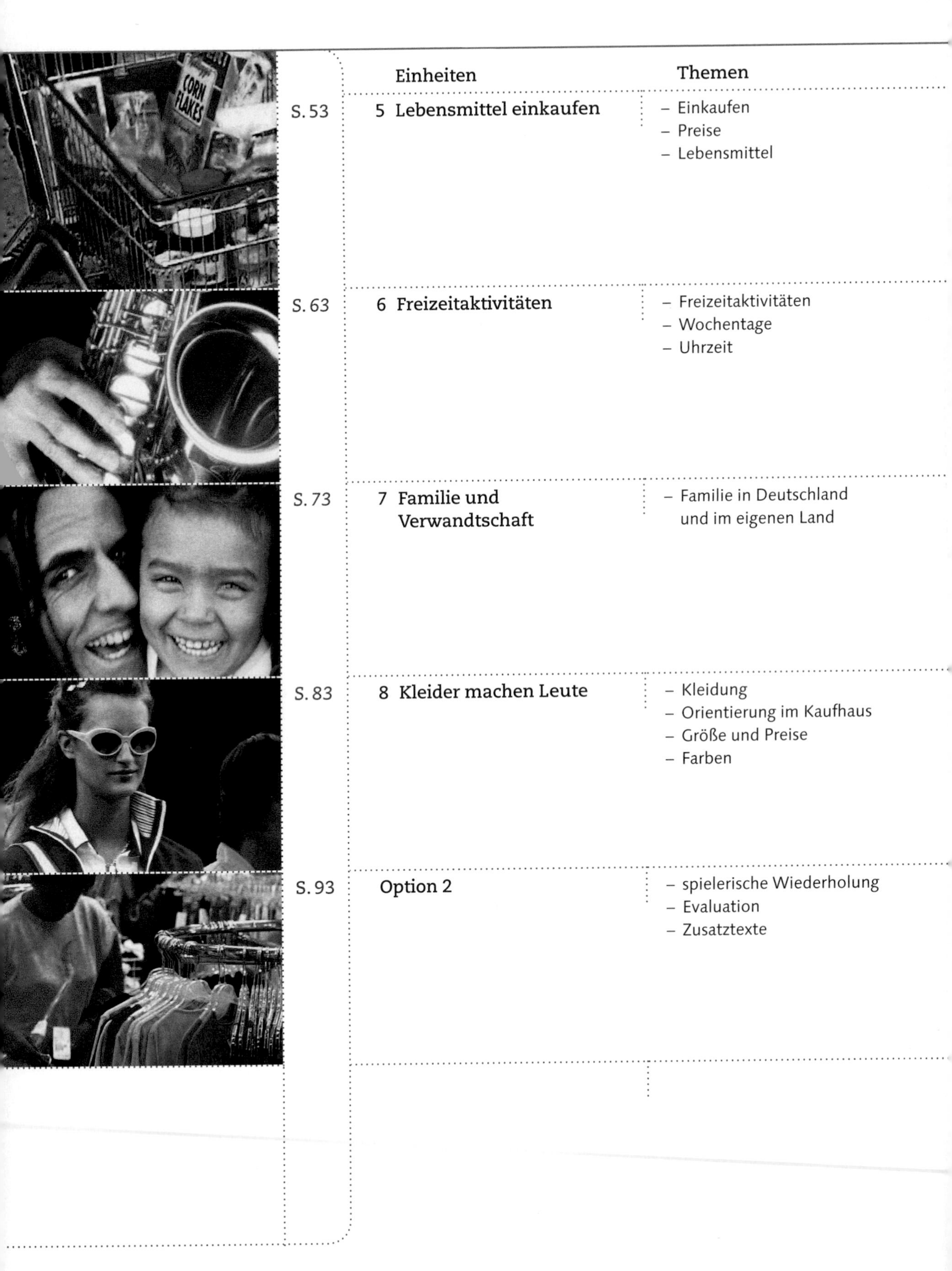
CORN
FLAKES

Kommunikation	Grammatik	Lernen lernen
– sagen/fragen, was man möchte, – Mengen und Preise benennen – sagen, was man (nicht) gern mag – Wortfelder: Lebensmittel, Mengen, Einkaufen	– Plural der Nomen – Akkusativobjekt	– Wortschatz ordnen und gruppieren
– Uhrzeit erfragen/angeben – über Hobbys sprechen – sich verabreden – **Wortfelder:** Hobbys, Uhrzeit, Wochentage, Verabredungen	– trennbare Verben – Satzklammer – Personalpronomen im Nominativ und Akkusativ	– Verben in Beispielsätzen lernen
– die Familie vorstellen – ein Foto beschreiben – Positionsangaben machen – **Wortfelder:** Familie, Verwandtschaft	– Possessivbegleiter im Nominativ und Akkusativ	– Wörter in Begriffspaaren lernen – Redemittel in Situationen lernen
– sagen, was einem (nicht) gefällt – etwas beschreiben – über Kleidung sprechen – Richtungsangaben machen – **Wortfelder:** Kleidung, Orientierung	– Präpositionen mit Dativ: wo – *welch-/dies-* im Nominativ	– Präpositionen mit Bildern verknüpfen – mit Lernplakaten arbeiten
	– **Phonetik**: – Rhythmus (Akzente) – Melodie (Sätze gliedern) – Aussprache (langes und kurzes **o**, langes und kurzes **e**, **e** oder **ö**, **i** oder **ü**) – Aussprache von **z**, **-tion** und **-ig**	– Lernfortschritte überprüfen und einordnen – eine Bilanz ziehen

Inhalt

Kommunikation	Grammatik	Lernen lernen
– nach dem Weg fragen | den Weg beschreiben – um etwas bitten | zu etwas auffordern | einen Rat geben – **Wortfelder:** Wegbeschreibung	– Imperativ – Wechselpräpositionen	– Grammatik mit Bildern, Reimen und Merksätzen lernen
– Berufe und Arbeitsstätten benennen – Tätigkeiten benennen – Tagesablauf beschreiben – Zeitangaben machen – **Wortfelder:** Tätigkeiten, Berufe	– Modalverben: *können / müssen / dürfen* – Satzklammer – Sätze mit Zeitangaben – Verwendung von *man*	– Wortschatz systematisch lernen – einen Hörtext erarbeiten
– Datumsangaben machen – Einladungen aussprechen, annehmen, ablehnen – Glückwünsche aussprechen – **Wortfelder:** Feiertage, Feste, Einladungen	– Ordinalzahlen – Wiederholung: Modalverben *können / müssen / dürfen*	– Hörstrategien
– von der Vergangenheit erzählen – biografische Angaben machen – einen tabellarischen Lebenslauf verfassen – **Wortfelder:** Biografien, Lebenslauf	– Perfekt mit *haben* – regelmäßige Verben – Präteritum von *sein* und *haben*	– Übungen selbst machen
	– Phonetik: – Rhythmus (Wortakzent bei Komposita) – Melodie (Frage und Aufforderung) – Aussprache (Ich-Laut [ç] und Ach-Laut [x])	– Lernfortschritte überprüfen und einordnen – eine Bilanz ziehen

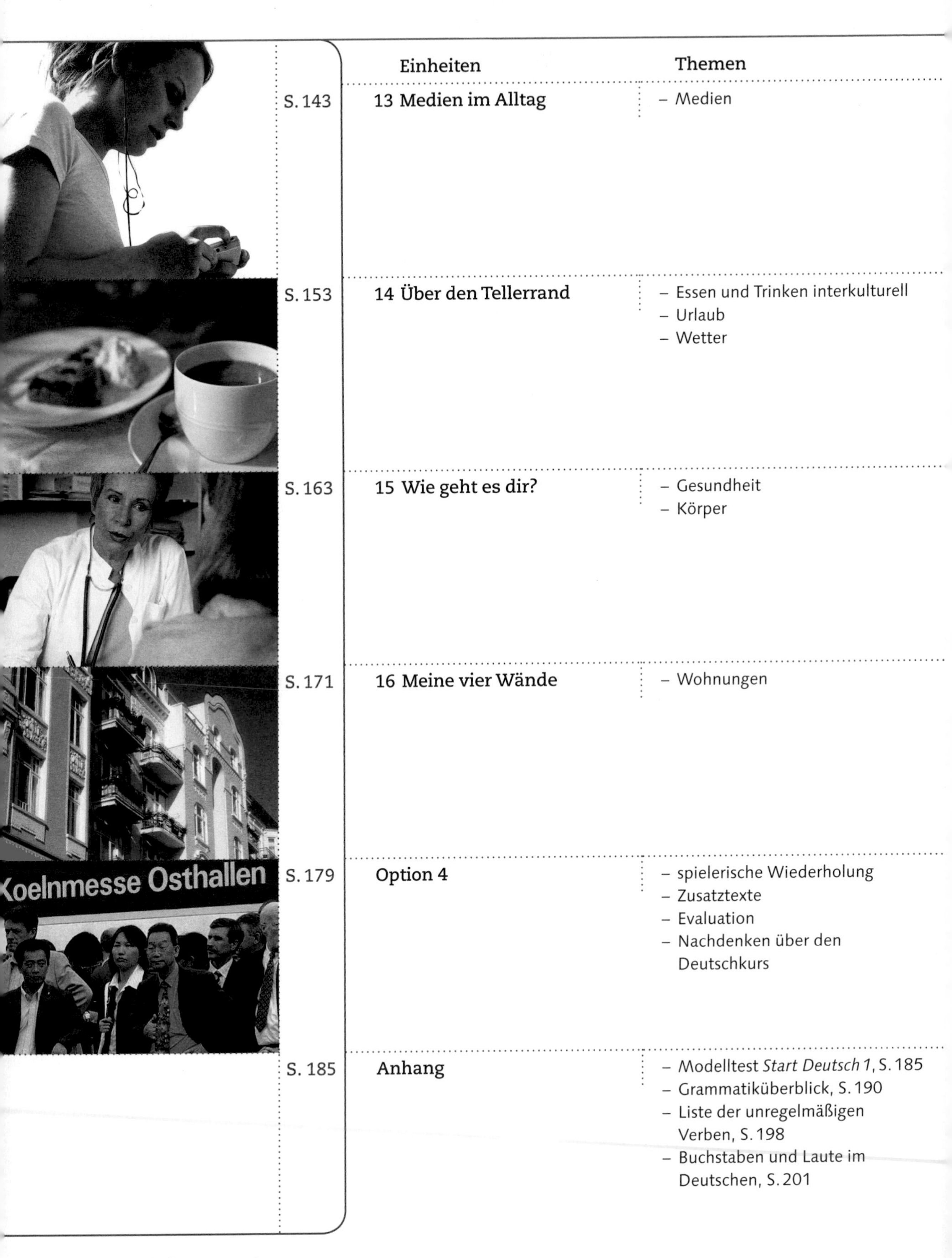
Koelnmesse Osthallen

Kommunikation	Grammatik	Lernen lernen
– sagen, wie man etwas findet – sagen, was man gemacht hat – über Medien sprechen – **Wortfelder:** Medien, Musik, Lesen	– Perfekt mit *haben* (unregelmäßige Verben) – Perfekt der Verben auf *-ieren* – Perfekt mit *sein* – Wortstellung im Perfekt	– Lernpläne machen
– über das Essen sprechen – über das Wetter sprechen – eine E-Mail schreiben – sagen, was man mag/nicht mag – **Wortfelder:** Frühstück, Urlaub, Wetter	– Wiederholung: Vergangenheit – Wiederholung: Wechselpräpositionen – *ja / nein / doch*	– einen Text korrigieren – Fehlerstatistik
– Körperteile benennen – fragen/sagen, wie es geht – über Krankheiten sprechen – Hilfe anbieten – Ratschläge geben – **Wortfelder:** der menschliche Körper, Gesundheit	– Wiederholung: Imperativ	– Wörter mit Gesten lernen – Wortschatz szenisch darstellen
– Wohnungen beschreiben – über Wohnformen diskutieren – etwas begründen – **Wortfelder:** Wohnung, Wohnformen, Computer	– Graduierung mit *zu / nicht ... genug* – Konjunktionen: *und / aber / denn* – vom Satz zum Text	– Wortschatz systematisch lernen – über das eigene Lernen nachdenken
	– Phonetik: – Rhythmus (Kontrastakzent) – Aussprache (das rollende und das stumme *r*)	– Lernfortschritte überprüfen und einordnen – eine Bilanz ziehen

- Hörtexte, S. 203
- Lösungen, S. 217
- Sprache im Kurs, S. 242
- Eigennamen und Ortsnamen, S. 244
- Alphabetische Wortliste, S. 251

καλή επιτυχία με την eurolingua!
ユーロリングワを楽しんでね。
Viel Spaß mit eurolingua!
Эта книга доставит Вам удовольствие!
Molt d'exit amb eurolingua!
Umarım bu Kitabı keyifle okursun
Dobrej zabawy z eurolingua!
¡Qué te diviertas con eurolingua!
Have fun with eurolingua!
Bien du plaisir avec eurolingua!
祝您使用Eurolingua成功
祝您成功
Хай щастить Вам з цією книгою!
BUON DIVERTIMENTO CON eurolingua!
Felicidades com "Eurolingua"

Einheit 1: *Der Kurs beginnt*

- sich begrüßen und kennen lernen, Namen erfragen und nennen
- fragen und sagen, woher man kommt und wo man wohnt
- mit einer Dialoggrafik arbeiten
- Aussprache: Wortakzent und lange / kurze Vokale
- Wortarten erkennen, Verben markieren
- bestimmter Artikel

Ich heiße … – und Sie?
Guten Tag, ich bin …
Hallo!
Guten Tag!
Naïma Touré
Luis García

1 **Schreiben Sie Ihren Vornamen und Nachnamen auf eine Karte und stellen Sie sich vor.**

1 Im Kurs

1.1 Schauen Sie das Bild an und hören Sie die CD. Wer spricht? Hören Sie die CD noch einmal und lesen Sie mit.

Lehrerin: Hallo ... guten Tag ...
Teilnehmer: Guten Tag ... Hallo ... Wie geht's, hallo ... ?
Lehrerin: Mein Name ist Müller, Bärbel Müller. Ich bin die Lehrerin. Willkommen hier im Deutschkurs. Wir beginnen mit der Kursliste. Ich lese zuerst die Namen vor. Also, Zawadzka, Anna.
Frau Zawadzka: Zawadzka, Anna Zawadzka.
Lehrerin: Ah ja, Entschuldigung, Frau Zawadzka. Dann Miller, Tom.
Herr Miller: Tom Miller, yes, that's me. Hallo, ähm – Guten Tag, Frau Muller.
Lehrerin: Müller, Müller ...
Herr Miller: OK, Müller ...
Lehrerin: Gut, und dann Frau Bilgin?
Herr Bilgin: Ja, aber Herr Bilgin, ich heiße Nesim Bilgin.
Lehrerin: Oh ja, Herr Bilgin! Und dann Frau Mariotta, Eleonora Mariotta.
Frau Mariotta: Korrekt: Mariotta.
Lehrerin: Hallo ...

1.2 Hören Sie die Dialoge, fragen und antworten Sie wie in den Beispielen. Der Dialogbaukasten hilft.

Tom: „Hallo, ich bin Tom. Und Sie?"
Li: „Guten Tag, ich heiße Wei Zhong Li. Und wie heißen Sie?"
Eva: „Mein Name ist Eva Nyström."

sich begrüßen	sich vorstellen	Namen erfragen
Guten Morgen ...	Ich heiße ...	Wie heißen Sie?
Guten Tag ...	Mein Name ist ...	Und wie heißen Sie?
Guten Abend ...	Ich bin ...	Und Sie?
Hallo ...		
Grüß Gott ...		
Servus ...		

2 Woher kommen Sie? Wo wohnen Sie?

2.1 Hören Sie und lesen Sie dann laut.

Lehrerin: Also, wer fehlt auf meiner Liste? …
Teilnehmer: Wie bitte? Langsam, noch einmal.
Lehrerin: Wer ist nicht auf der Liste?
Frau Böspflug: Ich. Ich heiße Ludmilla Böspflug.
Lehrerin: Ah ja – hallo.
Herr Miller: Entschuldigung, ich verstehe nicht – Bospflug – wie heißen Sie?
Frau Böspflug: Ludmilla Böspflug.
Herr Miller: O.k. – ach so …
Lehrerin: Böspflug, ist das deutsch, woher kommen Sie?
Frau Böspflug: Ich komme aus Russland, aber mein Vater ist Deutscher.
Lehrerin: Aha. Und wo wohnen Sie?
Frau Böspflug: Ich wohne in Frankfurt.
Lehrerin: Gut, wer fehlt noch?
Frau und Herr Chaptal: Wir. Wir heißen Claudine und Bernard Chaptal.
Lehrerin: Und woher kommen Sie?
Frau und Herr Chaptal: Aus Frankreich.

Ich komme aus Russland.
Und ich komme aus der Türkei.

C2

2.2 Und in Ihrem Kurs? Welche Namen sind schwer?

Ich heiße Wei Zhong Li.

2.3 Fragen und Antwort üben. Was gehört zusammen?

Wie … ?	In Frankfurt
Woher … ?	Böspflug
Wo … ?	Aus Russland

2.4 Hier sind die Antworten. Wie heißen die Fragen?

1. A: .... ? **B:** Wir kommen aus Frankreich.
2. A: .... ? **B:** Zawadzka.
3. A: .... ? **B:** Ich wohne jetzt in Frankfurt.
4. A: .... ? **B:** Tom Miller.
5. A: .... ? **B:** Aus China.

2.5 Fragen Sie sich gegenseitig im Kurs: Wo … ?/ Woher … ?

3 Verben markieren

A 15.4
C 10

3.1 Verben markiert man so:

der Infinitiv wohn | en

der Stamm die Endung

3.2 Sammeln Sie Verben.
Machen Sie eine Liste im Heft und markieren Sie wie im Beispiel.

3.3 Verben und Personen: Ergänzen Sie die Endungen.

Infinitiv: *wohnen*		Infinitiv: *heißen*		⚠ Infinitiv: *sein*	
Singular 1. Person *ich wohne*	Plural 1. Person *wir wohnen*	Singular 1. Person *ich heiß......*	Plural 1. Person *wir heiß......*	Singular 1. Person *ich bin*	Plural 1. Person *wir sind*
	formell: *Wo wohnen Sie?*		formell: *Wie heiß...... Sie?*		formell: *Sind Sie Frau......?*

3.4 Ergänzen Sie bitte die Verben.

1. A: Frau Nyström, woher kommen Sie? **B:** Ich .... aus Schweden, aus Malmö.

2. A: Wie .... Sie? **B:** Ich .... Bilgin, Nesim Bilgin.

3. A: Und wo .... Sie? **B:** In Frankfurt.

4. A: Und wie heißen Sie? **B:** Wir .... Claudine und Bernard Chaptal.

5. A: Mein Name .... Eleonora Mariotta. Ich .... jetzt in Offenbach.

6. A: Ich komme aus New York und Sie, Frau Mariotta? **B:** Ich .... aus Varese.

4 Dialoge üben

A 23.5

4.1 Mit einer Dialoggrafik arbeiten.
Schreiben Sie bitte einen Dialog. Der Dialogbaukasten hilft.

A: Frau Zawadzka / woher?

B: Warschau / Polen

A: jetzt / wohnen / wo?

B: Mannheim

fragen, woher jemand kommt	sagen, woher man kommt
Woher kommen Sie? *sind*	*Ich komme aus Polen.* *bin* *Wir kommen aus Warschau.* *sind*
fragen, wo jemand wohnt	**sagen, wo man wohnt**
Wo wohnen Sie?	*Ich wohne in Mannheim.* *Wir wohnen in Mannheim.*

4.2 Spielen Sie jetzt Dialoge mit Namen aus dem Kurs.

5 Aussprache: Wortakzent und Vokale

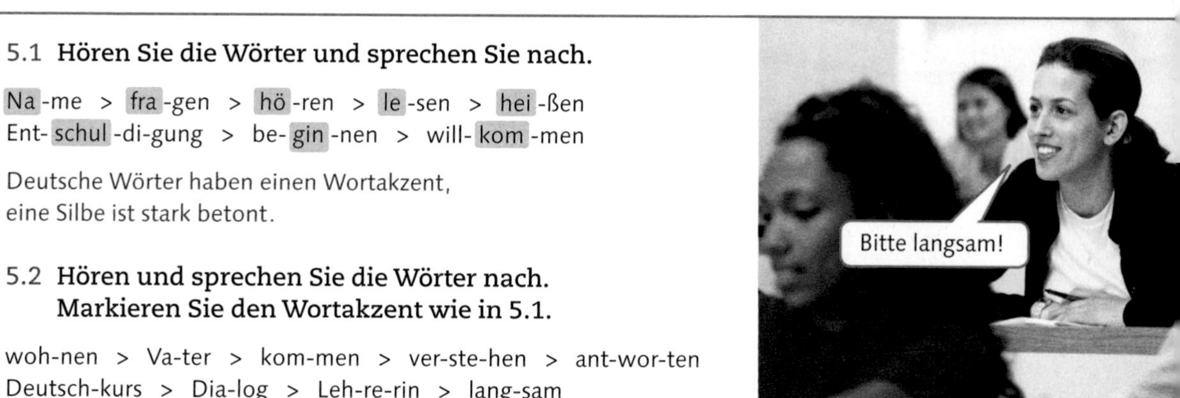

5.1 Hören Sie die Wörter und sprechen Sie nach.

Na-me > **fra**-gen > **hö**-ren > **le**-sen > **hei**-ßen
Ent-**schul**-di-gung > be-**gin**-nen > will-**kom**-men

Deutsche Wörter haben einen Wortakzent, eine Silbe ist stark betont.

5.2 Hören und sprechen Sie die Wörter nach. Markieren Sie den Wortakzent wie in 5.1.

woh-nen > Va-ter > kom-men > ver-ste-hen > ant-wor-ten
Deutsch-kurs > Dia-log > Leh-re-rin > lang-sam

5.3 Hören Sie und sprechen Sie nach.

Lange Vokale: Name > aber > lesen > Lehrerin > Sie > wir > Dialog > guten Tag > heißen > hören
Kurze Vokale: antworten > langsam > zuerst > ich > bin > kommen > noch > und > Kurs

Der Vokal vom Wortakzent ist entweder lang oder kurz.

5.4 Hören Sie die Wörter, sprechen Sie nach und markieren Sie den Vokal vom Wortakzent mit Punkt • (kurzer Vokal) oder Strich _ (langer Vokal).

fragen > bitte
wo > wie > jetzt > Entschuldigung > verstehen > nicht > Deutschkurs
gut > willkommen > wohnen > Abend > wiederholen > beginnen

Lerntipp: Wörter immer mit Wortakzent lernen!

6 Ein Wort, viele Sprachen. Wörter ordnen.

6.1 Markieren Sie internationale Wörter.

Wir informieren Sie über das attraktive Programm!

Wie manipulieren die Massenmedien?

Die Kalkulation der EU-Finanzminister

Arbeitsmarkt-Reform umstritten

Produktion von Mikrochips stagniert

6.2 Wie heißen die Wörter in Ihrer Muttersprache? Machen Sie eine Liste wie im Beispiel.

informieren - to inform	informieren - informare
Reform - reform	Reform - riforma
Produktion - production	Produktion - produzione
attraktiv - ...	attraktiv - attraente

El Diccionario
Wörterbuch
Deutsch - Spanisch
Spanisch - Deutsch
Cornelsen

6.3 **Ordnen Sie die Wörter nach Wortarten und ergänzen Sie die Tabelle. Das Wörterbuch hilft.**

Nomen	**Verben**	**Adjektive**
Information	informieren	informativ
Attraktion	X	attraktiv
Produktion	produzieren	...
...	...	...

6.4 **Regeln ergänzen.**

Auf Deutsch schreibt man Verben klein.

Alle Nomen schreibt man ....

Adjektive schreibt man ....

Internationale Verben auf Deutsch enden oft auf -ieren.

Internationale Nomen auf Deutsch enden oft auf ....

Internationale Adjektive enden oft auf ....

klein | -ieren | -ion | -iv | groß | klein

6.5 **Diese Wörter sind neu. Welche Wörter sind falsch eingeordnet?**

Nomen	Verben	Adjektive
Radio	Kommunikation	exklusiv
agieren	passieren	passiv
Stuhl	nehmen	musizieren
Auto	explosiv	kommunikativ
Foto	fahren	Sensation
dekorativ	fotografieren	positiv

agieren ist ein Verb.

7 Der bestimmte Artikel der, das, die

A 29

7.1 **Im Wörterbuch finden Sie die Artikel zum Beispiel so:**

Auto das; -s, -s ‹griech.› (kurz für Automobil); Auto fahren

CD die; -, -s ‹engl. compact dis (kurz für CD-Platte);

Stuhl der; -[e]s, Stühle; der Heilige; Stuhlbein; Stühlchen; Stuhlgang;

Lerntipp: Nomen immer mit Artikel lernen

7.2 **Suchen Sie fünf Nomen aus der Tabelle 6.5 im Wörterbuch. Notieren Sie die Nomen mit Artikel.**

7.3 **Was passt zusammen? Ordnen Sie die Nomen den Bildern zu.**
Fünf Bilder fehlen. Zeichnen Sie selbst und schreiben Sie die Nomen ins Heft.
Welche Wörter kennen Sie noch?

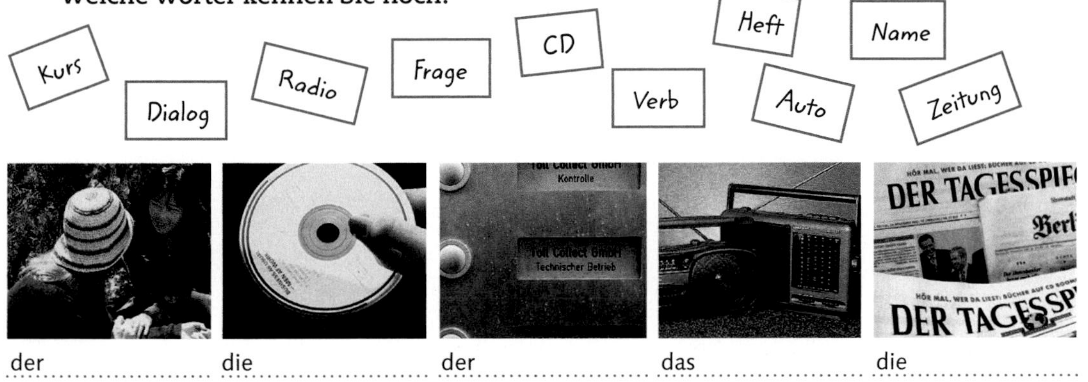

der .... die .... der .... das .... die ....

8 Kommunikation im Unterricht

8.1 **Arbeitsanweisungen in *eurolingua Deutsch*: Welche Verben passen zu den Bildern?**

lesen ....

....

8.2 **Probleme im Unterricht? Hören Sie die CD. Wer sagt was?**
Markieren Sie mit L (Lehrerin) oder K (Kursteilnehmer/-in).
Hören Sie dann noch einmal und sprechen Sie nach.

1. .... **3.** .... **5.** .... **7.** ....

2. .... **4.** .... **6.** .... **8.** ....

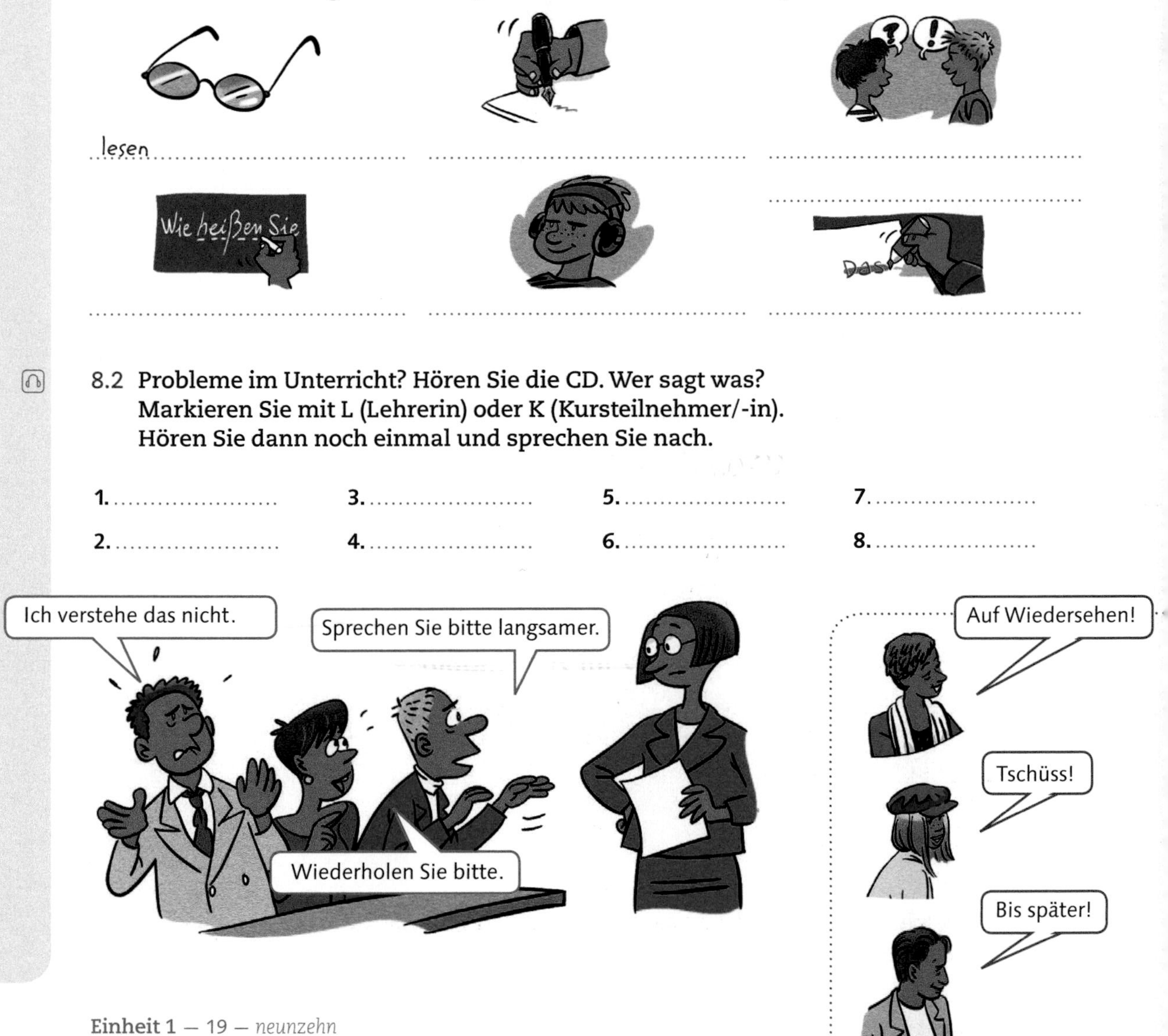

So geht's

Kommunikation

sich begrüßen

Hallo!
Guten Morgen.
Guten Tag.
Guten Abend.

nach Namen, Herkunft und Wohnort fragen und antworten

Wie heißen Sie?	Ich heiße … / Mein Name ist …
Woher kommen Sie?	Ich komme / bin aus …
	Wir kommen / sind aus …
Wo wohnen Sie?	Ich wohne in … / Wir wohnen in …

Grammatik

der bestimmte Artikel

der Kurs
das Auto
die Frage

das Verb

Infinitiv	1. Person Singular	1. Person Plural
kommen	ich komme	wir kommen
wohnen	ich wohne	wir wohnen

Lernen lernen

A 6/A 14

mit Lernkarten arbeiten >

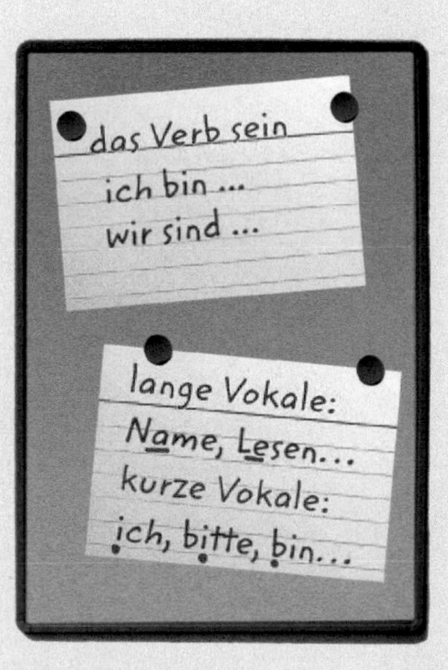

Vokabeln zu Hause lernen >

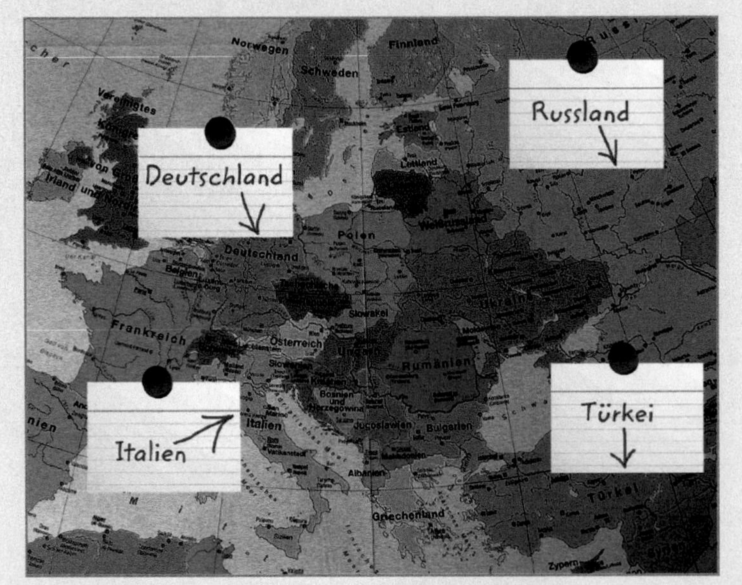

Sprache benutzen >

Einheit 2: *Erste Kontakte*

- buchstabieren
- eine Telefonnummer erfragen
- W-Fragen: wie, wo, woher, ... und Ja/Nein-Fragen
- Verbposition: Aussagesatz, Frage mit Fragewort, Ja/Nein-Fragen
- Verneinung mit nicht
- Zahlen bis 1000

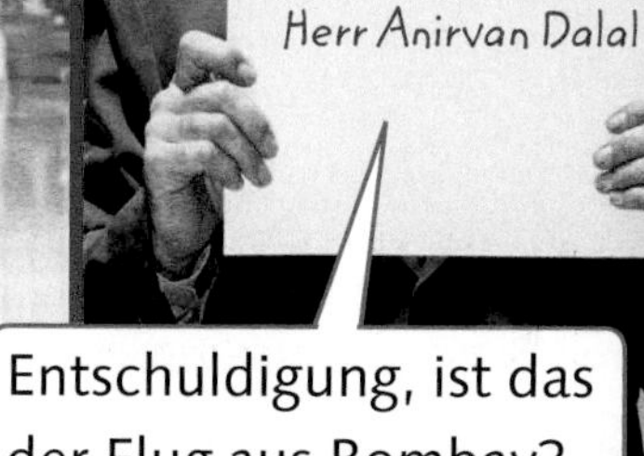

Herr Anirvan Dalal
Entschuldigung, ist das der Flug aus Bombay?
Wie geht's?
Danke, ganz gut.

1 **Hören Sie die Dialoge.**
Was sagen / antworten die Personen?

1. Kommen Sie aus Bombay? ☐ Ja. ☒ Nein.
2. Woher kommen Sie? Aus ~~Lyon~~ Rio.
3. Sind Sie Herr Dalal? ☒ Ja. ☐ Nein.
4. Wie geht's? Danke, gut ganz.

Frage
Wie geht's?
Antworten
Danke, sehr gut. (++)
Danke, gut. (+)
Ganz gut. (+-)
Es geht. (-)

2 **Begrüßen Sie sich in der Klasse. Gehen Sie durch den Raum und fragen Sie, wie es den anderen geht.**

1 Das Alphabet und die Buchstaben

1.1 Hören Sie und sprechen Sie nach. Was fällt Ihnen auf? Schreiben Sie, was Sie hören.

schreiben	A, a	(Ä), (ä)	B, b	C, c	D, d	E, e	F, f	G, g	H, h	I, i	J, j	K, k	L, l	M, m	N, n
buchstabieren	A	A-ēēē Umlaut	Bé	TSÉ	Di	Et	FF	Guy	Ha	I	Yot	Ka	L	m	n

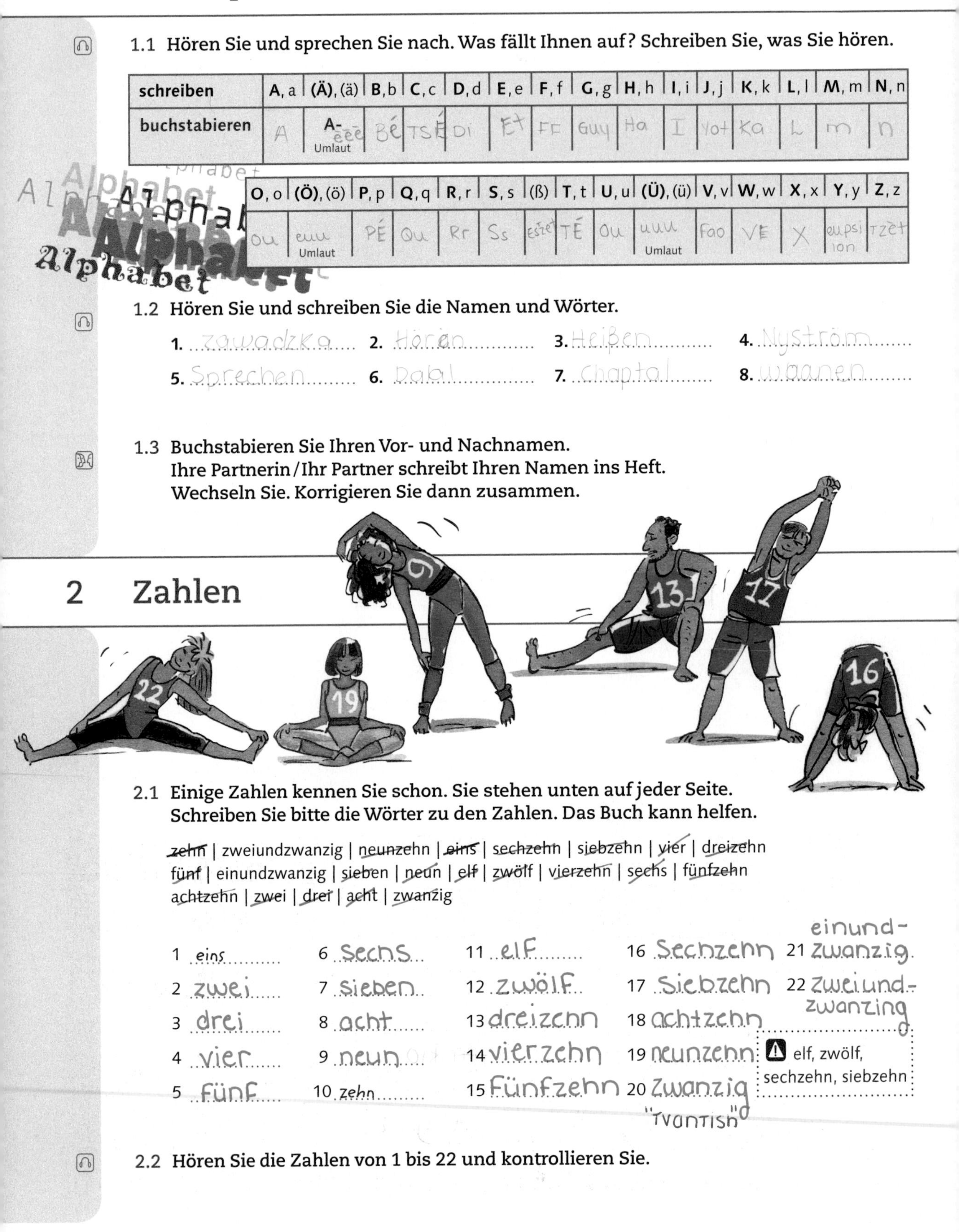

O, o	(Ö), (ö)	P, p	Q, q	R, r	S, s	(ß)	T, t	U, u	(Ü), (ü)	V, v	W, w	X, x	Y, y	Z, z
Ou	euu Umlaut	PÉ	Qu	Rr	Ss	Eszet	TÉ	Ou	uuu Umlaut	Fao	VE	X	eupsi ion	Tzet

1.2 Hören Sie und schreiben Sie die Namen und Wörter.

1. zawadzka 2. Hören 3. Heißen 4. Nyström
5. Sprechen 6. Dabl 7. Chaptal 8. waanen

1.3 Buchstabieren Sie Ihren Vor- und Nachnamen.
Ihre Partnerin / Ihr Partner schreibt Ihren Namen ins Heft.
Wechseln Sie. Korrigieren Sie dann zusammen.

2 Zahlen

2.1 Einige Zahlen kennen Sie schon. Sie stehen unten auf jeder Seite.
Schreiben Sie bitte die Wörter zu den Zahlen. Das Buch kann helfen.

~~zehn~~ | zweiundzwanzig | ~~neunzehn~~ | ~~eins~~ | ~~sechzehn~~ | ~~siebzehn~~ | ~~vier~~ | ~~dreizehn~~
~~fünf~~ | einundzwanzig | ~~sieben~~ | ~~neun~~ | ~~elf~~ | ~~zwölf~~ | ~~vierzehn~~ | ~~sechs~~ | ~~fünfzehn~~
~~achtzehn~~ | ~~zwei~~ | ~~drei~~ | ~~acht~~ | ~~zwanzig~~

1 eins 6 sechs 11 elf 16 Sechzehn 21 einund-zwanzig
2 zwei 7 sieben 12 zwölf 17 Siebzehn 22 zweiund-zwanzing
3 drei 8 acht 13 dreizehn 18 achtzehn
4 vier 9 neun 14 vierzehn 19 neunzehn
5 fünf 10 zehn 15 Fünfzehn 20 Zwanzig "Tvantish"

⚠ elf, zwölf, sechzehn, siebzehn

2.2 Hören Sie die Zahlen von 1 bis 22 und kontrollieren Sie.

2.3 Hören Sie und notieren Sie die Zahlen. Schreiben Sie dann die Zahlen als Wörter.

a. 22 zweiundzwanzig
b. 20 zwanzig
c. ... und ...
d. ... und ...
e. ... und ...
f. ... und ...
g. ... und ...
h. ...
i. ... und ...
j. ... und ...

27 → sieben und zwanzig

Info: Die Zahlen von null bis zwölf schreibt man in Texten meistens als Wort. Ab 13 schreibt man Ziffern.

2.4 Zählen Sie weiter.

a. 1, 2, 3, 4, ... **b.** 2, 4, 6, 8, ... **c.** 25, 24, 23, ... **d.** 3, 6, 9, ...

2.5 Rätsel: Wie geht die Zahlenreihe weiter? Schreiben Sie ins Heft und lesen Sie dann laut vor.

29 > 27 > 25 > 23 ... | 28 > 24 > 20 > 16 ... | 29 > 28 > 26 > 23 ...

2.6 Zahlen bis 1000. Hören Sie und schreiben Sie die Zahlen.

30 dreißig	78 ...	316 ...
31 ...	80 ...	417 ...
32 ...	90 ...	521 ...
40 vierzig	99 ...	600 ...
43 ...	100 (ein)hundert	708 ...
50 ...	101 (ein)hunderteins	853 ...
60 sechzig	200 ...	999 ...
70 siebzig	213 ...	1000 (ein)tausend

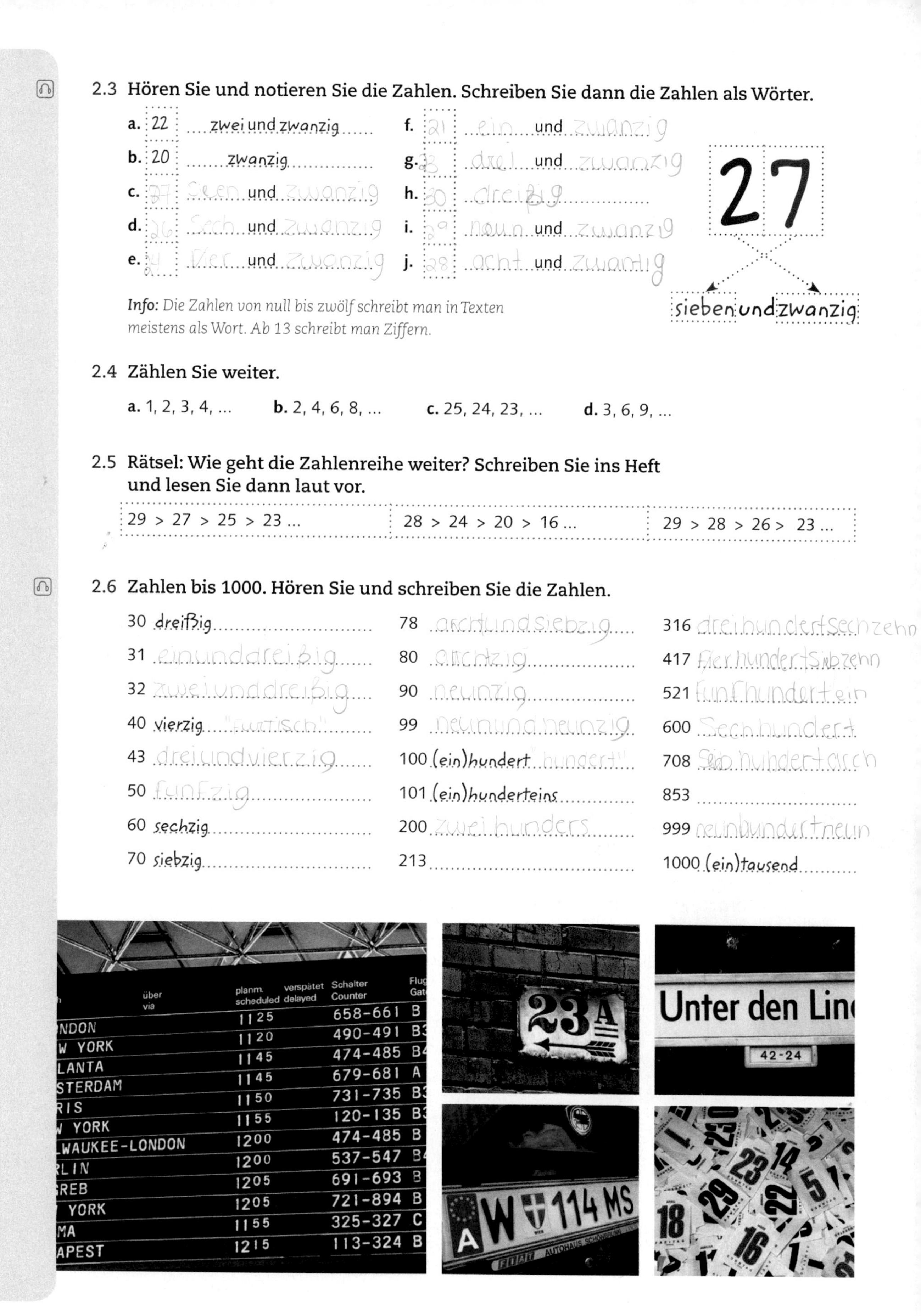

3 Am Telefon

3.1 Sie hören sechs Telefonnummern. Hören Sie zweimal und schreiben Sie mit. (0 = null.)

a. .... c. .... e. .... / ....

b. .... d. .... f. .... / ....

Info: *Die wichtigsten Notrufnummern:*

	Polizei	Feuerwehr	Sanitäter
Deutschland	110	112	(19222)
Österreich	133	122	144
Schweiz	117	118	144

In vielen europäischen Ländern funktioniert auch der Euronotruf (112).

Alle Städte in Deutschland, Österreich und der Schweiz haben eine eigene Nummer, die Vorwahl. Frankfurt am Main hat z.B. die Vorwahl 069.

3.2 Frau Müller ruft die Sekretärin an.
Schreiben Sie die Telefonnummern auf.

	Name	Vorwahl	Telefonnummer
1.	....	....	....
2.	....	....	....
3.	....	....	....
4.	....	....	....

3.3 Sehen Sie die Dialoggrafik an. Hören Sie dann das Telefongespräch.
Schreiben und spielen Sie eigene Dialoge mit der Dialoggrafik.

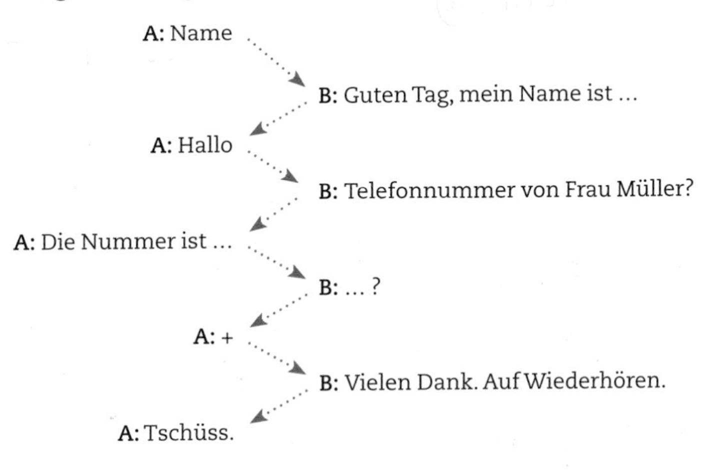

A: Name
B: Guten Tag, mein Name ist ...
A: Hallo
B: Telefonnummer von Frau Müller?
A: Die Nummer ist ...
B: ... ?
A: +
B: Vielen Dank. Auf Wiederhören.
A: Tschüss.

B 11.1

Info: *Telefonkonvention*

1. *Sie nehmen den Hörer ab und sagen Ihren Nachnamen. (Manche Leute sagen nur „Ja“ oder „Hallo“.)*
2. *Die andere Person begrüßt Sie, sagt ihren Namen und beginnt das Gespräch.*
3. *Am Ende sagt man „Auf Wiederhören.“, manchmal auch „Tschüss“.*

3.4 Kann ich bitte Graffmann sprechen? Hören und lesen Sie den Dialog.

A: Grossmann.
B: Entschuldigung, wer ist da? Goffmann?
A: Nein, tut mir Leid, hier ist nicht Goffmann. Mein Name ist Grossmann, mit Grrr.
B: Sie sind also nicht Herr Graffmann? Haben Sie nicht 25 27 84?
A: Nein, habe ich nicht. Ich habe 38 27 82. Auf Wiederhören! Rufen Sie Graffmann an.
B: Ach, Sie kennen Graffmann? Haben Sie auch seine Telefonnummer?

3.5 Sprechen Sie den Dialog 3.4 zu zweit. Sprechen Sie den Dialog danach

freundlich, **neutral** **oder unfreundlich.**

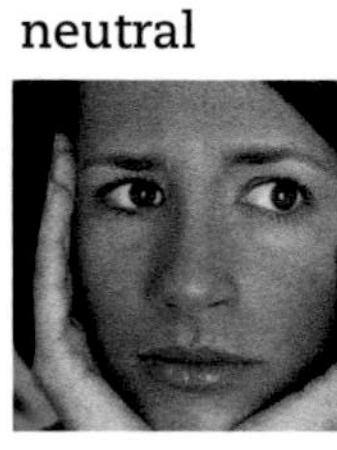

3.6 Variieren Sie den Dialog 3.4. Der Redemittelkasten hilft.

B11.2
B11.3

sich am Telefon melden	**nach Namen/Personen fragen**	**sagen, wer man (nicht) ist**
Grossmann.	Ist … da?	Hier ist (nicht) …
Kaiser, Goethe-Institut.	Kann ich bitte … sprechen?	Tut mir Leid, ich bin (nicht) …
Bärbel Müller.		Mein Name ist (nicht) …
	Entschuldigung, wer ist da / dort?	
	Sind Sie nicht Herr … / Frau …?	

sich entschuldigen
Entschuldigung, ich habe mich verwählt.
Tut mir Leid.

4 Aussagesätze und Fragen

4.1 Ergänzen Sie die Sätze.

hören > heißen > wohnen > kommen > kennen > sprechen > markieren

1. Ich heiße............. Müller.
2. Ich .... aus Frankfurt.
3. Ich .... in Berlin.
4. Wie .... Sie?
5. .... Sie aus Österreich?
6. Ich .... Deutsch.
7. .... Sie Englisch?
8. Wo .... Sie? In Berlin?
9. .... Sie Müller?
10. Wir .... Englisch.
11. .... Sie die CD?
12. .... Sie Frau Kaiser?
13. Wir .... die Verben.
14. Woher .... Sie?

4.2 Satztypen erkennen. Ordnen Sie die Sätze aus 4.1 den Satztypen im Kasten zu. Notieren Sie dann je ein Beispiel und markieren Sie das Verb.

Beispielsatz	**Satztyp**	**Satz Nr.**
Wir (wohnen) in Frankfurt.	*Aussagesatz*	
Wie (heißen) Sie?	*W-Frage*	4.
(Sind) Sie Herr Schmidt?	*Ja/Nein-Frage*	

4.3 Ergänzen Sie die Regeln:

Im Aussagesatz steht das Verb immer auf Position ....

In der W-Frage steht das Verb immer auf Position ....

In der Ja/Nein-Frage steht das Verb immer auf Position ....

4.4 Schreiben Sie drei eigene W-Fragen. Fragen Sie Ihren Nachbarn / Ihre Nachbarin und notieren Sie die Antworten.

4.5 Schreiben Sie fünf Ja / Nein-Fragen. Fragen und antworten Sie im Kurs.

Kommen ....? Lesen ....? Lernen ....? Sprechen ....?

Wohnen ....? Sind ....? Heißen ....? ....?

4.6 Lesen Sie die Antworten. Wie heißen die Fragen?

1. In Hamburg.
2. Ja, im Deutschkurs.
3. Bärbel Müller.
4. Nein, aber Spanisch.
5. Nein, Herr Bilgin.
6. Aus der Türkei.
7. Die Nummer ist 22 34 56.
8. Nein, aus Berlin.
9. Ja, ...

5 Verneinung mit *nicht*

5.1 Der Ja-Sager und der Nein-Sager. Hören Sie zu und lesen Sie mit.

Der Ja-Sager
Ja, ich heiße Meier, ich komme aus Deutschland, ich bin 33,
ich spreche Deutsch und Französisch, ich bin verheiratet,
ich arbeite gern und lerne auch gern.

Der Nein-Sager
Nein, ich heiße *nicht* Meier,
und ich komme .... aus Deutschland.

Ich bin .... 33.

Ich spreche .... Französisch
und auch .... Englisch.

Ich bin .... verheiratet
und ich arbeite .... gern.

C 104

5.2 Vergleichen Sie: Wie funktioniert die Verneinung in Ihrer Sprache?

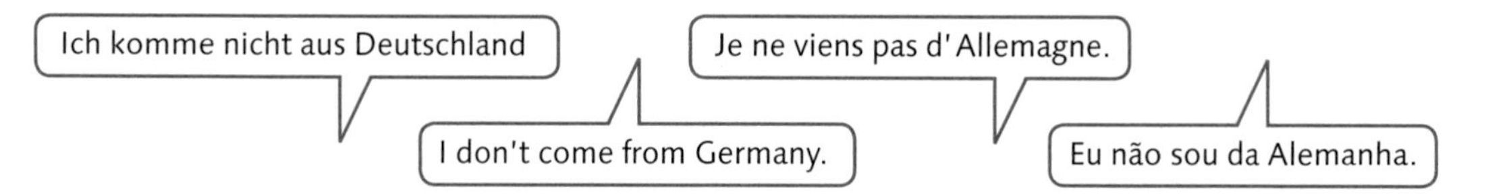

Ich komme nicht aus Deutschland
I don't come from Germany.
Je ne viens pas d'Allemagne.
Eu não sou da Alemanha.

5.3 Schreiben Sie die Sätze.

1. nicht — heiße — Meier — Ich — .
2. Sie — Berlin — kommen — nicht — aus — .
3. nicht — in — Wien — wohnen — Wir — .
4. Frau — Dänemark — Buarque — fährt — nicht — nach — .
5. spreche — nicht — Ich — Englisch — .
6. Svetlana — nicht — heißt — Miller — .
7. bei Siemens — Ich — arbeite — nicht — .

5.4 Spielen Sie Nein-Sager.

Ich heiße nicht Miller und ich bin nicht aus Amerika. Ich spreche nicht ...

So geht's

Kommunikation

am Telefon

A: Claudine Chaptal.	A: Claudine Chaptal.
B: Hier ist Bilgin. Ist Herr Chaptal da?	B: Hier ist Bilgin. Kann ich bitte Bernard Chaptal sprechen?
A: Ja, … .	A: Nein, tut mir Leid.

jemanden begrüßen

A: Guten Morgen, Herr Schmidt.	A: Hallo, Tony. Wie geht's?
B: Guten Morgen, wie geht's?	B: Naja, es geht.
A: Danke, gut.	

Grammatik

Satztypen

Position 1	**Position 2**		
Wo	wohnen	Sie?	*(W-Frage)*
Ich	wohne	in München.	*(Aussagesatz)*
Kommen	Sie	aus Frankreich?	*(Ja/Nein-Frage)*

Verneinung mit **nicht**

Wir	kommen	nicht	aus der Türkei.
Sie	heißen	nicht	Claudine und Bernard Chaptal.
Ich	arbeite	nicht	bei Siemens.

Wer bin ich?

Ich lerne gerne.
Ich komme nicht aus Moskau.
Hey, das ist Ludmilla!
Ich wohne in Frankfurt.
Ich habe die Telefonnummer 22 33 56 74.
Guten Tag, hier ist Petra Kraus. Haben Sie die Telefonnummer von Heiner Bause?

Lernen lernen

A 20-22

Lerntipp
Ein Telefonat vorbereiten: Telefonate auf Deutsch mit einem Stichwortzettel planen.

Guten Tag / hier ist
Tel. Bause
(Wie bitte, noch einmal)
Telefonnummer:

Einheit 3: *Im Café*

- etwas bestellen
- sagen, was man (nicht) mag
- ein(e)/kein(e)
- Personalpronomen im Nominativ
- Verben im Präsens
- die Verben haben und sein

CD 1

1 Lesen Sie die Getränkekarte und klären Sie zu zweit unbekannte Wörter mit dem Wörterbuch.

2 Sehen Sie das Foto an. Welche Getränke sehen Sie? Kreuzen Sie an.

3 Fragen Sie und antworten Sie. Benutzen Sie die Getränkekarte.

fragen, was jemand (nicht) mag	sagen, was man (nicht) mag
Was mögen Sie?	Mein Lieblingsgetränk ist … (++)
Was mögen Sie nicht?	Ich mag (gern) … (+)
Mögen Sie … ?	Ich trinke gern … (+)
	Ich trinke nicht so gern … (-)

Cafe am Markt

Kaffee	1,60	
Espresso	1,60	
Tee	1,30	
Kakao	1,60	
Mineralwasser	1,30	
Apfelsaft	1,80	
Orangensaft	1,80	
Cola	1,50	
Bier	2,10	
Wein	2,80	

1 Im „Café am Markt“

1.1 Hören Sie die Dialoge und sehen Sie die Bilder an. Welcher Dialog passt zu welchem Bild?

Dialog A

Kellnerin: Guten Tag. Was möchten Sie trinken?
Frau: Wir nehmen Kaffee, Mineralwasser und Apfelsaft, bitte.
Kellnerin: Kaffee, Wasser und Apfelsaft. Gern. Möchten Sie auch etwas essen?
Frau: Nein, danke.

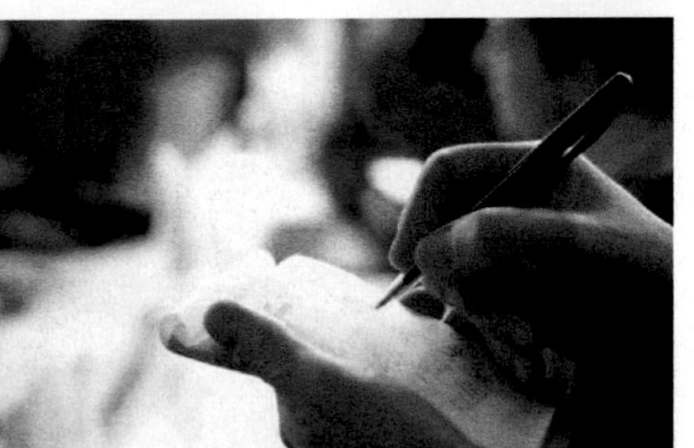

Dialog B

Frau: Zahlen, bitte.
Kellner: Kaffee und Orangensaft. Das macht drei Euro vierzig.
Frau: Hier sind fünf Euro.
Kellner: Und ein Euro sechzig zurück.
Frau: Danke. Und das ist für Sie.
Kellner: Danke sehr. Auf Wiedersehen.

Dialog C

Frau: Was nimmst du?
Mann: Ich weiß nicht.
Frau: Ich nehme Cola. Nimmst du auch Cola?
Mann: Nein, ich nehme Orangensaft. Bestellst du?

1.2 Dialogpuzzle: Ordnen Sie die Dialoge. Schreiben und spielen Sie die Dialoge.

a. Nein. Ich nehme Tee. | Kaffee. Du auch? | Was nimmst du?

b. Ja, Pizza, bitte. | Guten Tag. Was möchten Sie trinken? | Espresso, gern. Möchten Sie auch etwas essen? | Guten Tag. Ich möchte Espresso, bitte.

c. Hier sind drei Euro. | Zahlen, bitte. | Und zehn Cent zurück. | Danke sehr. Auf Wiedersehen. | Kakao und Mineralwasser. Das macht zwei Euro neunzig. | Danke. Und das ist für Sie.

1.3 Spielen Sie weitere Dialoge im Café.

2 Speisen und Getränke

2.1 **Schreiben Sie die Wörter mit Artikel und Wortakzent. Das Wörterbuch hilft.**

2.2 **Schreiben Sie die Wörter aus der Wörterschlange in eine Tabelle.
Ergänzen sie Artikel und Infinitive.**

SALATNIMMSTZURÜCKCAFÉAUCHBITTEPIZZATRINKEMAGAPFELSAFTEUROCOLA
KAKAONEHMENEUNZIGORANGENSAFTNEINSANDWICHKAFFEEVIERZIGEINSESSESPEISE
MINERALWASSERBIERWASDANKEKELLNERINJADREIGETRÄNKESPRESSOZAHLEKELLNER
SIEBENWEINSECHZIG

Nomen	Verben	andere Wörter
– r Salat, – s …	du nimmst (nehmen), …	zurück …

3 *Ein/eine und kein/keine*

3.1 **Betrachten Sie die Fotos und lesen Sie die Sätze.**

Herzlichen Glückwunsch!

Danke. Was ist das? Ein Buch?

Es ist ein Buch, ein Roman.

Der Roman ist gut.

Das ist eine Kellnerin.

Die Kellnerin heißt Erika Möller.

C 40

bestimmter Artikel (Nominativ)	**unbestimmter Artikel (Nominativ)**
der Roman	ein Roman
das Buch	ein Buch
die Kellnerin	eine Kellnerin

3.2 **Das Artikel-Spiel: Werfen Sie sich einen Ball zu und sagen Sie ein Nomen mit dem bestimmten Artikel. Wer fängt, sagt das gleiche Nomen mit dem unbestimmten Artikel. Wer einen falschen Artikel sagt, scheidet aus.**

das Café
ein Café
die Pizza
eine Pizza

3.3 Ergänzen Sie die Sätze 1 – 8. Welche Sätze a – h passen? Ergänzen Sie a – h.

1. Das ist ....*ein*.... Anfängerkurs. [g]
2. Das ist .... Roman. [ ]
3. Das ist .... Telefonnummer. [ ]
4. Das ist .... Wort. [ ]
5. Das ist .... Stadt. [ ]
6. Das ist .... Verb. [ ]
7. Das ist .... Buch. [ ]
8. Das ist .... Sekretärin. [ ]

a. .... liegt in Österreich.
b. .... hat zehn Buchstaben.
c. .... heißt „lesen".
d. .... heißt Frau Kaiser.
e. .... ist ein Wörterbuch.
f. .... ist 38 27 82.
g. ..*Der Anfängerkurs*...... hat 15 Teilnehmer.
h. .... heißt „Der Vorleser".

3.4 Ein/eine – kein/keine – Lesen Sie die Sätze und ergänzen Sie die Regel.

Ist das ein Kaffee?
Nein, das ist kein Kaffee!
Ist das ein Wasser?
Nein, das ist kein Wasser!
Ist das ein Saft? Nein, das ist kein Saft, das ist eine Cola!

„Kein" funktioniert wie ....

3.5 Schreiben Sie die Sätze 1 – 8 aus Übung 3.3 ins Heft. Ersetzen Sie ein/eine durch kein / keine.

3.6 Nicht und kein/keine – Schreiben Sie selbst die Tabelle.

fragen	**bestätigen**	**verneinen**
Ist das ...	Ja, das ist ...	Nein, das ist ...
... Frau Nyström?	*Frau Nyström.*	*nicht Frau Nyström.*
... der Flug aus Bombay?	....	.... Flug aus Bombay.
... ein Buch?	....	.... Buch.

4 Du, ihr & Sie

4.1 *Du, ihr & Sie*. Hören Sie den Dialog und lesen Sie mit. Ergänzen Sie die Tabelle mit den Verben aus dem Dialog.

Susi: O Mann, das Café ist aber voll heute.
Julian: Ja. Aber da sind noch zwei Plätze.
Susi: Entschuldigung, ist hier noch frei?
Norma: Na klar. Bitte.
Susi: Danke.
Norma: Ich bin Norma. Wie heißt ihr?
Äh, Entschuldigung. Wie heißen Sie?
Susi: „Du“ ist o.k. Ich heiße Susi und das ist Julian.
Was machst du in Berlin, Norma?
Norma: Ich arbeite bei der Botschaft.
Was macht ihr?
Susi: Ich bin Sekretärin und Julian ist Student.
Julian ist mein Bruder.
Julian: Ich studiere Elektrotechnik.

Infinitiv: heißen		
Singular	2. Person: *Wie heißt du?*	
Plural	2. Person: *Wie* .... *ihr?*	formelle Anrede: *Wie* .... *Sie?*

4.2 Ergänzen Sie *du*, *ihr* oder *Sie* und die Verben.

1. **A:** Woher kommst......... ? **B:** Aus Angola. Und woher .... du?
2. **A:** Was mögen............ ? **B:** Ich mag Apfelsaft. Und was .... Sie?
3. **A:** Wo wohnt ....? **B:** Wir wohnen in Frankfurt. Und wo............. du?
4. **A:** Kommen .... aus China? **B:** Ja. Aus Peking. Und woher............. Sie?
5. **A:** Was machst .... heute? **B:** Ich gehe in die Disco. Was .... ihr?
6. **A:** Kommt ......heute auch ins Café? **B:** Ja. Wir kommen. Um wie viel Uhr............. ihr?

B 2.6

4.3 Wann benutzt man *du* und wann *Sie*? Kreuzen Sie an.

Personen/Situation >	Familie	Kollegen	im Kurs	Kinder	Fremde	auf der Straße	Freunde
Sie							
du							

Info: *Die Anrede: Siezen und Duzen*
Die meisten Deutschen, Österreicher und Schweizer, die sich nicht kennen, sprechen sich mit der formellen Anrede, dem „Sie“ an. Unter jüngeren Menschen benutzt man häufig auch das „Du“. Kinder, Familien und Freunde untereinander sind per du. Im Zweifelsfalle wartet man, welche Anrede der Gesprächspartner wählt oder man siezt. Ältere Gesprächspartner erwarten das „Sie“ und können Jüngeren das „Du“ anbieten.

5 Norma und Julian

5.1 Lesen Sie die E-Mail. Welche Verben passen? Ergänzen Sie.

machen > wohnen > arbeiten > kommen > sein > trinken > gehen

Betreff: Kino mit Julian?

Hallo Norma,
wie geht's? Was .... du morgen Abend? .... du in der Botschaft oder hast du Zeit?
Ich .... ins Kino. Da kommt ein Film von Wolfgang Petersen. .... du mit?
Ruf doch mal an! Meine Handy-Nummer.............. 0179 / 5 43 49 96.
Liebe Grüße
Julian

5.2 Hören Sie. Ergänzen und spielen Sie das Telefonat. Die E-Mail hilft.

Julian: Julian Meister.
Norma: Hallo Julian, hier ist Norma. .... geht's?
Julian: Hallo Norma. Danke, ... Was machst du .... Abend?
Norma: Noch nichts.
Julian: Ich gehe ins .... Da kommt ein .... von Wolfgang Petersen. Hast du Zeit?
Norma: Ja. Ich habe ....
Julian: Gehen wir zusammen ins .... ?
Norma: Ja, gerne.
Julian: Ich komme um neun zu dir, okay?
Norma: Ja, ... Bis ....

5.3 Lesen Sie den Text und markieren sie alle Stellen, die Sie verstehen.

Wolfgang Petersen

Wolfgang Petersen kommt aus Deutschland, aus Emden. Er ist Filmregisseur. Petersen wohnt jetzt in Los Angeles und arbeitet in Hollywood. Seine Filme sind sehr bekannt. Ein Film von Wolfgang Petersen ist „Das Boot".

„Das Boot" ist ein Kriegsdrama. Der Film zeigt authentisch die Erlebnisse einer deutschen U-Boot-Besatzung im 2. Weltkrieg. Der Film war 1982 für sechs „Oscars" nominiert.

Andere Beispiele für Petersens Filme: „Geliebter Feind" („Enemy Mine", Science Fiction), „In the Line of Fire" (Thriller), „Der Sturm" (Katastrophenfilm). Wolfgang Petersen arbeitet mit vielen Stars. 2004 macht Petersen den Film „Troja" („Troy") mit Brad Pitt, Eric Bana und Orlando Bloom. Der Film ist inspiriert von Homers „Ilias".

5.4 Ergänzen Sie die folgenden Sätze durch Informationen aus dem Text.

1. Wolfgang Petersen wohnt in ....
2. Er ist ....
3. „Das Boot" ist ....
4. .... ist ein Science-Fiction-Film.

6 Verben im Präsens

6.1 Hören und lesen Sie den Dialog.

Norma und Julian gehen ins „Café am Markt". Da treffen sie Saskia und Robert. Saskia und Robert sind Freunde von Julian.

Robert: Hallo Julian! Hallo! Bist du Norma? Ich bin Robert und das ist Saskia, meine Freundin.
Norma: Ja, ich bin Norma. Hallo! Seid ihr auch aus Berlin?
Saskia: Nein, wir sind nicht aus Berlin. Ich bin aus Frankfurt und Robert ist aus Stuttgart.
Norma: Wo arbeitet ihr?
Robert: Wir arbeiten am Flughafen. Und wo arbeitest du?
Norma: Ich arbeite bei der Botschaft von Angola.
Saskia: Du sprichst gut Deutsch. Welche Sprachen sprichst du noch?
Norma: Danke. Ich spreche Portugiesisch, Französisch, Englisch und Deutsch.
Saskia: Toll! Wir sprechen Deutsch und Englisch. Robert spricht noch ein bisschen Spanisch.
Kellnerin: Guten Abend! Was möchten Sie trinken?
Robert: Ich trinke Kaffee. Nimmst du auch Kaffee, Saskia?
Saskia: Nein. Ich trinke Tee. Und was nehmt ihr?
Julian: Was trinkst du, Norma?
Norma: Ich nehme Kaffee.
Kellnerin: Und was nehmen Sie?
Julian: Orangensaft, bitte.
...
Robert: Was macht ihr heute Abend?
Norma: Wir gehen ins Kino. Da kommt ein Film von Wolfgang Petersen. Habt ihr Zeit?
Saskia: Ja, klar, wir haben Zeit.
Norma: Prima.

C 14

6.2 Unterstreichen Sie die Verben in 6.1 und ergänzen Sie die Tabellen. Die Verbformen aus 6.1 und S.31 helfen.

Person ↓	wohnen	trinken	arbeiten	sprechen	nehmen
ich				spreche	
du	wohn|st				nimmst
er, es, sie	wohn|t	trinkt			nimmt
wir		trinken			
ihr	wohn|t	trinkt		sprecht	
sie, Sie	wohn|en		arbeiten		

Infinitiv →	haben	sein
ich		
du		bist
er, es, sie	hat	
wir		
ihr		
sie, Sie	haben	

6.3 **Markieren Sie die Endungen in 6.2 und ergänzen Sie dann die Sätze.**

1. „Wir .... aus Frankreich."
2. Norma .... vier Sprachen.
3. „Ich .... nicht so gern Kakao."
4. „ .... Sie Anirvan Dalal?"
5. „ .... du Regisseur?"
6. Frau Böspflug und Herr Miller .... in Frankfurt.
7. „ .... ihr morgen Zeit?"
8. Wolfgang Petersen .... in Hollywood.

6.4 **Drei SMS. Lesen Sie die Texte. Welche Wörter fehlen? Schreiben Sie die kompletten Texte ins Heft.**

arbeiten > sein > heißen > gehen > kommen > haben

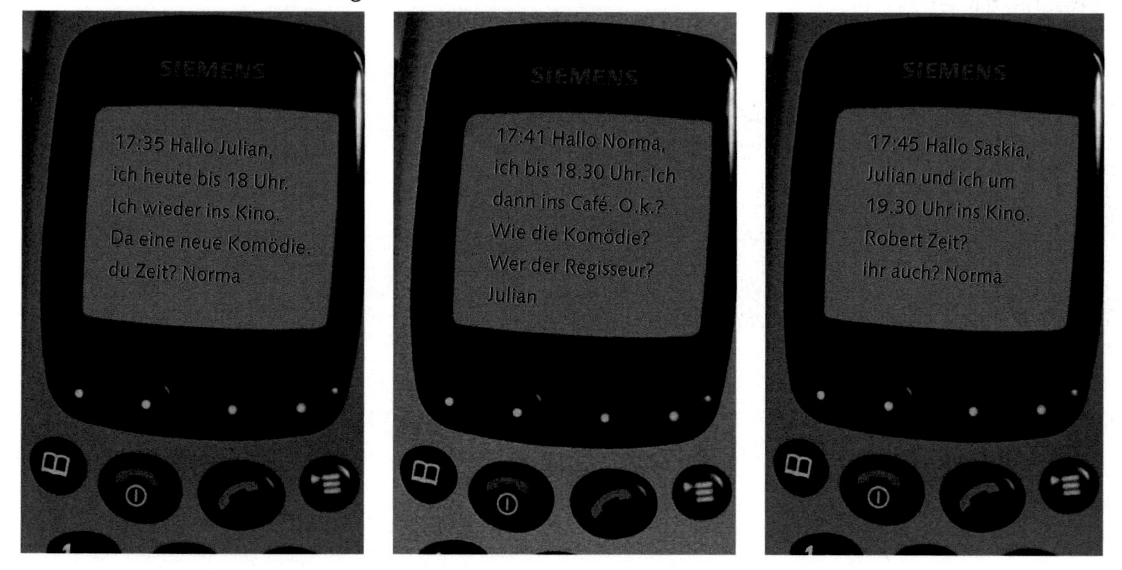

SIEMENS
17:35 Hallo Julian,
ich heute bis 18 Uhr.
Ich wieder ins Kino.
Da eine neue Komödie.
du Zeit? Norma
SIEMENS
17:41 Hallo Norma,
ich bis 18.30 Uhr. Ich
dann ins Café. O.k.?
Wie die Komödie?
Wer der Regisseur?
Julian
SIEMENS
17:45 Hallo Saskia,
Julian und ich um
19.30 Uhr ins Kino.
Robert Zeit?
ihr auch? Norma

B 10

6.5 **Sammeln Sie Fragen aus 6.1. Machen Sie dann ein Partnerinterview und stellen Sie Ihren Partner im Kurs vor. Geben Sie eine falsche Information. Die anderen Kursteilnehmer raten, welche Information falsch ist.**

Ort	Herkunft	Sprachen	Arbeit
Wo ...?	Woher ...?	Sprechen Sie ...?	Was ...?
		Sprichst du ...?	Wo ...?

So geht's

Kommunikation

fragen	auswählen/bestellen
Was möchtest du?	Ich möchte ... / Wir möchten ...
Was möchten Sie?	Ich nehme ... / Wir nehmen
	Ich hätte gern ... / Wir hätten gern ...
Möchtest du ...?	Ja, gern.
Möchten Sie ...?	Nein, danke. Ich möchte lieber ...
	Nein, danke. Ich nehme lieber ...

nach der Rechnung fragen **Small talk**

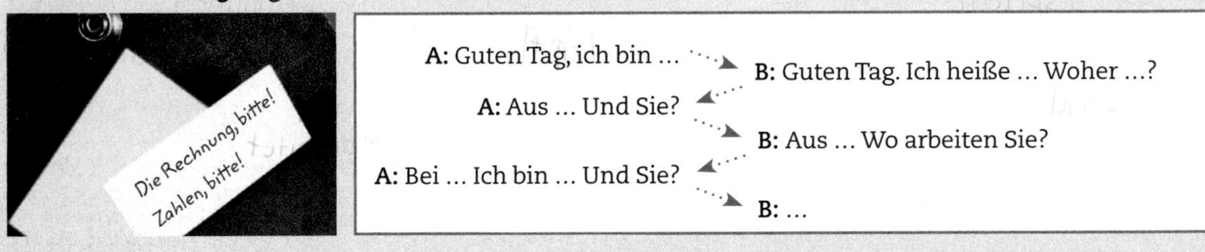

A: Guten Tag, ich bin ... → B: Guten Tag. Ich heiße ... Woher ...?

A: Aus ... Und Sie? → B: Aus ... Wo arbeiten Sie?

A: Bei ... Ich bin ... Und Sie? → B: ...

Grammatik

der/das/die – ein/eine – kein/keine

Der Film „Das Boot" ist ein Film von Wolfgang Petersen.
Er ist kein Science-Fiction-Film.

⚠ Bei manchen unregelmäßigen Verben ändert sich in der 2. und 3. Person Singular der Stamm.

Verben im Präsens

Person	trinken	arbeiten	sprechen	nehmen
ich	trinke	arbeite	spreche	nehme
du	trinkst	arbeitest	sprichst	nimmst
er/es/sie	trinkt	arbeitet	spricht	nimmt
wir	trinken	arbeiten	sprechen	nehmen
ihr	trinkt	arbeitet	sprecht	nehmt
sie/Sie	trinken	arbeiten	sprechen	nehmen

Lernen lernen

A 4.4

ich habe
du hast
er/es/sie hat
wir haben
ihr habt
sie/Sie haben
ich bin
du bist
er/es/sie ist
wir sind
ihr seid
sie/Sie sind
Ich arbeite,
du arbeitest,
er ...
ich -e
du -(e)st
er/es/sie -(e)t
wir -en
ihr -(e)t
sie/Sie -en

Einheit 4: *Unterwegs in Europa*

- geografische Positionsangaben machen
- bekannte Orte in D-A-CH benennen
- Ländernamen und Artikel
- einen Text erschließen
- Wiederholung der Verben im Präsens

1 Testen Sie Ihr Wissen über Europa. Kreuzen Sie an. Hören Sie dann das Quiz.

1) Wie heißt die Hauptstadt von Ungarn?
a) Bratislava.
c) Budapest.
b) Ljubljana.
d) Amsterdam.
4) Lissabon ist die Hauptstadt von
a) Malta.
c) Portugal.
b) Zypern.
d) Irland.
2) In Rom steht
a) der Buckingham Palast.
c) der Eiffelturm.
b) der Petersdom.
d) das Brandenburger Tor.
5) Wo steht das Atomium?
a) In Athen.
c) In Prag.
b) In Brüssel.
d) In Wien.
3) Die Landessprache von Liechtenstein ist
a) Französisch.
c) Italienisch.
b) Niederländisch.
d) Deutsch.
6) Wo ist die Europäische Zentralbank?
a) In London.
c) In Zürich.
b) In Brüssel.
d) In Frankfurt.

2 Schreiben Sie eine Quizfrage mit vier Antwortmöglichkeiten für Ihren Partner.

Wo ist …? Wie heißt …? Wo liegt …? Wo steht …?

1 Texte erschließen

1.1 Lesen Sie die Texte und notieren Sie die Informationen.

Herr und Frau Engel kommen aus Karlsruhe. Das liegt 130 Kilometer südlich von Frankfurt. Sie fahren nach Italien. Die Engels haben einen Sohn, Dirk. Er ist 10 und lernt Englisch in der Schule. Frau Engel spricht Englisch und etwas Italienisch. Herr Engel spricht nur Englisch. Herr Engel arbeitet bei Mercedes-Benz in Mannheim. Frau Engel ist Lehrerin. Sie unterrichtet Englisch und Deutsch. Am Wochenende gehen die Engels gern ins Kino.

Renate Nieber wohnt in Weimar, das liegt in Thüringen zwischen Erfurt und Jena. Renate und ihr Freund Stefan Freiger fahren zusammen nach Grenoble Ski fahren. Renate und Stefan haben zehn Tage Urlaub. Stefan spricht ein bisschen Französisch. Renate spricht nur Deutsch. Renate und Stefan arbeiten bei Opel in Eisenach. Sie ist Programmiererin und er ist Controller.

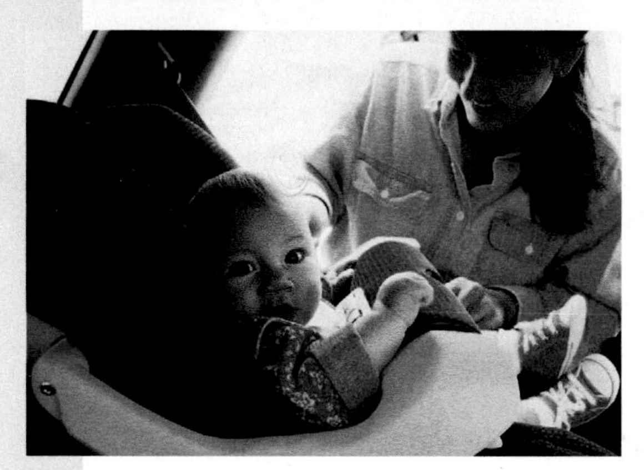

Giuseppe Roca wohnt in Sankt Pölten. Das liegt etwa 50 Kilometer westlich von Wien. Er ist Italiener, 33 Jahre alt. Er ist aus Venedig. Giuseppe spricht sehr gut Deutsch und Italienisch. Er versteht Spanisch und Französisch. Seine Freundin Susanne Nentwich spricht ein bisschen Italienisch. Sie sind nicht verheiratet, aber sie haben ein Baby, ein Mädchen. Anita ist drei Monate alt. Sie fahren 14 Tage nach Tschechien, nach Prag. Susanne hat dort Freunde. Susanne ist Sekretärin in einer großen Schule. Giuseppe ist Elektrotechniker. Er arbeitet bei der Telekom Austria in Wien und er liest gerne Romane.

Name	**Sprachen**	**Arbeit**	**Hobby**
Herr und Frau Engel			
Renate Nieber			
Giuseppe Roca			

1.2 Stellen Sie die Personen mit Hilfe der Tabelle im Kurs vor.

1.3 Lesen Sie den Text und sehen Sie die Grafik an. Nennen Sie wichtige Informationen aus Text und Grafik.

Deutschland reist

Die Deutschen reisen gern. Sie fahren sehr gern ins Ausland. Der typische Deutsche macht einmal pro Jahr Urlaub. Der Urlaub dauert etwa 13 Tage. Wichtig für Deutsche im Urlaub sind Entspannung, Zeit und Ruhe, kein Stress und gutes Wetter. Etwa 21 Millionen Deutsche machen Urlaub in Deutschland. Sie fahren am liebsten ans Meer (etwa 50%). 18 Prozent etwa bleiben im Urlaub zu Hause. Und 14 Prozent der Deutschen fahren in die Berge. Die beliebtesten Aktivitäten der Deutschen im Urlaub sind Sonnenbaden (50%), Spazierengehen (41%) und das Essen in guten Restaurants (36%).

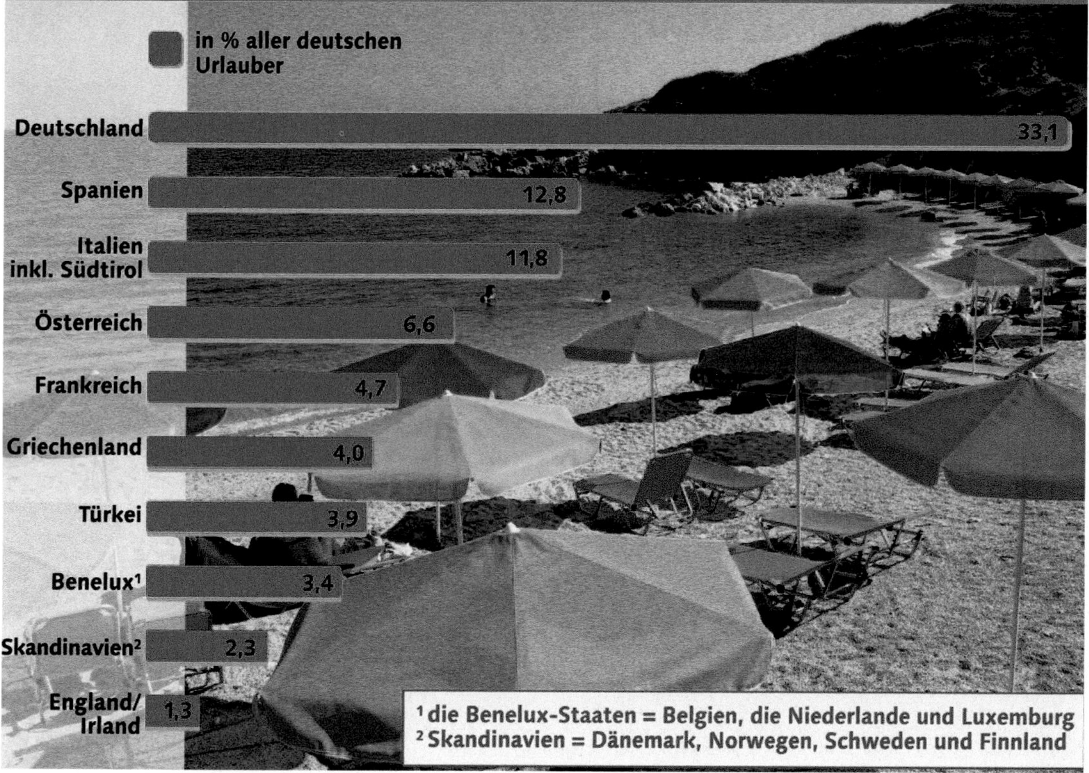

Die Deutschen mögen .... im Urlaub.

Sie fahren/reisen am liebsten ans .... Sie fahren/reisen nicht so oft in die ....

DEUTSCHE MACHEN URLAUB IN DEUTSCHLAND UND FAHREN OFT NACH ....

1.4 Wohin fahren Sie gerne? Nennen Sie Länder und Orte.

Ich fahre gerne ans Meer / in die Berge.
Ich fahre oft nach Spanien / ...
Wir fahren gerne in die ...

1.5 Sammeln Sie die Länder und machen Sie eine Hitliste für Ihren Kurs.

2 Geographie

2.1 **Wie heißen die Länder, Sprachen und Hauptstädte? Sie finden die Sprachen im Kasten. In manchen Ländern gibt es mehrere Sprachen.**

Dänisch > Englisch > Deutsch > Niederländisch > Tschechisch > Italienisch > Slowenisch
Polnisch > Luxemburgisch > Französisch > Ungarisch > Slowakisch > Rätoromanisch

In Österreich spricht man Deutsch, in Frankreich spricht man Französisch.

2.2 **Sprachen im Kurs: Wer spricht was? Machen Sie eine Umfrage im Kurs. Welche Sprachen sprechen Sie?**

Ich spreche Chinesisch und Englisch. Und Sie?
Danke. Ich komme aus Brasilien. Ich spreche Portugiesisch und lerne Deutsch.
Ich spreche … Entschuldigung, was heißt „Português" auf Deutsch?
Portugiesisch

Info: Die meisten Ländernamen haben auf Deutsch keinen Artikel. Es gibt einige Ausnahmen:			
	der	*der Irak; der Iran; der Libanon; der Sudan; der Tschad*	*Teheran ist im Iran. Ich komme aus dem Iran.*
	***die** (Singular)*	*die Schweiz; die Türkei; die Slowakei*	*Ankara ist in der Türkei. Er kommt aus der Türkei.*
	***die** (Plural)*	*die Niederlande; die USA*	*New York ist in den USA. Sie kommt aus den USA.*

2.3 **Und Sie? Woher kommen Sie? Wo wohnen Sie jetzt?**

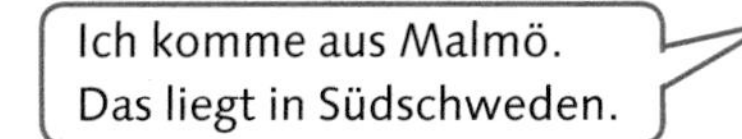

Ich komme aus Malmö.
Das liegt in Südschweden.

Ich wohne jetzt in Frankfurt.
Das liegt im Südwesten von Deutschland.

2.4 **Arbeiten Sie mit der Landkarte im Umschlag. Wo liegen diese Städte in Deutschland, Österreich und der Schweiz?**

Linz – Wien > Innsbruck – München > Mainz – Frankfurt > Graz – Klagenfurt > Weimar – Erfurt
Bern – Basel > Köln – Bonn > Lübeck – Schwerin > Lausanne – Genf > Leipzig – Dresden

Linz liegt westlich von Wien.

2.5 **Machen Sie selbst Aufgaben. Arbeiten Sie mit der Karte aus Übung 2.**

Wo liegt Bratislava?
In der Slowakei.
Wo genau?
Im Westen.
Östlich von Wien.

3 Informationen ordnen

Lesen Sie und schreiben Sie für jeden Lerntipp ein weiteres Beispiel.

Lerntipp: Systematisch geordnete Informationen kann man leichter lernen.
Hier sind drei Beispiele.

A 10.1

1. *Wörter in Tabellen ordnen*

Land	Einwohner/-in	Sprache
England	der Engländer / die Engländerin	Englisch
Italien	der Italiener / die Italienerin	Italienisch
die Schweiz	der Schweizer / die Schweizerin	
...	...	...

A 10.2
A 11.2

2. *Wörter in Wortgruppen lernen*
England, Engländer, Englisch
Hören und sprechen

3. *Wörter im Kontext lernen.*
Sandra Zawadska kommt aus Polen.
Sie ist Polin. Sie spricht Polnisch.

4 Verben

4.1 Fahren, sprechen, heißen, sein, ... Verben üben: Ergänzen Sie die fehlenden Formen.

fahren > sprechen > heißen > sein > reisen > kommen > wohnen > haben > machen

1
A: Ich ...*spreche*............... Englisch und ein bisschen Deutsch. .... Sie auch Englisch?
B: Nein, ich .... Französisch und Italienisch. Aber meine Frau .... Englisch.

2
A: .... du in Urlaub?
B: Ja. Ich .... nächste Woche nach Spanien, nach Granada. Und ihr?
A: Wir .... nicht in Urlaub. Meine Frau .... leider keine Zeit. Sie arbeitet.

3
Giuseppe .... in Sankt Pölten. Das .... westlich von Wien. Er .... aus Venedig. Er .... mit seiner Freundin nach Prag. Giuseppe und seine Freundin .... ein Baby.

4
A: Wie .... Sie?
B: Wir .... Meier.
Ich .... Klaus Meier und meine Frau .... Petra Meier.

5
Die Deutschen .... gern. Sie .... auch gern ins Ausland.
Am liebsten .... sie Urlaub im Süden, am Strand.

4.2 Schreiben Sie einen Text. Die Wörter helfen.

HERR UND FRAU SCHMIDT / IN URLAUB
Urlaub / 10 Tage
Sie / Italien

Frau Schmidt / Italienisch
Herr Schmidt / Englisch
Sie / Wein und Pizza

Herr und Frau Schmidt fahren in Urlaub.

5 Deutschland – Österreich – Schweiz: Ziele

5.1 Lesen und hören Sie die Texte. Sehen Sie sich die Fotos an und ordnen Sie zu.

1.

Innsbruck ist eine Universitäts- und Kongressstadt mit 115 000 Einwohnern. Die Stadt ist 800 Jahre alt, die Universität über 300 Jahre. Innsbruck ist die Hauptstadt von Tirol und liegt in den Bergen im Westen Österreichs, etwa 100 Kilometer südlich von München. Touristen sehen sich oft das Alte Rathaus an. Es ist fast 650 Jahre alt.

2.

Zürich ist die größte Stadt der Schweiz mit etwa 360 000 Einwohnern. Die Stadt liegt im Norden der Schweiz. Zürich ist die Hauptstadt des Kantons Zürich. Die Stadt ist für ihre Banken bekannt. Zürich hat aber auch eine schöne Altstadt (das „Dörfli") und historische Gebäude.

3.

Hamburg hat den größten Hafen Deutschlands. Von hier fahren Containerschiffe in die ganze Welt. Hamburg ist Stadt und Bundesland. Es ist mit 1,7 Millionen Einwohnern die zweitgrößte Stadt der Bundesrepublik und etwa 1200 Jahre alt. Es liegt etwa 250 Kilometer nordwestlich von Berlin. Der Tierpark Hagenbeck und das Vergnügungsviertel St. Pauli mit der „Reeperbahn" sind international bekannt.

5.2 Sammeln Sie wichtige Informationen aus den Texten. Berichten Sie im Kurs.

Stadt: Innsbruck
Alter: 800 Jahre
Hauptstadt? von Tirol
Einwohner:
Lage:
Sehenswürdigkeiten:
Innsbruck ist 800 Jahre alt.
Hamburg hat 1,7 Millionen Einwohner. Die Sehenswürdigkeiten sind: ...

Info *In Deutschland heißen die Landesteile Bundesländer. Sachsen ist ein Bundesland. Es gibt 16 Bundesländer in Deutschland. In Österreich heißen die Landesteile auch Bundesländer. Österreich hat neun Bundesländer, zum Beispiel Tirol. In der Schweiz nennt man die Landesteile Kantone. 26 Kantone gibt es in der Schweiz. Luzern ist ein Kanton.*

5.3 Kennen Sie andere Touristenattraktionen? Ordnen Sie zu.

So geht's

Kommunikation

über Länder und Städte sprechen

Woher kommst Du?	Ich komme aus Dresden.
Wo liegt Dresden?	Im Osten von Deutschland.
Wo genau?	Etwa 200 km südlich von Berlin.
Was ist interessant in Dresden?	Die Semperoper ist sehr schön.

Lernen lernen

A 16/17 **Lerntipp** *Machen Sie eigene Übungen zur Konjugation.*
Schreiben Sie Sätze aus dem Kursbuch ab und lassen Sie Lücken.

Vorderseite	**Rückseite**
Renate Nieber .... in Weimar, das .... in Thüringen.	Renate Nieber wohnt in Weimar, das liegt in Thüringen.

1. Informationen suchen

Deutschland reist
Etwa 21 Millionen Deutsche machen Urlaub in Deutschland. Sie fahren am liebsten ans Meer (etwa 50%). 18 Prozent etwa bleiben im Urlaub zu Hause.
Und 14 Prozent der Deutschen fahren in die Berge. Die beliebtesten Aktivitäten der Deutschen im Urlaub sind Sonnenbaden (50%), Spazierengehen (41%) und das Essen in guten Restaurants (36%).

2. Informationen ordnen

Wohin? *(Ziele in Deutschland)*
Was? *(Aktivitäten)*

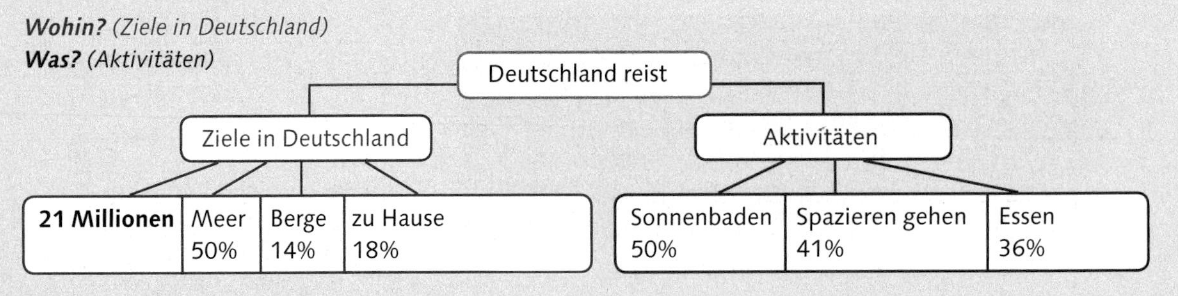

3. Informationen wiedergeben

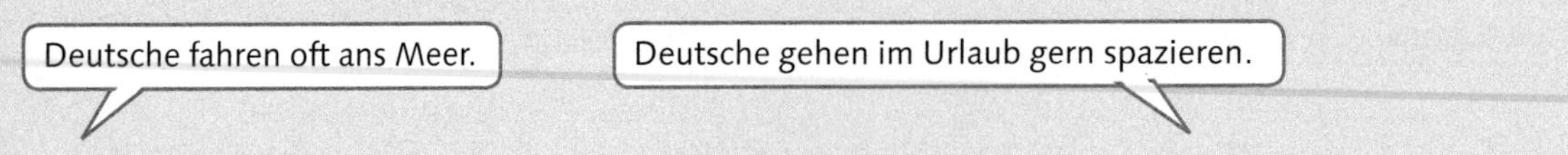

Deutsche fahren oft ans Meer.
Deutsche gehen im Urlaub gern spazieren.

Option 1

- Inhalte der Einheiten 1–4 wiederholen
- Phonetik: Rhythmus (Betonung), Melodie (Fragemelodie), Aussprache (**sch**, **st** und **sp**, die Umlaute **ä**, **ö** und **ü**)
- Selbstevaluation: Was kann ich?

1 Geographie

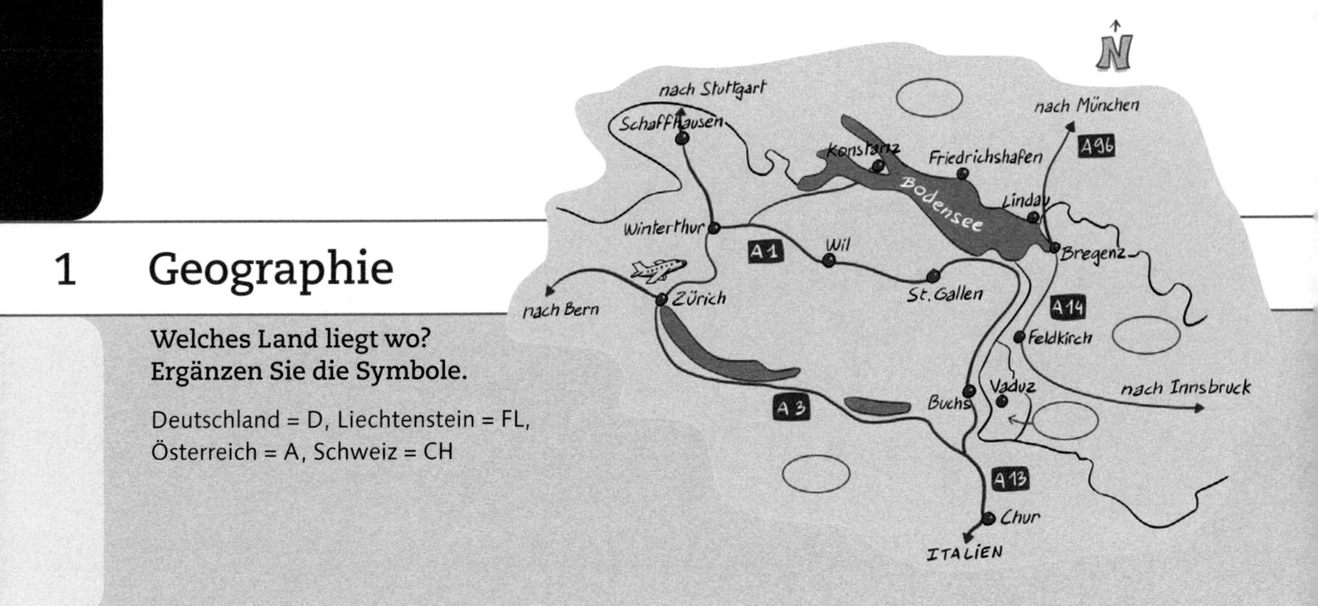

Welches Land liegt wo? Ergänzen Sie die Symbole.

Deutschland = D, Liechtenstein = FL, Österreich = A, Schweiz = CH

2 Lotto, 6 aus 49

Kreuzen Sie in jedem Feld sechs Zahlen an. Hören Sie dann die Lottozahlen. Sie hören vier Ziehungen. Wie viele Richtige haben Sie?

1	2	3	4	5	6	7	1	2	3	4	5	6	7	1	2	3	4	5	6	7	1	2	3	4	5	6	7	1	2	3	4	5	6	7
8	9	10	11	12	13	14	8	9	10	11	12	13	14	8	9	10	11	12	13	14	8	9	10	11	12	13	14	8	9	10	11	12	13	14
15	16	17	18	19	20	21	15	16	17	18	19	20	21	15	16	17	18	19	20	21	15	16	17	18	19	20	21	15	16	17	18	19	20	21
22	23	24	25	26	27	28	22	23	24	25	26	27	28	22	23	24	25	26	27	28	22	23	24	25	26	27	28	22	23	24	25	26	27	28
29	30	31	32	33	34	35	29	30	31	32	33	34	35	29	30	31	32	33	34	35	29	30	31	32	33	34	35	29	30	31	32	33	34	35
36	37	38	39	40	41	42	36	37	38	39	40	41	42	36	37	38	39	40	41	42	36	37	38	39	40	41	42	36	37	38	39	40	41	42
43	44	45	46	47	48	49	43	44	45	46	47	48	49	43	44	45	46	47	48	49	43	44	45	46	47	48	49	43	44	45	46	47	48	49
1	2	3	4	5	6	7	1	2	3	4	5	6	7	1	2	3	4	5	6	7	1	2	3	4	5	6	7	1	2	3	4	5	6	7
8	9	10	11	12	13	14	8	9	10	11	12	13	14	8	9	10	11	12	13	14	8	9	10	11	12	13	14	8	9	10	11	12	13	14

Info: Lotto ist in Deutschland, Österrreich und der Schweiz ein beliebtes Glücksspiel. In Deutschland spielen jede Woche ungefähr 10 Millionen Menschen Lotto. Man kreuzt sechs Zahlen pro Feld an. Das kostet 0,75 Euro. Am Mittwoch und am Samstag zeigt das Fernsehen die Ziehung der Lottozahlen. Wer drei richtige Zahlen in einem Feld hat, hat schon etwa 10,- Euro gewonnen. Mit vier richtigen Zahlen gewinnt man etwa 40,- Euro, bei fünf Richtigen circa 2500,- Euro. Mit sechs richtigen Zahlen gewinnt man 450.000 Euro oder mehr. Die Chancen für sechs Richtige sind 1:13 983 816. Der Gewinn wird allerdings unter den Gewinnern aufgeteilt.

3 Ein Würfelspiel mit Verben

Schreiben Sie Verben aus den Einheiten 1-4 im Infinitiv auf kleine Zettel. Spielen Sie zu viert mit einem Würfel. Wer zuerst zehn Richtige hat, hat gewonnen.

- ⚀ ich
- ⚁ du
- ⚂ er/es/sie
- ⚃ wir
- ⚄ ihr
- ⚅ sie/Sie

4 Diktat

4.1 Hören Sie die CD und schreiben Sie. Suchen Sie die Städte auf der Karte.

Bernd Kampmann > Dortmund > Frankfurt > Brücke > Nürnberg

4.2 Welches Bild passt zum Text?

Regensburg | Heidelberg | Bamberg

5 Kennen Sie Ihr Deutschbuch?

Beantworten Sie die Fragen zu den Bildern.

1. Ist das Frau Müller?

2. Ist das eine Notrufnummer in Österreich?

3. Kommt er aus Frankfurt?

4. Ist das ein Espresso?

5. Ist das Herr Graffmann?

6 Auskunft zur Person

Lesen und hören Sie bitte den Text. Schreiben Sie selbst einen Text oder variieren Sie diesen Text mit Ihren persönlichen Zahlen.

> Ich bin
> die Telefonnummer 56 89 45
> die Hausnummer 24
> die Postleitzahl 13354
> die Passnummer K 498 309
> die Kursnummer 37a
> die Bibliotheksnummer 127984
> Ich bin eine Nummer.
> Bin ich nur eine Nummer,
> nur eine Zahl?

7 Drei in einer Reihe

Spielregeln:

1. Immer zwei Kursteilnehmer/innen (0/X) spielen zusammen.
2. Bearbeiten Sie eine Aufgabe und markieren Sie das Feld mit dem Bleistift. (0 /X)
3. Haben Sie drei Felder in einer Reihe? Dann haben Sie gewonnen.

Buchstabieren Sie: *Bunczkowski* B – U – N – ...	**Am Telefon: Was sagen Sie?** **A:** Müller. **B:** ...	**Fünf Nomen mit Artikel** *die*	**Wie heißen die vier Himmelsrichtungen?**
Nicht **oder** *kein(e)***?** > Ich verstehe Sie ... > Ich habe ... Zeit.	**Im Café: Antworten Sie.** **A:** Was möchten Sie, bitte? **B:** ...	**Antworten Sie.** **A:** Sind Sie Frau Weber? **B:** ...	**Wie heißt die Frage?** **A:** ... **B:** Nein, ich heiße Mai.
Drei Begrüßungen: > Guten Morgen! > Guten ...! > ...	**Antworten Sie.** **A:** Wohnen Sie auch in Frankfurt? **B:** ...	**Antworten Sie.** **A:** Woher kommen Sie? **B:** ...	**Thema „Essen/Trinken":** vier Wörter
Was ist der Plural? Stuhl, Frau, Kind, Foto	**Ergänzen Sie.** *haben* **oder** *sein***?** Sie/aus Belgien? du/Zeit? er/Regisseur?	**Wie heißt die Frage?** **A:** ... **B:** Die Telefonnummer ist 93 60 78.	**Wie heißen die Länder?** CH A FL D

8 Phonetik: Rhythmus, Melodie und Aussprache

Rhythmus

8.1 Hören Sie und sprechen Sie nach.

Wie geht's ?
Es geht.
Na klar !
...

Noch einmal!
aus Frankfurt
Bis später!
...

Guten Tag .
Habt Ihr Zeit ?
Ist hier frei ?
...

8.2 Der Ja-Sager: einen Text rhythmisch sprechen.

a. Hören Sie den Ja-Sager und sprechen Sie nach.

Ja , ich heiße Meier, ich komme aus Deutschland, ich bin dreiunddreißig, ich spreche Deutsch und Französisch, ich bin verheiratet, ich arbeite gern und ich lerne auch gern.

b. Sprechen und laufen Sie den Text: Machen Sie einen großen Schritt für die betonten Silben und kleine Schritte für alle anderen Silben.

c. Sprechen und laufen Sie den Nein-Sager.

Melodie

8.3 Ja/Nein-Fragen und Fragemelodie

a. Bitte hören Sie die Beispiele und sprechen Sie nach.

Ist hier noch frei? Sind Sie verheiratet? Hast du Zeit? Ist das Frau Müller?

b. Fragen Sie Ihren Partner, achten Sie auf die Melodie.

Trinken Sie gerne ....Kaffee..... ?

Essen Sie gerne .... ?

Mögen Sie................. ?

Aussprache

8.4 Sch, st und sp

St und sp liest man am Wortanfang fast immer wie scht und schp. Hören Sie und sprechen Sie nach.

spielen, später, die Stadt, die Altstadt, der Buchstabe, sportlich, der Spaß, Spanisch sprechen

8.5 Die Umlaute ä, ö und ü

a. Hören Sie und sprechen Sie nach.
das Rätsel > sich verwählen > das Getränk > schön > das Wörterbuch > müde > der Süden > das Glück

b. Umlaut oder nicht? Wo fehlen die Punkte? Bitte hören und ergänzen Sie.
der osten > ostlich > der Norden > nordlich > zahlen > zahlen > zuruck > naturlich > schon > schon

Selbstevaluation

1 **Lesen Sie die Aussagen links und bearbeiten Sie dann die Aufgaben rechts.**

1. Ich kann begrüßen, meinen Namen nennen und Namen erfragen.	G.......... T........ Ich h............. Wie ....?
2. Ich kann fragen, woher eine Person kommt und wo sie wohnt.	Woher..................? Und wo.................?
3. Ich kann sagen, woher ich komme und wo ich wohne.	Ich k .... Ich w.............. ...
4. Ich kann nach einer Telefonnummer fragen und meine Telefonnummer sagen.	E .... , wie ist die T....................... v....... Frau Chaptal?
5. Ich kann Zahlen verstehen.	neunzehn = ... sechshundertneunundfünfzig = ... achtundzwanzig = ...
6. Ich kann etwas zu trinken bestellen.	Wir n .... / Ich m ....
7. Ich kann sagen, was ich (nicht) mag.	ich / Cola (+) .... ich / Kaffee / trinken (+) .... ich / Wein / trinken (-)................................
8. Ich kann Aussagen über Personen machen.	Er / sprechen / Deutsch Petra / fahren / Berlin Er / arbeiten / Stuttgart Wir / Wohnen / Wien

2 **Markieren Sie ✓ für *kann ich* und O für *kann ich nicht so gut*.**

3 **Korrigieren Sie mit den Lösungen im Anhang. Wie ist Ihr Ergebnis? Ziehen Sie eine Bilanz.**

++	+	–	––

Einheit 5: *Lebensmittel einkaufen*

— Mengen und Preise
— Einkaufsgespräche
— Akkusativergänzung
— Plural der Nomen
— systematisch Wortschatz lernen

1 **Hören Sie die CD. Welche Produkte sind im Angebot? Markieren Sie in der Liste.**

Oliven	Birnen	Bohnen	Marmelade	Orangen	Wein

Paprika	Champignons	Butter	Weintrauben	Schinken	Brot

2 **Hören Sie noch einmal. Was kosten die Produkte? Schreiben Sie die Preise in die Liste.**

1 Mengen und Preise

1.1 Sehen Sie sich die Collage an. Welche Produkte kennen Sie, welche nicht?

Holländische Markenbutter
250-g-Packung
0,98
Hipp Bio-Früchte
versch. Sorten, jedes 190-g-Glas
0,74
1,25 Deutsche Karotten
HKL 2,3-kg-Beutel
Onko Kaffee „Festlich", „Naturmild" oder „Sanft"
jede 500-g-Vacu-Packung
3,49
Gramm (g),
Kilogramm (kg),
Liter (l),
Milliliter (ml),
Pfund (500g)
Französische Spezialitäten
Orig. frz. Baguette Salami „Le-Bon"
100 g
1,24
Deutsche Zwiebeln
HKL 2,5-kg-Netz
1,74
Orig. frz. Hinterschinken
100 g
1,49
Bahlsen Picanterie Erdnuß-Locken
250-g-Beutel
oder Chio Chips Paprika,
175-g-Beutel
oder Funny chips frisch
ungarisch,
175-g-Beutel,
je
0,98
Unser Konzept ist wie unser Markt: sauber, klar, ordentlich. Helle, blitzblanke Regale, Appetitlichkeit in und an den Theken. Knackig frische Ware.
Bauer Fruchtjoghurt oder Vanille-Joghurt auf Frucht
3,5-% Fettgehalt,
versch. Sorten,
jeder-250-g-Becher
0,59
0,59 Holländische Salatgurken
HKL 1, 500–600 g, Stück
Bonduelle grüne Bohnen sehr fein, Erbsen extra fein, oder-extra fein mit Möhren
425 ml + 33-% = 580-ml-Dose,
je
0,49
1,74
Costa Rica Mango
große Früchte, Stück
1,49 Italienische Tafeltrauben
blau, lose, HKL 1,1-kg
Getränkemarkt
Franziskaner Weißbierspezialitäten
versch. Sorten, 20 Flaschen à 0,5 Liter, Kasten
14,80
inkl. 3,00 E Pfand
6 Flaschen Glankrone Apfelsaft à 1 Liter, klar oder trüb, Kasten
6,60
inkl. 3,00 E Pfand
Mineralwasser mit wenig Kohlensäure
12 Flaschen à 0,7 Liter, jeder Kasten
7,08
inkl. 3,30 E Pfand
Orangensaft oder Multivitaminnektar
7,24
inkl. 2,50 E Pfand
Gouda holl. Schnittkäse
jung, am Stück, 48% Fett i. Tr., 100 g
0,74

1.2 Machen Sie eine Tabelle im Heft.

Produkt	Mengenangabe	Preis
Apfelsaft	Kasten	6,60
Butter	250 Gramm	...
...	...	...

1.3 **Was passt zusammen? Ordnen Sie zu und lesen Sie vor.**

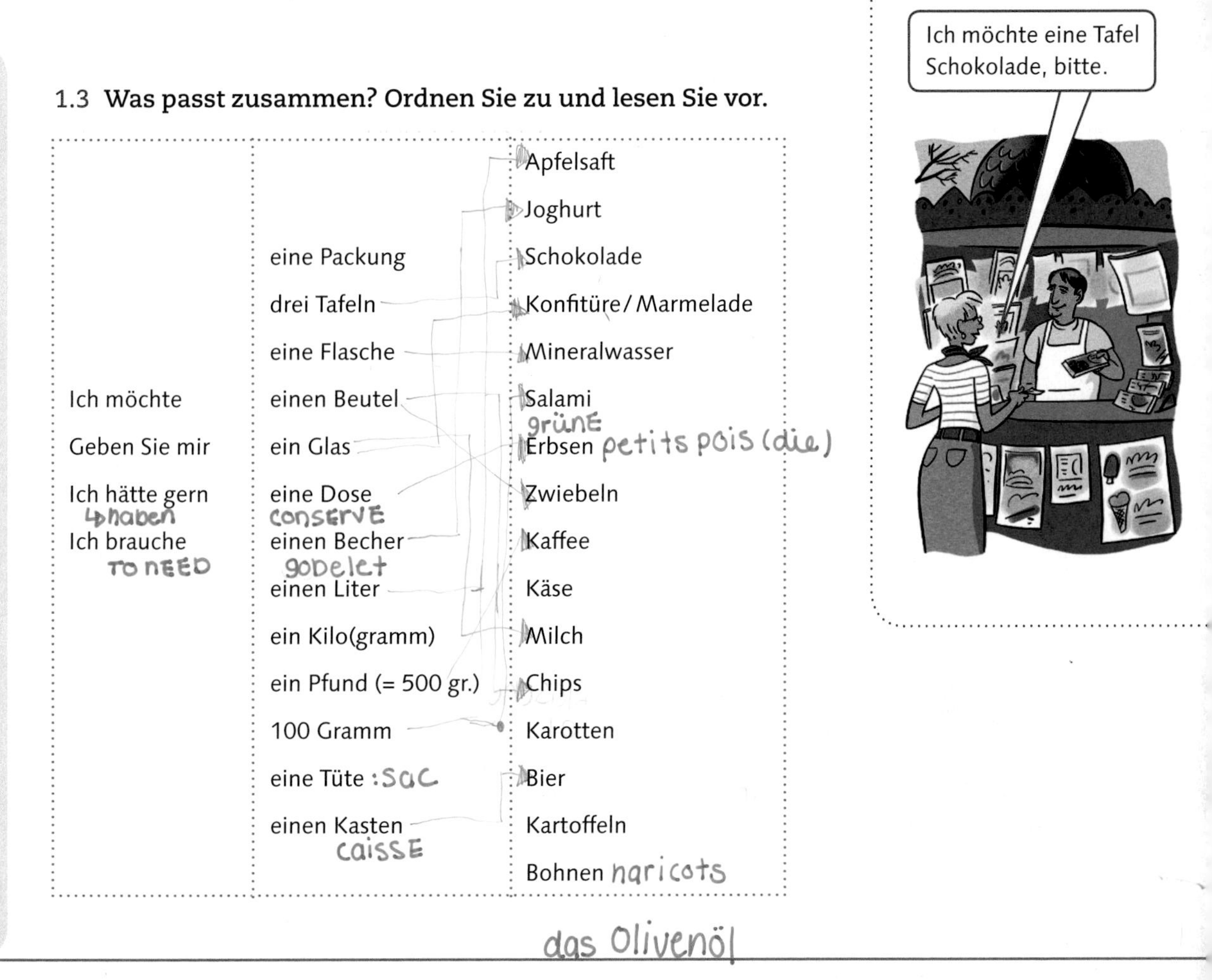

Ich möchte eine Tafel Schokolade, bitte.

		Apfelsaft
		Joghurt
	eine Packung	Schokolade
	drei Tafeln	Konfitüre / Marmelade
	eine Flasche	Mineralwasser
Ich möchte	einen Beutel	Salami
Geben Sie mir	ein Glas	Erbsen
Ich hätte gern	eine Dose	Zwiebeln
Ich brauche	einen Becher	Kaffee
	einen Liter	Käse
	ein Kilo(gramm)	Milch
	ein Pfund (= 500 gr.)	Chips
	100 Gramm	Karotten
	eine Tüte	Bier
	einen Kasten	Kartoffeln
		Bohnen

2 Einkaufen

2.1 **Hören Sie die CD und kreuzen Sie an. Was kauft Frau Müller?**

2L	milch
1kg	Kartoffeln
1kg	Brocoli
2Fl	Oliveoil
3	Schokolade
4	Kaffe
2	Chips
6	Eier (Ei)
	18,50

2.2 Hier ist der Dialog. Ergänzen Sie bitte. Kontrollieren Sie mit der CD.

Frau Müller: Guten Tag.

Verkäufer: Guten Tag. Sie ....?

Frau Müller: Ich hätte .... zwei Liter Milch.

Verkäufer: Ja. Noch etwas?

Frau Müller: Und ein .... Kartoffeln.

Verkäufer: Tut mir Leid, heute haben wir leider .... Kartoffeln.

Frau Müller: Hm, ja, ... Sie mir ein Kilo Broccoli.

Verkäufer: Gut. Noch etwas?

Frau Müller: Ja, ich brauche noch Öl.

Verkäufer: Wie viel?

Frau Müller: Ach, geben Sie mir gleich zwei ....

Verkäufer: Olivenöl oder Sonnenblumenöl?

Frau Müller: Olivenöl, ... Und sechs Eier.

Verkäufer: Gut. Ist das alles?

Frau Müller: Nein, ich brauche noch drei .... Schokolade. Das ist sehr wichtig.

Verkäufer: Ah ja. Welche Marke?

Frau Müller: „Milka". Ach ja, und noch ein .... Kaffee.

Verkäufer: Gerne.

Frau Müller: Das ist alles. Nein, Entschuldigung, bitte noch zwei Beutel Chips. Dann habe ich wirklich alles.

Verkäufer: So, ... 18, 40.

Frau Müller: Bitte.

Verkäufer: Danke. Das sind 20 Euro - und 1, 60 zurück. Danke schön, auf ...., schönes ....

Frau Müller: Danke auch. Auf Wiedersehen.

2.3 Bereiten Sie Einkaufsdialoge mit der Liste in 1.3 vor. Spielen Sie dann die Dialoge. Der Dialogbaukasten hilft.

B 15

fragen, was jemand möchte	sagen, was man möchte
Sie wünschen, bitte?	Ein Kilo Trauben, bitte.
Ja, bitte?	Geben Sie mir bitte ...
	Ich möchte ...
	Ich hätte gern ...
	Haben Sie ...?
Noch etwas?	Ja, ich brauche noch ...
	Nein, das ist alles.
Ist das alles?	Nein, ich brauche noch ...

2.4 Lebensmittel in Ihrem Land. Machen Sie eine Liste mit fünf wichtigen Lebensmitteln. Arbeiten Sie mit dem Wörterbuch. Wie heißen diese Lebensmittel auf Deutsch?

3 Nomen – die Pluralformen

Singular
der Salat
das Steak
die Suppe
Plural
die Salate
die Steaks
die Suppen
Ich möchte zwei Tafeln Schokolade, bitte.

3.1 Ergänzen Sie die Regel.

Der bestimmte Artikel heißt im Plural immer die.

3.2 Wie zeigt das Wörterbuch den Plural? Markieren Sie bitte.

Huhn, das; Hühner; Hühnchen; Hüh|ner-, ...brust, ...au|ge, ...brü|he,

Sa|lat, der; -e; gemischter-; ...blatt, ...gurke, ...kopf, ...öl, ...pflan|ze, ...plat|te, ...so|ße,

Banane, die; -n; ‹afrik.-port.›;Ba|na|nen-flan|ke (Fußball), ...republik (abwertend),

C 32

3.3 Hier sind Pluralformen von Nomen. Suchen Sie in der Wortliste im Anhang je zwei weitere Beispiele.

- invariable	**- e**	**- n**	**- en**
die Kilometer	die Salate	die Bananen	die Frauen
die Liter	die Brote	die Karotten	die Verben
die Spagnetti	die olivenöle	die margarinen	die leoparden
die Liebe	die weine	die orangen	die situationen
- er	**- s**	**Umlaut +**	
die Eier	die Steaks	die Hühner	
die Kinder	die Fotos	die Männer	
die munder	die champignons	Brüder die	
die manner	die müslis		

Lerntipp Nomen immer mit dem Artikel und der Pluralform lernen.

4 Akkusativ

4.1 Diese Sätze sind nicht komplett. Bitte ergänzen Sie.

1. Ich möchte ein ....

2. Geben Sie mir bitte einen ....

3. Ich hätte gern eine ....

4.2 Schreiben Sie die Sätze aus 4.1 in die Kästen.

Nominativ (N)	**Verb**		**Akkusativ (A)**
Ich	möchte		ein Bier

Verb	**Nominativ (N)**		**Akkusativ (A)**
		mir bitte	

Nominativ (N)	**Verb**		**Akkusativ (A)**
		gern	

Viele Verben brauchen einen Nominativ (= Subjekt) und einen Akkusativ (= Objekt).

4.3 Markieren Sie bitte die Verben, Nominative und Akkusative.

1. Ich (N)	**brauche (V)**	**einen Kaffee (A)**
2. Herr Koenig	schreibt	einen Brief
3. Verstehst	du	das Problem?
4. Ihr	hört	den Dialog.
5. Verstehen	Sie	die Aufgabe?
6. Wir	brauchen	eine Pause.

4.4 Hören Sie den Dialog. Was passiert?

5 Artikel im Akkusativ

Geben Sie mir bitte eine Tafel Schokolade.

C 41, 42

5.1 Nominativ und Akkusativ: Schauen Sie die Tabelle an. Wo gibt es Unterschiede?

	Nominativ	Akkusativ	
Singular	der Apfel	den Apfel	*Ich möchte den Apfel*
	das Glas	das Glas	*Ich möchte das Glas.*
	die Flasche	die Flasche	*Ich möchte die Flasche.*
Plural	die Äpfel/ …	die Äpfel/ …	*Ich möchte die Äpfel.*
Singular	ein Apfel	einen Apfel	*Ich hätte gerne einen Apfel.*
	ein Glas	ein Glas	*Ich hätte gerne ein Glas.*
	eine Flasche	eine Flasche	*Ich hätte gerne eine Flasche.*
Plural	Äpfel/ …	Äpfel/ …	*Ich möchte Äpfel.*

5.2 Ergänzen Sie die Regel.

Akkusativ und Nominativ sind im Singular und Plural fast immer gleich.
Ausnahme: maskuline Nomen im Singular.

der bestimmte Artikel: ....

der unbestimmte Artikel: ....

Info: Nominativ und Akkusativ:
ein *funktioniert wie* **kein***:*

	positiv	*negativ*
Singular:	*ein(en)/ein/eine*	*kein(en)/kein/keine*
Plural:	–	*keine*

5.3 Ergänzen Sie bitte die bestimmten Artikel im Nominativ in der linken Spalte und die Akkusativformen in der rechten Spalte.

1. *das* Wörterbuch	Ich brauche e ...... Wörterbuch.
2. .... Liter	Geben Sie mir bitte e ...... Liter Milch.
3. .... Text	Wann liest du d ...... Text?
4. .... Regel	Ergänzen Sie bitte d ...... Regel.
5. .... Brot	Wir brauchen noch e ..... Brot.
6. .... Heft	Ich habe d ...... Heft vergessen.
7. .... Banane	Tom isst k .... Bananen.
8. .... Kaffee	Ich bestelle e ...... Kaffee.
9. .... Tomatensuppe	Bringen Sie mir bitte d ...... Tomatensuppe.
10. ...... Wein	Möchtest du k ...... Wein?

Sie isst noch eine … .

5.4 Schreiben Sie drei Lückensätze wie in 5.3. Ihre Nachbarin / Ihr Nachbar ergänzt.

5.5 Ich brauche, nehme, möchte, hätte gern … . Spielen Sie im Kurs.

Ich brauche einen Kaffee.

Ich nehme einen Kaffee und einen Salat.

Ich möchte einen Salat und … .

6 Was essen Sie gerne?

6.1 Kennen Sie diese Lebensmittel und Speisen? Ordnen Sie zu. Ergänzen Sie dann die Artikel und den Plural.

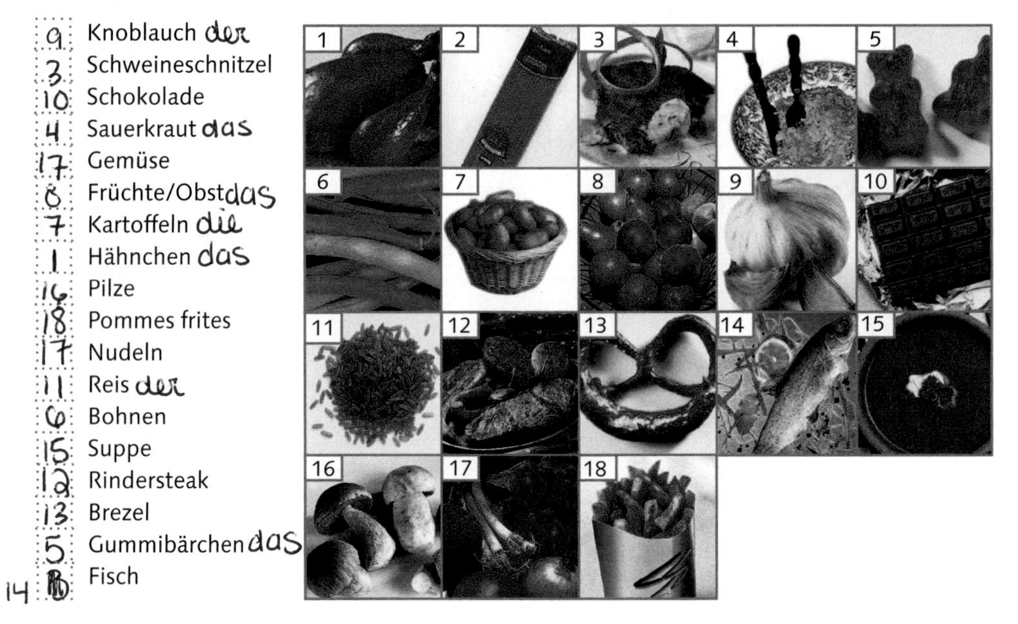

- 9 Knoblauch der
- 3 Schweineschnitzel
- 10 Schokolade
- 4 Sauerkraut das
- 17 Gemüse
- 8 Früchte/Obst das
- 7 Kartoffeln die
- 1 Hähnchen das
- 16 Pilze
- 18 Pommes frites
- 17 Nudeln
- 11 Reis der
- 6 Bohnen
- 15 Suppe
- 12 Rindersteak
- 13 Brezel
- 5 Gummibärchen das
- 14 Fisch

6.2 Partnerinterview: Was isst und trinkt Ihre Partnerin / Ihr Partner gern oder nicht gern. Machen Sie Notizen. Der Dialogbaukasten hilft.

Wiederholung:
Alle Nomen haben Artikel ... der, die, das ...
Aber: Bei unbestimmten Mengen und bei Nomen nach Maßangaben steht kein Artikel:
Sie isst gern Schokolade.
Ich möchte ein Kilo Tomaten.

fragen, was eine Person gern mag/isst/trinkt:	
Wie findest du / Wie finden Sie	Apfelsaft?
Mögen Sie / Magst du	Pizza?
Essen Sie gern / Isst du gern	Sauerkraut?
Trinken Sie gern / Trinkst du gern	Bier?
sagen, was man (nicht) gern mag / isst / trinkt:	
Apfelsaft	mag ich sehr
Pizza	finde ich super / spitze / ausgezeichnet!
Sauerkraut	esse / trinke ich (sehr) gern!
Bier	kenne ich nicht.
	mag ich (gar) nicht.
	finde ich scheußlich / fürchterlich / ekelhaft!
	esse / trinke ich nicht (gern).
Ich mag keinen / kein / keine	....

6.3 Berichten Sie jetzt im Kurs, was Ihre Partnerin / Ihr Partner gern trinkt und isst.

Ahmad kennt Sauerkraut nicht. Er mag Spaghetti ...

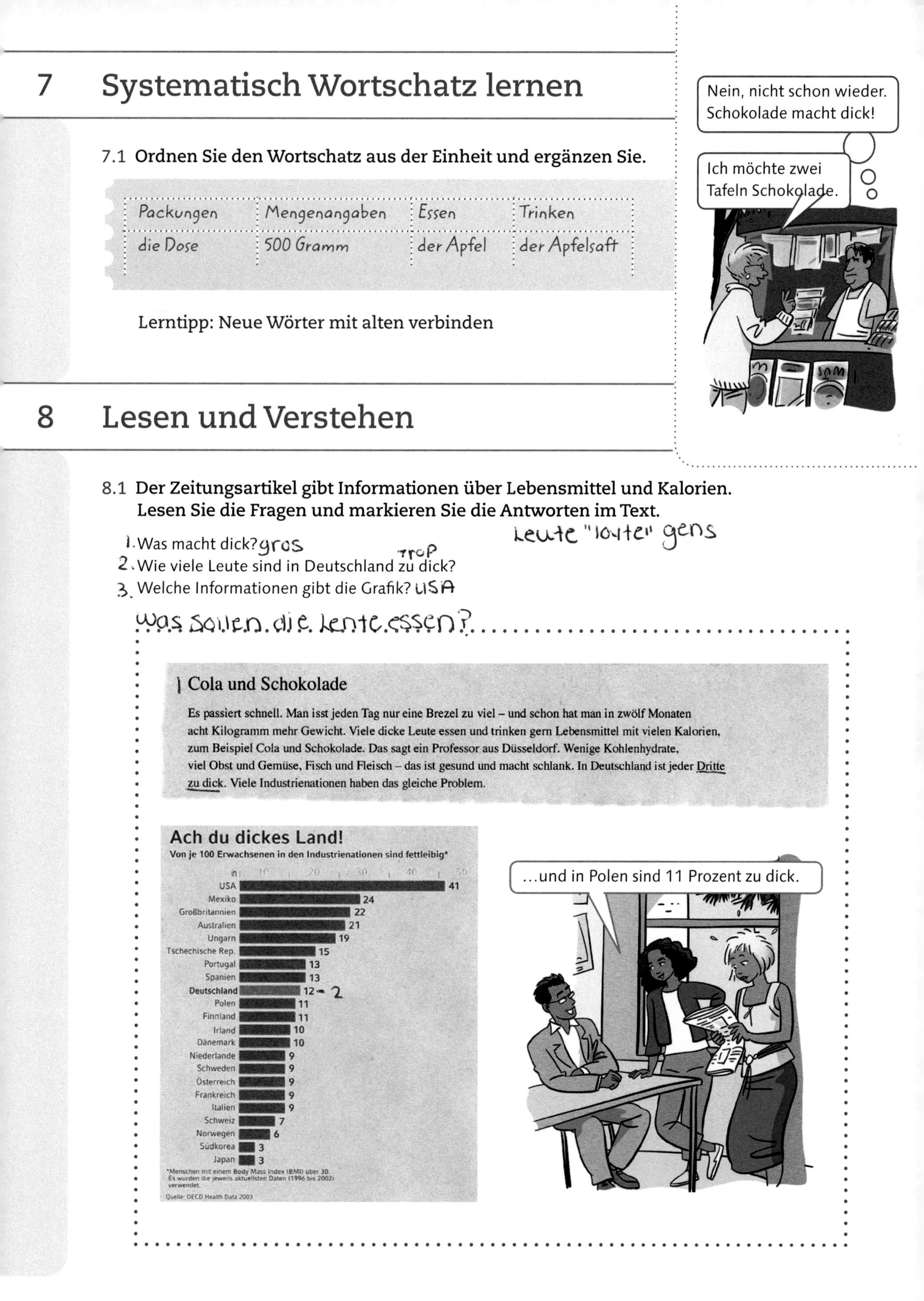

7 Systematisch Wortschatz lernen

7.1 **Ordnen Sie den Wortschatz aus der Einheit und ergänzen Sie.**

Packungen	Mengenangaben	Essen	Trinken
die Dose	500 Gramm	der Apfel	der Apfelsaft

Lerntipp: Neue Wörter mit alten verbinden

8 Lesen und Verstehen

8.1 **Der Zeitungsartikel gibt Informationen über Lebensmittel und Kalorien. Lesen Sie die Fragen und markieren Sie die Antworten im Text.**

1. Was macht dick? gros
2. Wie viele Leute sind in Deutschland zu dick? trop
3. Welche Informationen gibt die Grafik? USA

Leute "louter" gens

Was sollen die Leute essen?

Cola und Schokolade

Es passiert schnell. Man isst jeden Tag nur eine Brezel zu viel – und schon hat man in zwölf Monaten acht Kilogramm mehr Gewicht. Viele dicke Leute essen und trinken gern Lebensmittel mit vielen Kalorien, zum Beispiel Cola und Schokolade. Das sagt ein Professor aus Düsseldorf. Wenige Kohlenhydrate, viel Obst und Gemüse, Fisch und Fleisch – das ist gesund und macht schlank. In Deutschland ist jeder Dritte zu dick. Viele Industrienationen haben das gleiche Problem.

So geht's

Kommunikation

fragen, was jemand möchte	**fragen, was eine Person gern mag / isst / trinkt**
Sie wünschen, bitte?	Mögen Sie / Magst du Pizza?
Ja, bitte?	Essen Sie gern / Isst du gern Salat?
	Trinken Sie gern / Trinkst du gern Bier?

sagen, was man möchte	**sagen, was man (nicht) gern mag / isst / trinkt**	
Eine Tafel Schokolade, bitte		mag ich sehr!
Ich möchte ...	Pizza	mag ich (gar) nicht.
Ich hätte gern ...	Salat	esse / trinke ich (sehr) gern!
Haben Sie ... ?	Bier	esse / trinke ich nicht (gern).
		finde ich scheußlich / fürchterlich / ekelhaft!

Grammatik

Plural der Nomen
Die Endungen sind verschieden. Zum Beispiel: **die** Weine, **die** Gläser, **die** Flaschen.
Der bestimmte Artikel im Plural ist immer **die**.

Akkusativ

	Nominativ	**Akkusativ**
Singular	der Apfel	den Apfel
	das Glas	das Glas
	die Flasche	die Flasche
Plural	die Äpfel / ...	die Äpfel / ...
Singular	ein Apfel	einen Apfel / keinen Apfel
	ein Glas	ein Glas / kein Glas
	eine Flasche	eine Flasche / keine Flasche
Plural	Äpfel / ...	Äpfel / ... / keine Äpfel / ...

Lernen lernen

A 10

Wörter ordnen

zu Hause	**bei der Arbeit**	**im Café**
Chips	der Espresso	der Joghurt
...	...	...

Einheit 6: *Freizeitaktivitäten*

- Uhrzeit erfragen/nennen
- sich verabreden
- über Hobbys sprechen
- Wochentage
- trennbare Verben / Satzklammer
- Personalpronomen: Akkusativ

1 **Hören Sie. Ordnen Sie die Geräusche den Bildern zu.**

2 **Schreiben Sie die Wörter unter die Bilder.**

lesen > Volleyball spielen > Basketball spielen > im Internet surfen / Computerspiele > Yoga machen > Fußball spielen > Saxofon spielen > singen / Karaoke > boxen

3 **Stellen Sie Ihr Hobby pantomimisch im Kurs dar. Die anderen Kursteilnehmer raten.**

1 Uhrzeiten

1.1 Findet der Unterricht statt? Sehen Sie bitte das Bild an und hören Sie die CD. Was ist richtig? Kreuzen Sie bitte an.

1. Frau Müller ist da.
2. Heute ist kein Unterricht.
3. Morgen ist Unterricht.
4. Morgen ist Frau Müller nicht da.

Herr Bilgin: Guten Abend. Wie spät ist es denn?

Frau Chaptal: Genau halb sieben.

Herr Bilgin: Und ... ist Frau Müller nicht da?

Herr Chaptal: Nein, der Kurs fällt heute aus.

Frau Zawadzka: Das ist aber dumm ...
Und was machen wir jetzt?

Herr Bilgin: Ich gehe ins Kino. Kommt ihr mit?

1.2 Hören Sie die CD noch einmal und sprechen Sie mit.

1.3 Sehen Sie sich die Texte an und hören Sie dann die CD. Welcher Dialog passt zu welchem Text?

a.

19.50 Sportschau-Telegramm
20.00 Tagesschau – Nachrichten
20.15 Tatort – Reifezeugnis
TIPP Krimi, D 1977 Regie: Wolfgang Petersen, mit: Nastassja Kinski, Christian Quadflieg. Ein smarter Klassenlehrer hat eine Affäre mit seiner Schülerin Sina. Michael, Sinas Klassenkamerad, kommt dahinter. Schon wird der Lehrer von einer anderen Schülerin erpresst. Sina lockt Michael in den Wald und tötet ihn... **90 Min.**

Meter langen Dschunken bis an die Küsten Afrikas. **45Min.**
20.15 Ein Fall für zwei Krimi, D 2004 Seit mehr als 20 Jahren lösen Anwalt Dr. Lessing und Privatdetektiv Matula Kriminalfälle in Frankfurt/Main. In diesem Fall kommt es in einer Privatklinik zum Streit zwischen zwei Ärzten. Einer liegt später tot auf dem Parkplatz. Matula ermittelt im Pfuhl aus Kunstfehlern, Korruption und Kokain. **60 Min.**

19.30 Lokalzeit-Magazine
20.00 Tagesschau – Nachrichten
20.15 Circus Massimo 2003 Höhepunkte des Zirkusfestivals in Karlskrona - Unterhaltung. Im südschwedischen Karlskrona zeigen u.a. Mark & Benji aus Belgien und die chinesische Truppe Hunan ihr Können. **90 Min.**
21.45 Männer allein zuhaus Küchen-Kabarett – Die Kabarettisten Rainer Pause, Johannes Scherer, Jess Jochimsen und Tunç Denizer gewähren tiefe Einblicke in den ganz normalen Männeralltag. **45 Min.**

b.
Las Tapas
SPANISCHE SPEZIALITÄTEN
Friedberger Landstrasse 62
60316 Frankfurt am Main
Telefon: 48 00 88 67
Mo - So 17.00 - 24.00
www.Las-Tapas-Frankfurt.de
Dialog Nr.1
Dialog Nr.2
Dialog Nr.3
c.
Heute im Kino
■ Autokino: The Village – Das Dorf von M. Night Shyamalan (ab 12) 20:15.
■ Cinema: Muxmäuschenstill, Mux will seinen Mitmenschen Ideale beibringen (ab 16) 22:30.
■ CinemaXX Offenbach: Riddick - Chroniken eines Kriegers mit Vin Diesel (ab 12) 20:15, 23:00.
Gegen die Wand von Fatih Akin (ab 12) 20:30.
■ Cineplex: Spider-Man 2 (ab 12) 22:15. Shrek 2 – Der tollkühne Held kehrt zurück (o. A.) 14:00.
■ Turm: 7 Zwerge – Männer allein im Wald. Komödie (o.A.) 17:15, 20:00.

1.4 **Zeitangaben: offiziell – Umgangssprache. Vergleichen Sie und schreiben Sie einen Dialogbaukasten ins Heft.**

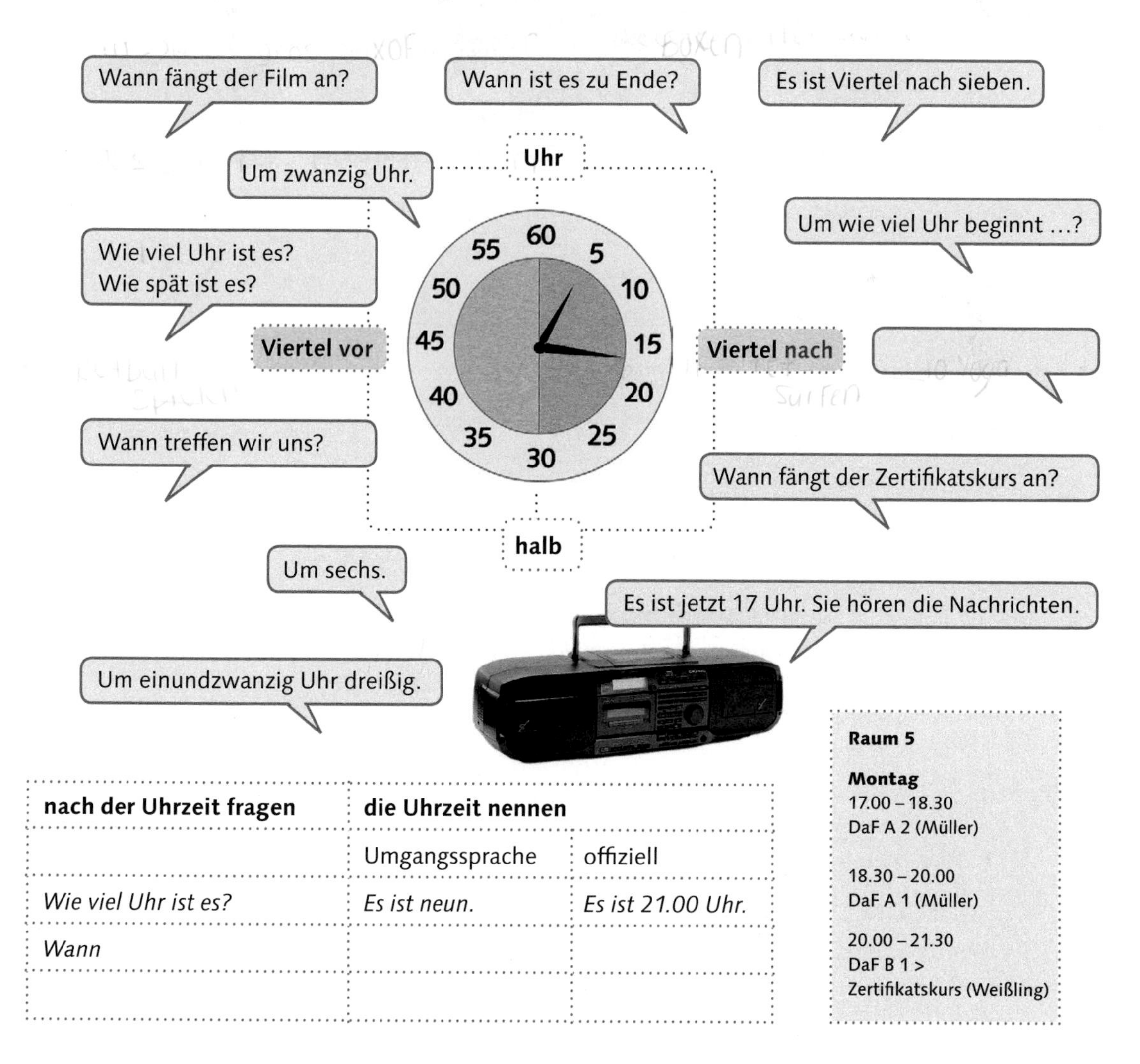

Wann ist es zu Ende?

Um zwanzig Uhr.

Es ist jetzt 17 Uhr. Sie hören die Nachrichten.
Um einundzwanzig Uhr dreißig.

nach der Uhrzeit fragen	die Uhrzeit nennen	
	Umgangssprache	offiziell
Wie viel Uhr ist es?	*Es ist neun.*	*Es ist 21.00 Uhr.*
Wann		

Raum 5

Montag
17.00 – 18.30
DaF A 2 (Müller)

18.30 – 20.00
DaF A 1 (Müller)

20.00 – 21.30
DaF B 1 >
Zertifikatskurs (Weißling)

1.5 Üben Sie die Uhrzeiten.

1.
Es ist elf Uhr.
Es ist fünf nach elf.
Es ist zehn nach elf.
...
2.
Es ist zwölf Uhr.
Es ist Viertel nach zwölf.
Es ist halb eins.
...

1.6 Hören Sie die CD und notieren Sie die Uhrzeiten.

....

2 Zeitangaben machen

2.1 Hören Sie die CD und ergänzen Sie bitte die Dialoge mit diesen Wörtern:

von ... bis > wie > Viertel vor > Viertel nach > halb > wann > nach > um

Dialog 1

Herr Bilgin: Guten Abend. .... spät ist es denn?
Frau Chaptal: Genau .... sieben.

Dialog 2

A: .... beginnen denn die Filme?
B: „7 Zwerge" beginnt .... Punkt acht, „Das Dorf" und „Riddick" beginnen um Viertel .... acht.

Dialog 3

A: Mal sehen ..., ja, um .... nach acht läuft „Ein Fall für zwei".
B: Der ist sicher spannend. Aber .... ist der Film zu Ende?
A: Um Viertel .... neun.
B: Gut, das geht. Ich stehe nämlich .... halb sechs schon wieder auf ...

Dialog 4

A: Aber ist das Restaurant heute offen?
B: Ja, es ist .... 17 Uhr .... 24 Uhr geöffnet.

Dialog 5

A: .... rufst du an?
B: Um .... vor zwölf.

2.2 **Dialogvarianten: Verbinden Sie die Dialogelemente zu einem Dialog. Es gibt mehrere Möglichkeiten.**

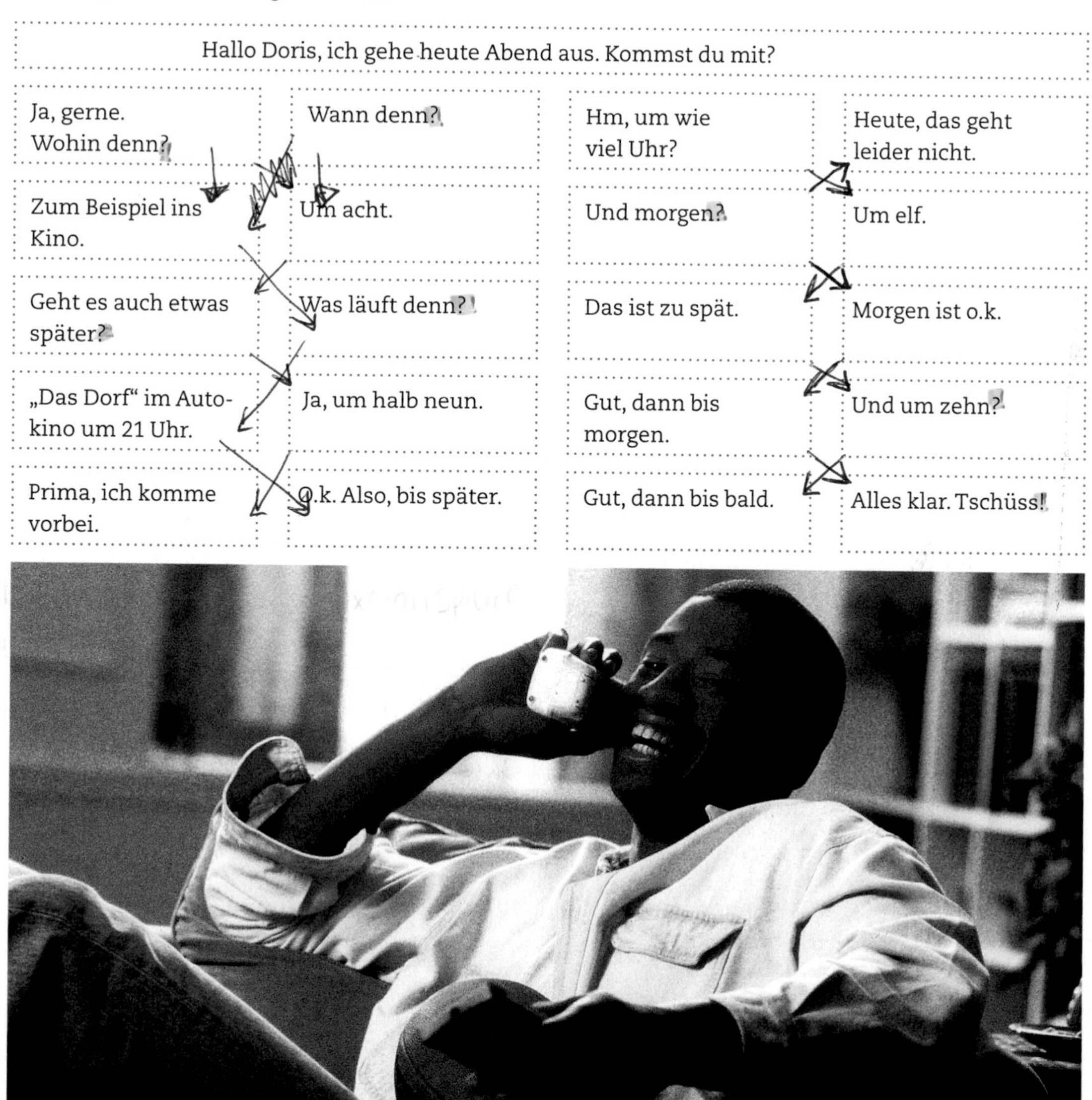

Hallo Doris, ich gehe heute Abend aus. Kommst du mit?			
Ja, gerne. Wohin denn?	Wann denn?	Hm, um wie viel Uhr?	Heute, das geht leider nicht.
Zum Beispiel ins Kino.	Um acht.	Und morgen?	Um elf.
Geht es auch etwas später?	Was läuft denn?	Das ist zu spät.	Morgen ist o.k.
„Das Dorf" im Autokino um 21 Uhr.	Ja, um halb neun.	Gut, dann bis morgen.	Und um zehn?
Prima, ich komme vorbei.	O.k. Also, bis später.	Gut, dann bis bald.	Alles klar. Tschüss!

2.3 **Verabredungen – Wählen Sie eine Dialoggrafik aus. Schreiben Sie zu zweit einen Dialog und spielen Sie ihn.**

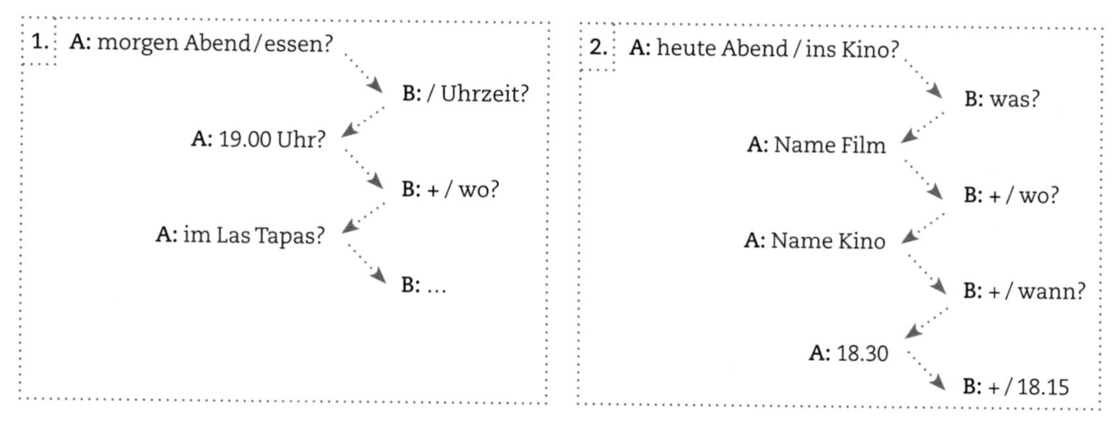

1\. **A:** morgen Abend/essen?
B: / Uhrzeit?
A: 19.00 Uhr?
B: + / wo?
A: im Las Tapas?
B: …

2\. **A:** heute Abend / ins Kino?
B: was?
A: Name Film
B: + / wo?
A: Name Kino
B: + / wann?
A: 18.30
B: + / 18.15

2.4 Was passt? Ordnen Sie bitte die Zeitangaben zu.

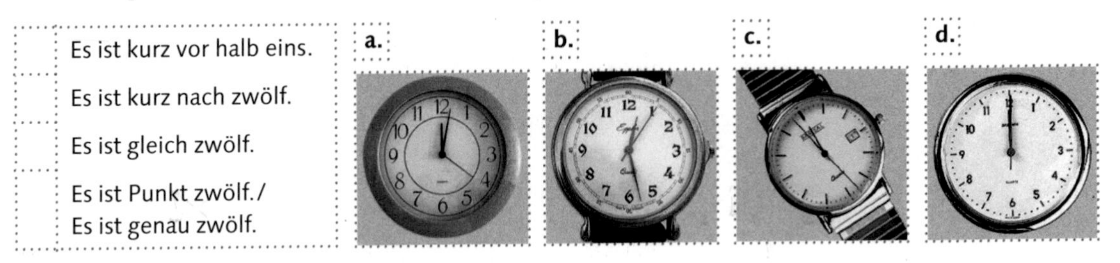

Es ist kurz vor halb eins.
Es ist kurz nach zwölf.
Es ist gleich zwölf.
Es ist Punkt zwölf. /
Es ist genau zwölf.
a.
b.
c.
d.

2.5 Fragen und antworten Sie.

6.55 > 7.05 > 14.25 > 22.45 > 23.00 > 0.15 > 1.05 > 2.25

Wie spät ist es? | Wie viel Uhr ist es? | Es ist fünf vor sieben.

3 Trennbare Verben

C 25.1

3.1 Suchen Sie diese Verben in 1.1 und schreiben Sie die Sätze ins Heft.

1. stattfinden **2.** ansehen **3.** ankreuzen **4.** ausfallen **5.** mitkommen **6.** aufhören

1. Der Unterricht findet statt.

an | fangen — Der Film | fängt | um halb sechs | an.

3.2 Hören Sie die CD und markieren Sie den Wortakzent bei den Verben in 3.1. Erkennen Sie die Regel?

Beispiel: **aus**fallen

3.3 Schreiben Sie fünf Sätze aus diesen Elementen:

Ich	fahren	heute	an.
Mutter	lade	Kuchen	zurück.
Der Kurs	bringt	am Wochenende	weg.
Sie	fängt	die Kursleiterin	mit.
Herr Greiner	lesen	morgen	ein.
Petras	rufen	heute Abend	vor.
Wir	kommt	das Buch	aus.

Lerntipp: Trennbare Verben immer mit Beispielsatz lernen.

4 Die Woche

4.1 Ein sportlicher Typ: Hören Sie die CD und tragen Sie die Wochentage in die Tabelle ein.

Mittwoch > Sonntag > Freitag > Donnerstag > ~~Montag~~ > Dienstag > Samstag

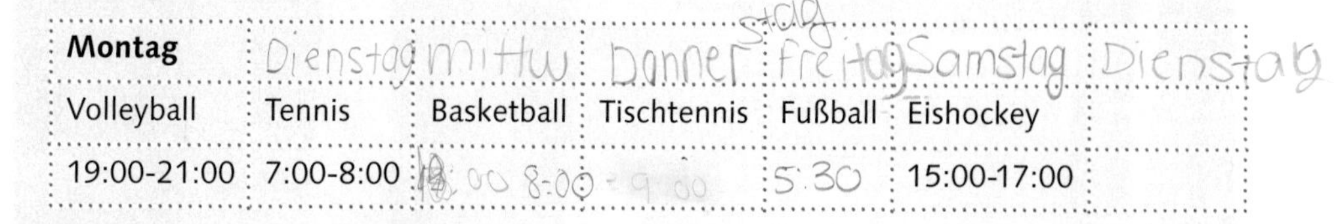

Montag						
Volleyball	Tennis	Basketball	Tischtennis	Fußball	Eishockey	
19:00-21:00	7:00-8:00				15:00-17:00	

4.2 Hören Sie die CD noch einmal. Ergänzen Sie die Uhrzeiten. Was macht der Mann am Sonntag?

4.3 Sehen Sie das Bild an und ergänzen Sie den Text.

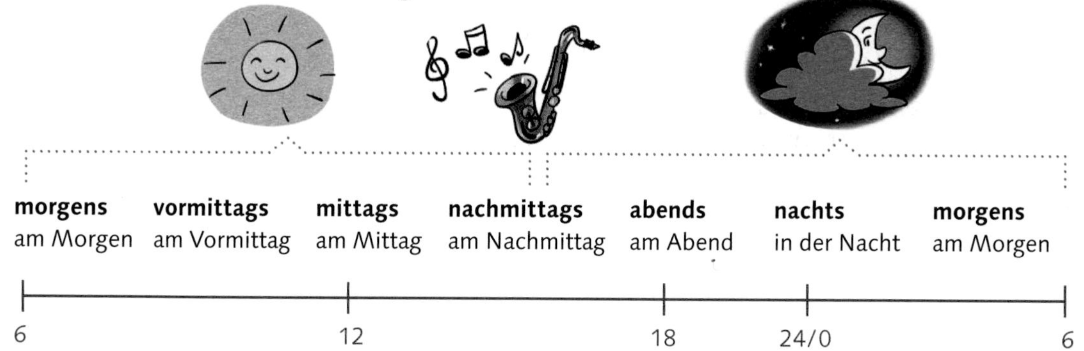

Ich liebe Musik. Ich spiele in der Woche etwa zwei Stunden pro Tag Saxofon. Das ist mein Hobby. Montags und dienstags arbeite ich nur vormittags. .... übe ich dann Saxofon. Von Mittwoch bis Donnerstag arbeite ich .... und nachmittags. Dann übe ich am .... Am Wochenende spiele ich etwa fünf Stunden pro Tag: zwei Stunden am .... bis etwa zwölf Uhr, eine Stunde am .... von 15 bis 16 Uhr und .... habe ich oft ein Konzert mit meiner Band. Am Samstag beginnen die Konzerte oft um neun Uhr abends, sonntags meist um acht. In der .... nach dem Konzert gehen wir manchmal in die Disco.

4.4 Schreiben Sie einen Text.

Meine Woche

Am Montag spiele ich Tennis. Dienstags ...

5 Hobbys

5.1 Klären Sie unbekannte Wörter mit dem Wörterbuch und ordnen Sie die Wörter dann nach den Themen in a und b.

Yoga machen > ins Theater gehen > joggen > Münzen sammeln > Motorboot fahren > Judo machen > Telefonkarten sammeln > Aerobic machen > basteln > in den Zirkus gehen > Fahrrad fahren > Motorrad fahren > Rugby spielen > Briefmarken sammeln > Polo spielen > ins Museum gehen > tanzen > Cello spielen > Poker spielen > Gitarre spielen > nähen > Karate machen > Ski fahren > in die Disco gehen

a. (Ball-)Sport | Instrument | sonstiges **b.** x spielen | x machen | x sammeln | x fahren | in x gehen | x

5.2 Was ist Ihr Hobby? Arbeiten Sie zu viert. Jeder notiert ein Hobby aus 5.1 auf einen Zettel. Geben Sie den Zettel Ihrem linken Nachbarn. Es ist jetzt „sein" Hobby. Die anderen beiden fragen.

A: *(schreibt Zettel)*: Judo
C: Spielen Sie ein Instrument?
D: Machen Sie Sport?
C: Machen Sie einen Ballsport?
D: Fahren Sie Motorboot?
C: Machen Sie Judo?

B: *(liest Zettel)*
B: Nein, ich spiele kein Instrument.
B: Ja, ich mache Sport.
B: Nein, ich mache keinen Ballsport.
B: Nein, ich fahre nicht Motorboot.
B: Ja, Judo ist mein Hobby.

5.3 Arbeiten Sie mit dem Wörterbuch: Wie heißen Ihre Hobbys auf Deutsch? Welche Gegenstände brauchen Sie dafür? Schreiben Sie einen kurzen Text über Ihr Hobby. Was? Wann? Gegenstände? Personen? Lesen Sie vor.

Mein Hobby ist Poker. Ich spiele gern Poker. Ich spiele einmal pro Woche.
Ich brauche Spielkarten und einen Spielpartner.

5.4 **Wie sieht ihre Woche aus? Tragen Sie mindestens zehn Termine ein (Arbeit, Kurs, Hobbys, Familie, etc.). Verabreden Sie sich dann mit Ihrem Partner/Ihrer Partnerin fürs Kino.**

	Mo	Di	Mi	Do	Fr	Sa	So
am Vormittag							
am Nachmittag							
am Abend							

A: Kommst du mit ins Kino? **B:** Ja, gerne. Wann?
A: Am Mittwochabend? **B:** Das geht nicht, da bin ich im Deutschkurs.
A: Am Donnerstagnachmittag? **B:** Das geht nicht, da ...
...

INFO Pünktlichkeit: In deutschsprachigen Ländern ist es unhöflich, wenn man zu einer Verabredung zu spät kommt. Als Maximum werden 15 Minuten noch akzeptiert. Wie pünktlich man sein muss, hängt von der Situation ab. Junge Leute sind lockerer als die ältere Generation. Bei einer Einladung zum Essen wird eher Pünktlichkeit erwartet als bei einer Party. Bei beruflichen Terminen muss man absolut pünktlich sein.

6 Personalpronomen Akkusativ

6.1 **Hören Sie zwei Telefonate und ergänzen Sie die Texte. Machen Sie eine Grammatiktabelle im Heft.**

~~Sie~~ – sie – uns – es – euch – sie – mich – ihn – dich

A **Christiane:** Siehst du Britta und Thorsten heute noch?
Daniela: Ja, ich treffe .... um sechs im Café.
Christiane: Das ist prima. Sie sind nicht zu Hause.
Sag doch bitte Britta, ich rufe .... morgen an.

B **Daniela:** Wir sehen .... nicht mehr.
Kerstin: Warum seht ihr .... nicht mehr?
Liebt Frank .... nicht mehr?
Daniela: Er liebt .... noch.
Aber ich liebe .... nicht mehr.
Und er versteht .... nicht.

Person	Nominativ	Akkusativ
1. Person Singular	ich	mich
...	...	...
3. Person Plural	sie/Sie	sie/Sie

C 53

6.2 **Liebesbrief? Ergänzen Sie den Text mit den Personalpronomen im Akkusativ.**

Liebe Daniela,

ich brauche d........! Liebst du m........noch? Liebst du m........oder liebst du i......, diesen Professor? Denk an m ...... und an d...... , denk an u........ beide. Wir lieben u...... doch, oder? Oder liebt ihr e ......? Hast du mein Fußball-Trikot mit den Unterschriften der National-Elf? Ich suche e...... schon seit drei Tagen. Am Wochenende fahre ich ins Stadion. Und ohne Trikot mögen meine Fußballfreunde m ...... nicht mehr. Ich ruf d........ an. Denk an m...... , dein Frank

So geht's

Kommunikation

die Uhrzeit erfragen	die Uhrzeit nennen
Wie spät ist es?	Es ist genau halb sieben.
Wann fängt der Film an?	Um Viertel nach acht.

sich verabreden

A: Hallo Doris, ich gehe heute Abend ins Kino. Kommst du mit?
B: Ja, gerne. Was läuft denn?
A: Eine Komödie.
B: Prima. Wann denn?
A: Um acht.
B: Treffen wir uns um halb acht bei dir zu Hause?
A: O.k., bis dann.

A: Hallo Doris, ich gehe heute abend ins Kino. Kommst du mit?
B: Heute, das geht leider nicht.
A: Und morgen?
B: Morgen ist o.k.
A: Gut, dann bis morgen.
B: Alles klar, Tschüss!

über Hobbys sprechen

Mein Hobby ist Sport.
Ich spiele gerne Tischtennis.
Was ist Ihr Hobby?

die Wochentage

Montag Dienstag Mittwoch Donnerstag Freitag – in der Woche

Samstag Sonntag – am Wochenende

Grammatik

Trennbare Verben/Satzklammer

an|fangen

Wann fängt der Kurs an?

Der Kurs fängt um 18 Uhr 30 an.

Fängt der Kurs um 19 Uhr an?

A: Wir treffen uns morgen um halb acht.
B: Wie bitte? Ich verstehe nicht.

Personalpronomen Nominativ – Akkusativ

Nominativ	Akkusativ
ich	mich
du	dich
er	ihn
es	es
sie	sie
wir	uns
ihr	euch
sie/Sie	sie/Sie

Einheit 7: *Familie & Verwandtschaft*

- die Familie vorstellen
- Familie in Deutschland und im eigenen Land
- ein Foto beschreiben
- Positionsangaben machen
- Possessivbegleiter im Nominativ und Akkusativ

1 **Wer spricht? Hören Sie die vier Texte. Ordnen Sie die Texte den Bildern zu.**

Fred Feuerstein	Bild	Wilhelm Friedemann Bach	....
Lars Brandt	....	Monika Mann	....

2 **Welche berühmten Familien kennen Sie? Geben Sie ein Beispiel aus Ihrem Land.**

3 **Wie viele Personen gehören zu Ihrer Familie? Kreuzen Sie an und vergleichen Sie das Ergebnis mit Ihrem Nachbarn / Ihrer Nachbarin links und rechts.**

1	2	3	4	5	6	7	8	9	10–20	20+	50+

1 Meine Familie

B 10.8

1.1 Wer gehört zusammen? Arbeiten Sie zu zweit und ordnen Sie die Wörter zu.

~~Großvater~~, Neffe, Sohn, Schwiegertochter, Onkel, Mutter

Großeltern:	Großmutter + Großvater			
Eltern:	.... + Vater	(Ehe)mann + (Ehe)frau	Tante + ...	
Kinder:	Tochter + ...	Schwester + Bruder	Cousine + Cousin	
	.... + Schwiegersohn	Schwägerin + Schwager	Nichte + ...	
Enkel:	Enkelin + Enkel			

1.2 Susanne spricht mit Jorge, einem ausländischen Freund, über ihre Familie. Schauen Sie das Foto an und hören Sie die CD. Wer steht wo? Schreiben Sie die Vornamen.

Susanne / Walter / Florian / Regina / Markus / Ulla / Stefan / Katharina / Thomas / Petra

hinten links
....

hinten in der Mitte
....
....
....

hinten rechts
....

vorne links
....

vorne in der Mitte
....
....
....

vorne rechts
....

1.3 Sprechen Sie jetzt über das Foto. Wer steht wo?

> Hinten links steht der Onkel von Susanne.

> Hinten in der Mitte, das ist die …

1.4 Das ist ein Teil von Susannes Familie aus ihrer Perspektive. Ergänzen Sie bitte die Verwandtschaftsbezeichnungen.

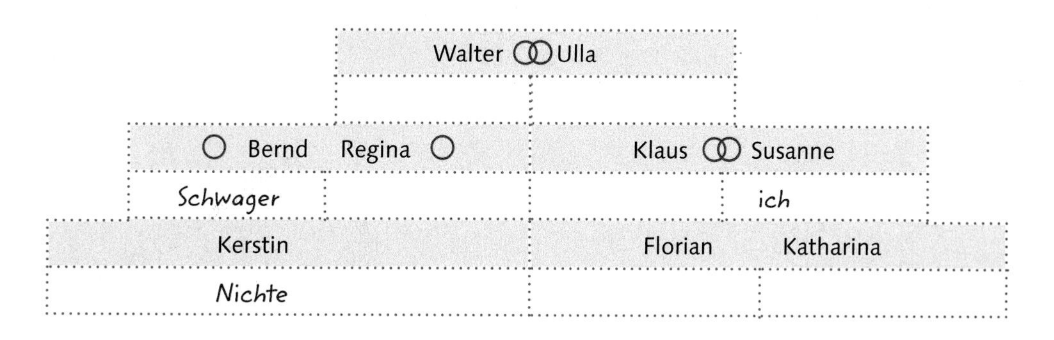

1.5 Wie sieht die Familie aus der Perspektive von Ulla aus? Erstellen Sie ein System wie in Aufgabe 1.4

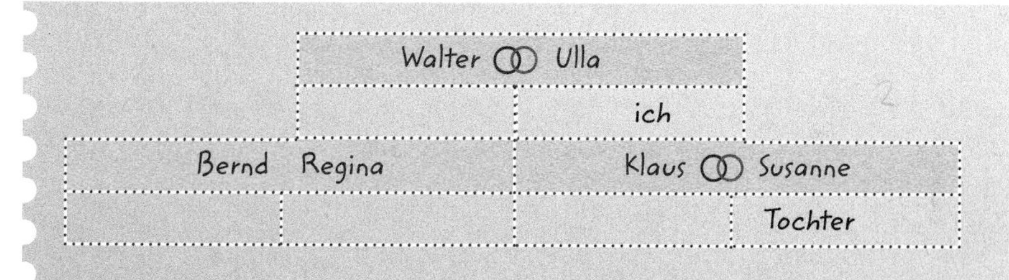

1.6 Zeichnen Sie jetzt einen Stammbaum für Ihre Familie und aus Ihrer Perspektive.

1.7 Fragen an Ihre Familie. Stellen Sie Fragen und antworten Sie wie im Beispiel.

Fragen	Antworten
1. Wie alt sind Ihre Eltern?	Mein Vater ist … und meine Mutter ist …
2. Haben Sie einen Bruder oder eine Schwester?	Ich habe (nur) einen … / zwei …
3. Wo wohnen Ihre Großeltern?	Meine Großeltern wohnen …
4. Wer kann gut singen?	
5. Wie heißt Ihr Onkel / Ihre Tante …?	Mein Onkel heißt … / Meine Tante heißt …
6. Woher kommt Ihr Schwager / Ihre Schwägerin …?	Mein Schwager kommt aus …
7. Kann jemand ein Instrument spielen?	Ja, mein …
8. Wie viele Neffen und Nichten haben Sie?	Ich habe …
9. Können Ihre Eltern gut kochen?	Nein, aber meine …
10. Wie groß ist Ihre Familie?	Meine Familie ist ….
11. …?	…

2 Possessivbegleiter im Nominativ: mein, dein, ...

2.1 Hören und lesen Sie den Text aus 1.2 noch einmal. Markieren Sie die neuen Formen wie im Beispiel.

J: Das ist also deine Familie?

S: Ja, genau. Das ist meine Familie bei uns zu Hause. Das ist unser Garten. Mein Vater Walter hat da Geburtstag. Er ist jetzt 65 Jahre alt. Er sitzt vorne in der Mitte. Rechts neben Papa sitzt meine Mutter Ulla. Sie ist 58 Jahre alt. Das Kind vor Ulla ist meine Tochter Katharina. Sie ist immer gerne bei den Großeltern. Ihre Oma und ihr Opa sind die Besten. Links neben Papa sitzt meine Schwester. Sie heißt Regina, ist 36 Jahre alt und arbeitet als Sekretärin in Heidelberg. Ihre Tochter ist nicht da.

J: Und ihr Mann?

S: Ihr Mann Bernd lebt jetzt in Norddeutschland. Sie sind geschieden. Hinter Regina steht mein Bruder Markus. Er ist nicht verheiratet, aber er hat eine Freundin. Sie heißt Conny. Markus und seine Freundin haben zwei Söhne. Conny und die Söhne sind nicht auf dem Foto. Neben Markus stehe ich mit Florian. Das ist mein Sohn, er ist jetzt 2 Jahre alt.

S: Dann kommt mein Cousin Stefan und sein Vater Thomas, mein Onkel. Das ist der kleine Bruder von Papa. Er ist 54 Jahre alt. Seine Tochter, also meine Cousine Petra sitzt ganz vorne rechts. Die Mutter von Stefan und Petra ist nicht auf dem Foto. Ihre Eltern sind schon lange geschieden und ihre Mutter lebt jetzt in Frankreich.

J: Hast du noch mehr Verwandte, Susanne?

S: Oh ja, wir sind eine große Familie. Meine Mutter hat zwei Brüder und eine Schwester und die haben wieder viele Kinder. Ich habe viele Cousins und Cousinen. Also unsere Feste sind immer mit vielen Personen, so ca. dreißig Verwandte kommen immer.

J: In Deutschland ist das eine große Familie?

S: Ja, warum fragst du?

J: Ja, weißt du, bei uns ist das eine kleine Familie. Unsere Familien sind groß. Ich zeige dir mal ein Foto, da siehst du dann fast 100 Personen. Alles Verwandte.

C 55-56

2.2 Ergänzen Sie die Tabelle. Vergleichen Sie dann mit S. 78.

Personalpronomen	Possessivbegleiter Nom. Sg.			Possessivbegleiter Nom. Pl.
	der Bruder	das Kind	die Schwester	die Brüder/Kinder/Schwestern
ich	mein	mein	meine	meine Brüder/Kinder/Schwestern
du	dein	dein	deine	dei ...ne
er	sein	sein	seine	se ...ine
sie	ihr	ihr	ihre	ihre
es	sein	sein	seine	seine
wir	unser	unser	unsere	unsere
ihr	euer	euer	eure	eure
sie	ihr	ihr	ihre	ihre
Sie	Ihr	ihr	Ihre	Ihre

2.3 Mein Leben. Schreiben Sie bitte den Text weiter. Tauschen Sie dann Ihre Texte im Kurs und sprechen Sie über Ihre Nachbarin / Ihren Nachbarn.

Mein Leben

Mein Leben, das ist meine Familie, meine Eltern, mein Bruder, ... mein Beruf, meine .... Das ist auch ...

2.4 Ein Rätsel: Wer ist das? Arbeiten Sie zu zweit. Ergänzen Sie die Possesivbegleiter und notieren Sie die Namen.

1. ...Mein... Bruder heißt Florian und ...... Mutter Susanne. — 1. Katharina......
2. .... Schwägerin ist die Frau von Walter. — 2. ....
3. Wir sind zwei Kinder. .... Großeltern heißen Ulla und Walter. — 3. ....
4. Seht mal Kinder, das ist .... Großmutter. — 4. ....
5. Sie hat eine Tochter. .... Eltern heißen Walter und Ulla. — 5. ....
6. .... Schwager ist 54 Jahre alt. — 6. ....
7. .... Cousinen heißen Susanne und Regina. — 7. ....
8. Wir sind noch nicht 40, und .... Vater ist schon 65. — 8. ....
9. .... Bruder heißt Stefan und Markus ist .... Cousin. — 9. ....

2.5 Erklären Sie nun Ihr Familienfoto.

Ganz hinten sind ...
Meine Tante steht links neben Maria.

2.6 Das Mein-dein-Spiel.

1. Jeder Kursteilnehmer / Jede Kursteilnehmerin legt drei persönliche Gegenstände unter ein Tuch (Uhr, Ring, Kuli ...)
2. Sammeln Sie die Wörter für alle Gegenstände an der Tafel.
3. Jetzt beginnt das Spiel. Ziehen Sie einen Gegenstand hervor. Raten Sie: Wem gehört er?

3 Akkusativ wiederholen

3.1 Wiederholung: Wählen Sie einen Satzanfang aus. Schreiben Sie in drei Minuten so viele Akkusativergänzungen wie möglich dazu.

Ich brauche ...	Er macht ...
Du kaufst ...	Wir nehmen ...
Wir hören ...	Bringen Sie mir ...
Ihr esst ...	Er schreibt ....
Sie verstehen...	Ich hätte gern ...

Ich lese die Zeitung / ein Buch / den Satz / diese Aufgabe / den Text / die Namenliste / ...

4 Possessivbegleiter im Akkusativ

4.1 Der NEIN-Typ: Hören Sie zu und lesen Sie mit.

Ich habe kein Glück. Ich habe kein Geld, keinen Computer und keine Frau. Ich habe nur meine Wohnung, meinen Fernseher und meine Mutter. Und meine Probleme.

Du hast jetzt meine Frau, ihren Computer und mein Geld.
Aber du, du hast auch Probleme.
Denn du hast auch ihre Mutter.
Viel Spaß!

4.2 Lesen Sie den Text nun laut.

B 2.4

4.3 Possessivbegleiter im Nominativ und Akkusativ. Vergleichen Sie die Sätze. Was fällt Ihnen auf?

A: Darf ich dir meinen Bruder und meine Schwester vorstellen?

B: Ja, gerne.

A: Das ist also mein Bruder Georg. Und das ist meine Schwester Tina.

B: Hallo, guten Tag. Ich bin Ludmilla.

4.4 Füllen Sie diese Lücken aus.

1. Ich sehe morgen m...... Vater.
2. Besuchst du d...... Onkel?
3. Susanne liebt i...... Klaus.
4. Holt Jorge s...... Sohn ab?
5. Mario liebt s...... Bruder.
6. Wann sehen wir u...... Enkel?
7. Ihr besucht e...... Großeltern!
8. Die Chaptals besuchen i...... Verwandten.

4.5 Possessivbegleiter im Nominativ und Akkusativ. Ergänzen Sie die Regel.

Akkusativ und Nominativ sind fast immer gleich.

Ausnahme: Maskuline Nomen im Singular (z.B. der Bruder, der Lehrer, der Kaffee ...)
Im Akkusativ haben sie die Endung ....

C 55-56

4.6 Schlagen Sie die komplette Tabelle auf Seite 82 nach.

5 Thema Familie: Bilder und Texte

5.1 Familie – was ist das? Betrachten Sie die Fotos. Arbeiten Sie zuerst zu zweit. Sammeln Sie dann Ihre Ergebnisse in der Klasse.

> Vater + Mutter + Kind
> Vater + Mutter + Verwandte
> Mutter + Kind
> Freunde
> (Ex-)Frau/Mann
> Eltern
> Kollegen
> ...

Meine Familie, das bin ich und meine Tochter.

Zu meiner Familie gehören meine Frau, unsere Eltern, unsere ...

A 25.1

5.2 **Lesen Sie die Überschrift. Sammeln Sie in der Gruppe. Worum geht es?**

Familie in Deutschland heute: Eine Reportage.

5.3 **... verstehen Sie? Die Informationen links helfen Ihnen.**

Prozent: %

Osten: Ostdeutschland
= Ex-DDR

Fast halbiert: **– 50%**

Zwei Drittel weniger: $-\frac{2}{3}$

Etwa die Hälfte: ca. 50%

im Schnitt: Ø Durchschnitt

Mit abnehmender Tendenz:
immer weniger

Ostdeutschland – Westdeutschland

Die Deutschen werden immer älter und haben immer weniger Kinder. Dieser Trend ist in den letzten 10 Jahren deutlich zu beobachten. 1990/1991 sind nur 18 Prozent der Ostdeutschen (West: 37 %) kinderlos. Im Jahr 2000 bleiben ein Drittel der Frauen (Jahrgang 1965) in Westdeutschland ohne Kinder. Im Osten sind es nur 25 %. Die Zahl der Geburten hat sich im Osten seit 1989 fast halbiert. Die finanzielle Situation ist schwieriger. Die Attraktivität, Kinder zu haben nimmt ab. Deutlich ist auch der Trend bei den Heiraten: Schon 1990 heiraten in Ostdeutschland fast zwei Drittel weniger als vor 1989. (1–8)

Verliebt, verlobt, verheiratet – geschieden

Nur 18 Prozent der Menschen in Deutschland leben allein. Im Jahr 2000 leben 54% in Familien mit Kindern. In Westdeutschland heiraten 82 Prozent, in Ostdeutschland 71 Prozent, wenn ein Kind kommt. In Deutschland lassen sich aber auch mehr als 50 Prozent scheiden (Jahr 2002). Ca. 19% der Familien haben ein Kind, etwa die Hälfte haben zwei Kinder und ca. 31% haben mehr als zwei Kinder. Laut Statistik hat jede Frau in Deutschland im Schnitt 1,36 Kinder. (10–17)

Die traditionelle Familie

Es gibt sie, die traditionelle Familie. Wenn auch mit abnehmender Tendenz in den Städten. Aber in ländlichen Regionen wachsen über 90 Prozent der Kinder bei verheirateten Eltern auf. In Deutschland wird tendenziell zweierlei Leben gelebt, Variante A mit Kindern in ländlichen Gebieten, Variante B ohne Kinder in den Städten. (19–25)

5.4 **Ergänzen Sie die Sätze mit den Informationen aus dem Text.**

19 > 31 Prozent > 37 % > Hälfte > 50 > 66 > 90

1. In Westdeutschland haben .... im Jahr 1990/91 keine Kinder.
2. Manche Familien haben 3, 4, 5 und mehr Kinder. Das sind aber nur .... der Familien.
3. Etwa die .... der Ehepaare lassen sich wieder scheiden.
4. Kinder auf dem Land haben zu ...... Prozent Eltern, die verheiratet sind.
5. Etwa ...... Prozent der Familien haben ein Kind.
6. Seit 1989 gibt es im Osten fast ...... Prozent weniger Geburten und ca. ..... Prozent weniger Hochzeiten.

5.5 **Lesen Sie den Text 5.3 noch einmal. Sortieren Sie die Zahlen und Zahlwörter in Gruppen.**

Zahlen	Datum	Zahlwörter	Tendenzen
10	1990	ein Drittel	älter
18	2000		weniger
37			

5.6 **Beantworten Sie die Fragen für Ihr Land. Der Redemittelkasten hilft.**

1. Wo leben alte Menschen?
2. Wann heiraten Paare?
3. Wie leben Familien in der Stadt / auf dem Land?
4. Wie viele Kinder hat eine Familie heute im Schnitt?
5. Was ist eine traditionelle Familie?
6. Wie lange lebt ein Kind bei den Eltern?

Immer weniger Paare sind ...

Bei uns gibt es mehr Kinder.

Wo?	**Wie viel? (+)**	**Wie wenig? (-)**	**Wer?**	**Was?**
Bei uns gibt es ... In meiner Heimat ... In der Stadt / Auf dem Land ...	(immer) mehr ... viele Menschen ... mehr Kinder ... zwei Drittel (mehr) Sehr viele	(immer) weniger ... nur ... Prozent weniger Kinder ... ein Drittel (weniger)	Wir Junge Leute Alte Menschen (Ehe)Paare	sind verheiratet sind geschieden leben in der Familie wohnen bei den Eltern leben alleine / sind Singles leben bei den Kindern wollen (keine) Kinder

5.7 **Wählen Sie zwei Stichworte zum Text aus und schreiben Sie je einen Satz.**

1,36 Kinder > allein leben > in der Stadt > 50% geschieden > 3 Kinder und mehr > wenn ein Kind kommt > Situation ist schwieriger

Viele Familien leben in den Städten ohne Kinder.

6 Wörter systematisch lernen

A 10.3

6.1 **Wiederholen Sie die Familienwörter. Schreiben Sie die Wörter in Paaren auf Karten und fragen Sie sich gegenseitig.**

vorn: *Vater und ...*

hinten: *... Mutter*

Cousin und ...

... Schwägerin

6.2 **Schreiben Sie zu zweit weitere Lernkarten zu einem anderen Thema / zu anderen Wörtern. Tauschen Sie die Karten zum Lernen und Üben im Kurs.**

1. **Adjektive** leicht und schwer, schnell und ...
2. **Verben** hören und ...

So geht's

Kommunikation

die eigene Familie vorstellen

Verwandte benennen	*Personen / Verwandte beschreiben*	*den Familienstand benennen*
Vater / Mutter	Das ist / sind …	Er ist (mit …) verheiratet.
Bruder / Schwester (Geschwister)	Er ist … Jahre alt.	Sie sind geschieden.
Oma / Opa	Sie arbeitet als …	Sie leben getrennt.
…	Sie wohnen in …	… lebt allein. Er / Sie ist Single.
	Sie haben eine Tochter / einen Sohn / x Kinder.	…
	…	

Grammatik

Possessivbegleiter im Nominativ und Akkusativ

Singular	**Maskulinum** *(der Bruder)*		**Neutrum** *(das Kind)*		**Femininum** *(die Schwester)*	
	Nom.	**Akk.**	**Nom.**	**Akk.**	**Nom.**	**Akk.**
ich	mein	meinen	mein		meine	
du	dein	deinen	dein		deine	
er	sein	seinen	sein		seine	
es	sein	seinen	sein		seine	
sie	ihr	ihren	ihr		ihre	
wir	unser	unseren	unser		unsere	
ihr	euer	euren	euer		eure	
sie	ihr	ihren	ihr		ihre	
Sie	Ihr	Ihren	Ihr		Ihre	
Plural	**Nominativ**					
	meine, deine, seine, seine, ihre, unsere, eure, ihre, Ihre … Brüder, Kinder, Schwestern					
	Akkusativ					
	meine, deine, seine, seine, ihre, unsere, eure, ihre, Ihre … Brüder, Kinder, Schwestern					

Lernen lernen

A 11

Sie sind mit Einheit 7 fertig.
In der Lektion gibt es viele neue Wörter und Ausdrücke.
Lesen Sie die Lerntipps **a.** bis **c.** und vergleichen Sie mit den Kästen **Kommunikation**.

a. Wörter in Paaren lernen

b. Wörter in Gruppen / Themen lernen

c. Redemittel in Situationen lernen

Einheit 8: *Kleider machen Leute*

- Orientierung im Kaufhaus
- sagen, was einem (nicht) gefällt
- über Kleidung sprechen
- Größen, Preise, Farben
- Richtungsangaben
- Präpositionen mit Dativ: *wo?*
- *welch- / dies-* im Nominativ

1 Welche Kleidungsstücke kennen Sie? Arbeiten Sie zu zweit. Klären Sie so viele Wörter wie möglich.

2 Wie heißen die Artikel und der Plural von den Kleidungsstücken? Schreiben Sie Lernkarten. Die Wortliste im Anhang hilft.

1 Kleidung und Farben

Die Bluse: rot
Der Rock: schwarz
Das Kleid: grau

A 17.4

1.1 Janine verreist. Welche Kleidungsstücke nimmt sie mit? Notieren Sie Kleidungsstücke und Farben.

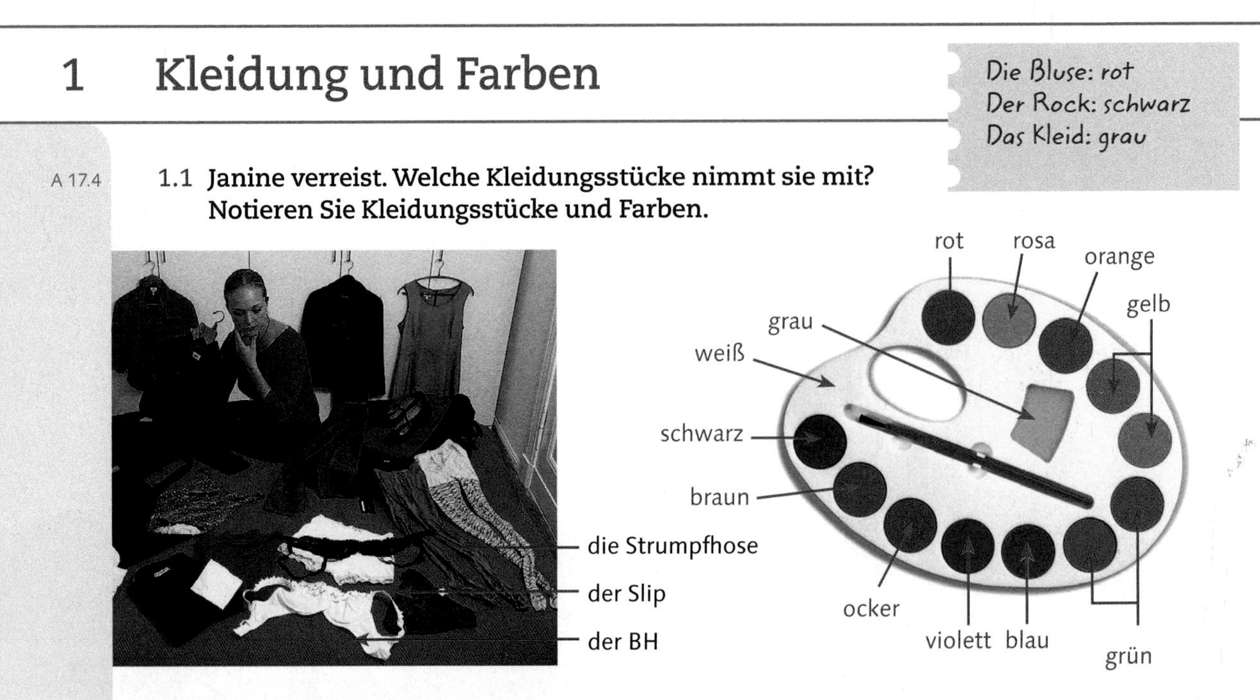

1.2 Wer trägt was? Beschreiben Sie die Personen wie im Beispiel.

Ihr Mantel ist braun.
Ihr T-Shirt ist ...

A 15

1.3 Wie kann Kleidung noch sein? Notieren Sie Wörter zu Kleidung wie im Beispiel.

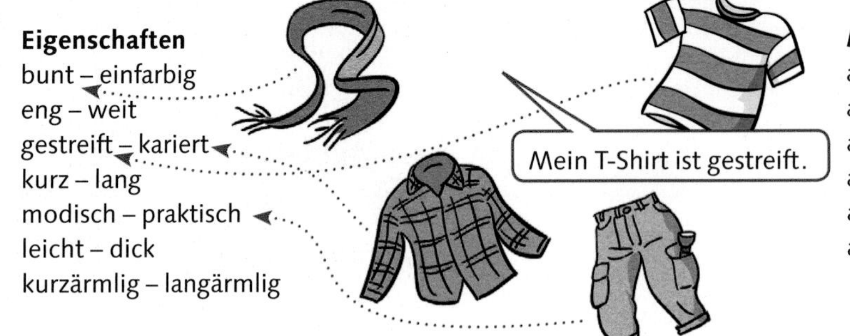

1.4 Farben im Kurs – Sehen Sie sich die anderen Kursteilnehmerinnen und Kursteilnehmer genau an. Schließen Sie die Augen. Zwei Personen lassen die Augen offen und fragen, der Kurs antwortet.

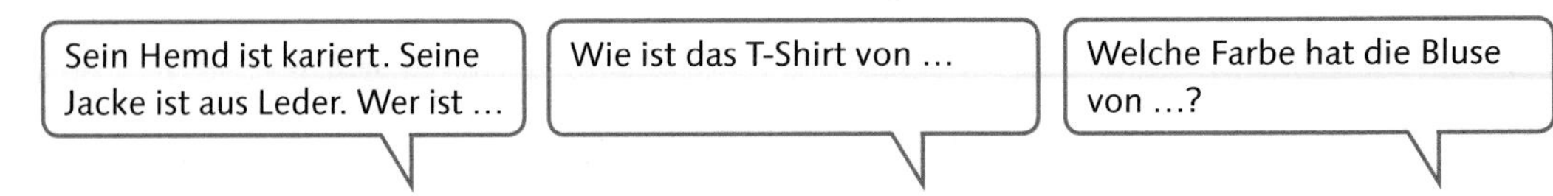

Sein Hemd ist kariert. Seine Jacke ist aus Leder. Wer ist ...
Wie ist das T-Shirt von ...
Welche Farbe hat die Bluse von ...?

2 *Welch-* / *dies-* im Nominativ

2.1 Zeigen Sie die Gegenstände im Kurs. Sprechen Sie miteinander.

der Kuli	**A:** Welcher Kuli ist schwarz?	**B:** Dieser.
das Buch	**A:** Welches Buch ist das Deutschbuch?	**B:** Dieses.
die Tasche	**A:** Welche Tasche ist blau?	**B:** Diese.
die Schuhe	**A:** Welche Schuhe sind weiß?	**B:** Diese.

2.2 Testen Sie Ihr Wissen.

Welcher Turm steht in Berlin?

Welches Bier kommt aus Bayern?

Welches Haus steht in Wien?

Welcher Komponist kommt aus Österreich?

Welche Münze ist aus der Schweiz?

Welche Sängerin kommt aus Deutschland?

C 43/44
C 52

2.3 Ergänzen Sie die Tabelle. Finden Sie weitere Beispiele und üben Sie wie in 2.1

der Pullover	**das Heft**	**die Hose**	**Plural: die Schuhe**
Welch**er** .... ?	.... ?	.... ?	.... ?
Dies**er** .... !	.... !	.... !	.... !

3 Gespräche im Kaufhaus

3.1 Schauen Sie sich das Bild an und hören Sie die Dialoge.

a. Moment, ich habe es auch in 38.
b. 52 – 58 finden Sie da vorne.
c. Das sieht wirklich sehr gut aus.
d. Möchten Sie die Jacke in XL probieren?
e. Hinten links bei den Mänteln.
f. Tut mir Leid, ich habe diesen Pullover nur noch in Grün.

3.2 Wer sagt was? Hören Sie noch einmal und ordnen Sie zu. Was sagen die Kunden? Was antwortet der Verkäufer?

	Kunde / Kundin	**Verkäufer**
1.	Entschuldigung, wo sind die Umkleidekabinen?	
2.	Haben Sie die Hose auch in Größe 52?	
3.	Meinen Sie, das Kleid sieht gut aus?	
4.	Die Jacke ist in L aber viel zu klein.	
5.	Gibt es den auch in Blau?	
6.	Das Top ist in Größe 40 zu groß.	

3.3 Kleidung einkaufen. Hören Sie und spielen Sie dann den Dialog zu dritt.

V: Guten Tag, kann ich helfen?
F: Ja, ich suche eine Jeans in Größe 36.
V: Ja, gerne. Ich habe hier zwei Formen. Probieren Sie die Jeans mal an.
A: Und Fabiane, passt sie?
F: Nein, die ist zu klein. Mist. Haben Sie diese auch in Größe 38?
V: Ja, Moment.

A: Und? Wie ist die andere Jeans?
F: Die passt gut. Was meinst du, Sandra?
A: Sieht Klasse aus.
F: Au weia, die ist viel zu teuer. 130 Euro.
V: Also, hier ist die Jeans noch einmal in 38.
F: Danke …

F: So, Jeans Nummer drei. Und was denken Sie?
V: Die sitzt gut. Nicht zu eng, nicht zu weit. Und sie kostet 79,90. Das ist ein Sonderangebot.
A: Ich finde die auch gut.
F: Ja, super. Die nehme ich.

3.4 **Hören Sie das Gespräch und beantworten Sie die Fragen.**

1. Welches Kleidungsstück sucht Herr Chaptal?
2. Welche Farbe möchte er?
3. Welche Größe hat Herr Chaptal?
4. Wie viel muss Herr Chaptal bezahlen?

Weste €44.95 €29.-
Bluse €34.95 €15.-
Rock €44.95 €29.-

3.5 **Der Dialog ist durcheinander geraten. Bringen Sie die Dialogelemente wieder in die richtige Reihenfolge und schreiben Sie den Dialog ins Heft.**

A: Guten Tag, ich suche einen Anzug.
B: Gerne, welche Größe?
A: ...

Verkäufer	Herr Chaptal
1. Gerne, welche Größe?	**a.** Gut. Dann nehme ich den Anzug.
2. Und welche Farbe?	**b.** Danke.
3. Probieren Sie diesen Anzug. Die Umkleidekabinen sind hier links.	**c.** Größe 52.
	d. Ja, ich glaube schon.
4. Und? Passt der Anzug?	**e.** Ja, ich finde ihn auch schön.
5. Ja natürlich, der sieht sehr gut aus.	**f.** In Blau. Dunkelblau.
6. 198 Euro. Er ist aus 100 Prozent Wolle.	**g.** Was kostet der Anzug?
7. Gerne, vorne links ist die Kasse.	**h.** Guten Tag, ich suche einen Anzug.

3.6 **Hören Sie jetzt den Dialog noch einmal zur Kontrolle.**

B 15

3.7 **Einen Dialogbaukasten selbst machen.**
Ordnen Sie die Redemittel wie im Modell im Heft.

nach einem Kleidungsstück fragen		
Ich suche	einen Pullover	in Größe 44
Haben Sie	den/diesen Pullover	in Rot

fragen, ob ein Kleidungsstück gefällt/passt/...
Wie sieht der Pullover aus?

sagen, dass ein Kleidungsstück (nicht) gefällt/passt ...
Sehr gut!

in 37 · Ich hätte gern · Gibt es ... · das Kleid · in Rot · Wie findest du · einen Pullover · zu · zu eng · auch in Blau · diese Jacke · Passt ... · Wie finden Sie · in Größe 164? · Ja, Sie sehen super aus! · Der/Das/Die ist prima. · aus Seide/Wolle/Leder · zu weit · zu teuer · mag ich nicht · Haben Sie · Er/es/sie ist ein bisschen · zu groß

3.8 **Arbeiten Sie zu zweit. Schreiben Sie kleine Dialoge zum Einkaufen. Ihre Dialogbaukästen helfen.**

4 Orientierung im Kaufhaus

4.1 Sehen Sie das Bild an. Wie viele Orte / Abteilungen finden Sie im Kaufhaus? Was fehlt?

Bei uns gibt es immer einen Frisör.

TOP PREISE

Im zweiten Stock:
> Hauptkasse
> Restaurant / Café / Telefon
> Herrenschuhe
> Herrenmoden > Sportabteilung

Im ersten Stock:
> Young Style > Junge Mode
> Damenschuhe > Damenabteilung
> Tisch- und Bettwäsche / Gardinen / Frottierware
> Kinderabteilung / Spielwaren

Im Erdgeschoss:
> Lederwaren / Taschen
> Parfümerie / Kosmetik
> Information
> Uhren und Schmuck
> Hifi- und TV-Center
> Musikabteilung > Toiletten

Im Untergeschoss:
Haushaltswaren > Lebensmittel
Geldautomat > Schlüsseldienst

B 21.1

4.2 An der Information. Hören Sie die Dialoge und sprechen Sie mit verteilten Rollen.

A: Entschuldigung, wo ist der Fahrstuhl?
B: Gehen Sie nach rechts. Hinter der Musikabteilung ist ein Fahrstuhl.
A: Danke.

A: Bitte, wo finde ich Spielzeug für Kinder?
B: Eine Treppe rauf, im ersten Stock.
A: Danke schön.

A: Ich suche die Toiletten.
B: Die Toiletten sind hier vorne links.
A: Vielen Dank!

A: Entschuldigung, gibt es hier ein Telefon?
B: Ja, im Restaurant. Und vor dem Kaufhaus stehen Telefone.

A: Haben Sie Weingläser?
B: Ja, fahren Sie runter. Gehen Sie nach rechts. Ganz hinten ist die Haushaltsabteilung.

A: Gibt es hier ein Café?
B: Ja, unser Restaurant hat ein Café. Im zweiten Stock, links neben der Rolltreppe.

4.3 Schreiben und spielen Sie Dialoge wie in 4.2. Der Dialogbaukasten hilft.

fragen, wo etwas ist		**sagen, wo etwas ist**	
Entschuldigung, wo ist …	das Café?	… finden Sie …	im ersten/zweiten Stock
Bitte, wo sind …	die Toiletten?	… ist …	im Erdgeschoss / Untergeschoss
Wo finde ich …	ein Telefon?		in der Herrenabteilung / im Restaurant
Wo gibt es …	Lebensmittel?		neben der Rolltreppe
Haben Sie …	Pfannen?		vor der Kinderabteilung
	Anzüge?		hinter der Parfümerie
	DVDs?	Gehen Sie nach …	hinten / vorne
	Kleider?	Gehen Sie (hier)	links ← rechts → geradeaus
	Damenschuhe?	Fahren / Gehen Sie …	die (Roll)Treppe rauf ↑ runter ↓
	einen Fußball?		

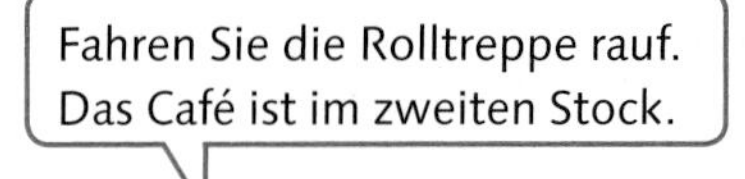

Entschuldigung, wo ist das Café?
Fahren Sie die Rolltreppe rauf. Das Café ist im zweiten Stock.

4.4 Wo ist was? Ordnen Sie zu: Welche Satzteile aus A und B gehören zusammen? Schreiben Sie die Sätze ins Heft und vergleichen Sie Ihre Lösungen zu zweit.

A
1. Die Hauptkasse ist … **2.** Fußballschuhe findet man … **3.** Kosmetik gibt es …
4. Einen Fernseher gibt es … **5.** Der Geldautomat steht … **6.** Haushaltswaren sind …

B
a. … in der Parfümerie, neben der Information. **b.** … im Untergeschoss, vor dem Schlüsseldienst.
c. … im zweiten Stock, neben den Herrenschuhen. **d.** … unten, neben dem Supermarkt.
e. … in der Sportabteilung, im zweiten Stock. **f.** … links neben der Rolltreppe, im Erdgeschoss.

4.5 Grammatik entdecken: Wo … ?: Lesen und ergänzen Sie die Beispiele im Kasten.

der Supermarkt	**A:** Wo gibt es Haushaltswaren?	**B:** Neben **dem** Supermarkt.
das Café	**A:** Wo finde ich die Herrenabteilung?	**B:** Neben **dem** Café.
die Information	**A:** Wo ist die Parfümerie?	**B:** Links neben **der** Information.
Pl. die Herrenschuhe	**A:** Wo ist die Hauptkasse?	**B:** Neben **den** Herrenschuhen.

Artikel im Dativ:
der > dem das > d .... die > .... Pl. die > den

in + dem = ...

Die Präpositionen **hinter**, **in**, **vor** funktionieren wie …

4.6 Sie fragen an der Information. Schreiben und beantworten Sie fünf Fragen.

In der Herrenabteilung. Im 2. Stock links neben der Rolltreppe.

Wo finde ich Anzüge und Hemden?

5 Wo ist / steht / hängt / liegt ... ?

C 81

5.1 Janine sucht ihren Strumpf. Wo ist er? Ordnen Sie zu.

a. auf / über dem Stuhl
b. unter dem Tisch
c. neben dem Koffer
d. vor dem Koffer
e. in der Kommode
f. hinter dem Radio
g. am Schrank
h. zwischen den Büchern

5.2 Präpositionen üben. Wo ist was im Kursraum? Beschreiben Sie. Der Kurs korrigiert.

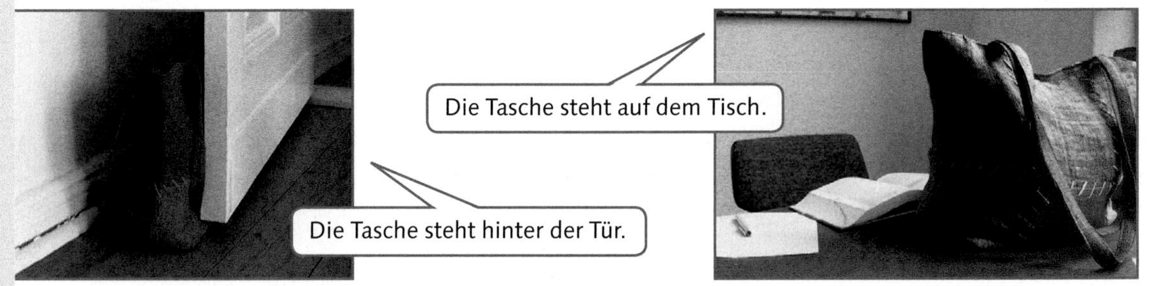

Die Tasche steht auf dem Tisch.
Die Tasche steht hinter der Tür.

5.3 Lesen Sie die Sätze und markieren Sie die korrekte Variante.

1. Gibst du mir das Kleid? Es hängt in den / im / in der Umkleidekabine.
2. Bitte zahlen Sie am / an die / an der Kasse.
3. 10 Euro, das ist total billig. 50 Prozent unter der / unter den / unter dem normalen Preis.
4. Die Information finden Sie links neben die / der / dem Rolltreppe.
5. Wo ist mein Geld? Ich habe es doch immer in den / im / in der Mantel. Es ist weg!
6. A: Siehst du Radios? **B:** Ja, da vorne. Hinter den / hinter die / hinter dem Musik-CDs.

5.4 „... ist ... / steht ... / hängt ... / liegt ...“ Schreiben Sie zu jedem Verb einen Satz und lesen Sie vor.

6 Farben interkulturell

6.1 So sagt man auf Deutsch. Ordnen Sie die Bilder den Sätzen zu.

- blau wie das Meer
- rot wie die Liebe
- weiß wie Schnee
- schwarz wie die Nacht
- grün wie das Gras

- grün vor Neid
- rot vor Zorn

- Er sieht alles rosa.
- Sie sieht alles schwarz.
- Er fährt schwarz.
- Sie macht blau.
- Er ist blau.

6.2 Wie sagt man das bei Ihnen?

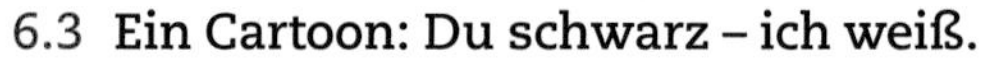

6.3 Ein Cartoon: Du schwarz – ich weiß.

So geht's

Kommunikation

nach Kleidungsstücken fragen

Ich suche ein T-Shirt in Größe 38. Ich hätte gerne die Schuhe in Größe 43.	Haben Sie den / diesen Pullover in Braun? Gibt es auch Hosen / Jacken / Blusen aus Seide / Wolle / Leder / ...?

fragen, ob ein Kleidungsstück gefällt / passt / ...	sagen, dass ein Kleidungsstück (nicht) gefällt / passt ...
Wie sieht der Pullover aus? Wie findest du / Wie finden Sie den Anzug / das T-Shirt / die Jacke? Finden Sie das Kleid gut? / Passt der Mantel? Mögen Sie / Magst du...?	Sehr gut! / Den mag ich nicht. Der / Das / Die ist prima / sieht gut aus. Das sieht (nicht) gut aus. Ja, Sie sehen super aus! / Ja, das sieht Klasse aus. Er / es / sie ist ein bisschen zu lang, zu weit, zu teuer, ...

fragen, wo etwas ist		sagen, wo etwas ist	
Entschuldigung, wo ist ... Bitte, wo sind ... Wo finde ich ... Wo gibt es ... Haben Sie ...	das Café? die Toiletten? ein Telefon? Lebensmittel? Pfannen? Anzüge? DVDs? Kleider? Damenschuhe? einen Fußball?	... finden Sie ... ... ist ...	im ersten / zweiten Stock im Erdgeschoss / Untergeschoss in der Herrenabteilung / im Restaurant vor der Kinderabteilung hinter der Parfümerie neben der Rolltreppe
		Gehen Sie nach ... Gehen Sie (hier) Fahren / Gehen Sie ...	hinten / vorne links ← rechts → geradeaus die (Roll)Treppe rauf ↑ runter ↓

Grammatik

welch- / dies- im Nominativ

der / das / die:
welch-er / welch-es / welch-e
> dies-er / dies-es / dies-e

Artikel im Dativ

der	> dem
das	> dem
die	> der

Präpositionen mit Dativ: *wo?*

Einige Präpositionen stehen mit den Verben *sein*, *stehen*, *liegen*, *hängen*, ... mit Dativ.

A: Wo ist meine Jacke??? Liegt sie auf dem Stuhl?
B: Sieh doch hin. Deine Jacke hängt an der Tür!

Das sind die Präpositionen
auf, *an*, *über*, *unter*, *vor*, *hinter*, *neben*, *zwischen* und *in*.

Lernen lernen

A 12

mit Lernplakaten arbeiten

Option 2

- ein Lied
- Inhalt der Einheiten 5 – 8 wiederholen
- Phonetik: Rhythmus (Akzente), Melodie (Sätze gliedern), Aussprache (langes und kurzes **o**, langes und kurzes **e**, e oder **ö**, **i** oder **ü**, Aussprache von **z**, **-tion** und **-ig**)
- Selbstevaluation: Was kann ich?-

1 Das Shopping Lied

1.1 Hören Sie das Lied und lesen Sie mit.

1.2 Hören Sie noch einmal und ergänzen Sie die Lücken.

1.3 Wie sieht der Kunde vom Shopping-Lied aus? Beantworten Sie die Fragen und machen Sie eine Zeichnung.

1. Wie alt ist er?
2. Wie groß ist er?
3. Hat er blonde, schwarze, braune, ... Haare?
4. Welche Kleidung trägt er?
5. Ist er verheiratet?
6. Welchen Beruf hat er?
7. Hat er Hobbys? Welche?

1.4 Präsentieren und vergleichen Sie Ihre Ergebnisse im Kurs.

H&M und C&A
Find ich einfach wunderbar
Hosen, ..., T-Shirts, ...
Halte ich in meinen Händen

1. Stock. Hier ist nichts los
2. Stock: Was such ich bloß?
Ha, ein Schnäppchen, her damit
Ich will dich jetzt, du geiles ....

Jede Woche muss ich raus
in mein geliebtes Kaufhaus
Kaufrausch

Schlange an der .... stehen
Kann das nicht mal schneller gehen?
Siebzig Euro? Klar. Sofort
Einkaufsbummel ist mein ....

Zu Hause ist das Hemd zu ....
Das darf doch wohl nicht wahr sein
Welch ein Ärger, dieser Schreck
Meine Kohle weg – weg – weg

Egal, na ja und darum
Muss ich nächste Woche wieder raus
In mein geliebtes Kaufhaus

Jede Woche muss ich raus
in mein geliebtes Kaufhaus
Kaufrausch ...

2 Tischtennis

Spielen Sie eine Runde Tischtennis.

Spielregeln:

1. Arbeiten Sie in zwei Gruppen.

2. Sie haben 15 Minuten Zeit.
Schreiben Sie 10 Aufgaben zu den Einheiten 1 bis 8.

Beispiele:
Grammatik: Wie heißt der Artikel von Milch?
Informationen aus dem Buch: Was isst Frau Müller gern?
Landeskunde: Wo steht die Semperoper?
Wortschatz: Was ist das Gegenteil von schnell?

3. Jede Gruppe legt eine Münze auf ihr Feld.

4. Gruppe 1 stellt die erste Frage und ...

... Gruppe 2 antwortet richtig: Gruppe 2 bekommt den Aufschlag, d.h. Gruppe 2 stellt die nächste Frage.

oder:

... Gruppe 2 antwortet falsch: Der Ball fliegt zu Gruppe 2 ins Feld. Gruppe 1 fragt weiter. Gruppe 2 antwortet wieder falsch: 1:0 für Gruppe 1.

5. Wer zuerst 5 Punkte hat, gewinnt.
Tipp: Sie können dieses Spiel immer wieder mit ganz verschiedenen Aufgaben spielen.

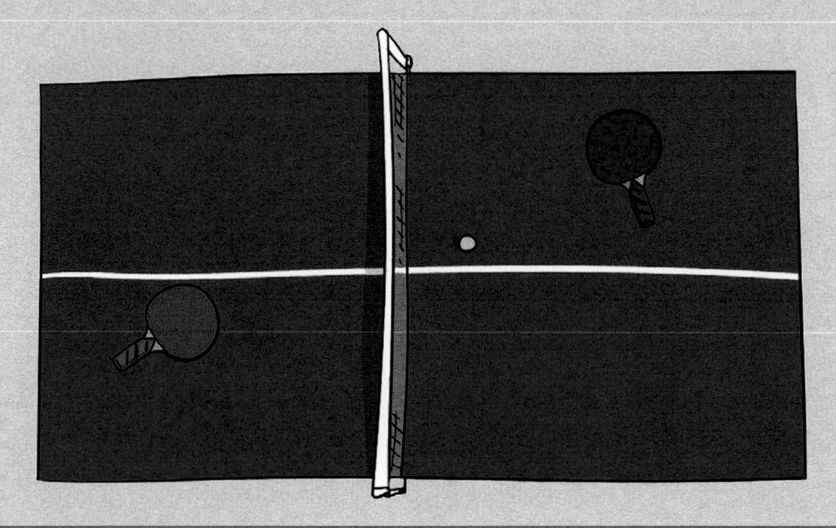

3 Artikelgymnastik

Artikelgymnastik, ein bisschen Bewegung?

1. Jeder schreibt auf einen kleinen Zettel zwei bis drei Nomen ohne Artikel.
2. Die Zettel werden eingesammelt.
3. Der Kurs wird in drei Gruppen geteilt: der-Gruppe, das-Gruppe, die-Gruppe.
4. Eine Kursteilnehmerin oder ein Kursteilnehmer liest die Nomen vor.
5. Die Gruppe mit dem passenden Artikel steht auf.
6. Wer beim falschen Artikel aufsteht, scheidet aus.
7. Die Gruppe, die am Ende die meisten Kursteilnehmer hat, hat gewonnen.

4 Einen landeskundlichen Text lesen

A 25

Texte erschließen

Vor dem Lesen
Lesen Sie die Wörter im Kasten. Bilden Sie Hypothesen. Worum geht es in dem Text?

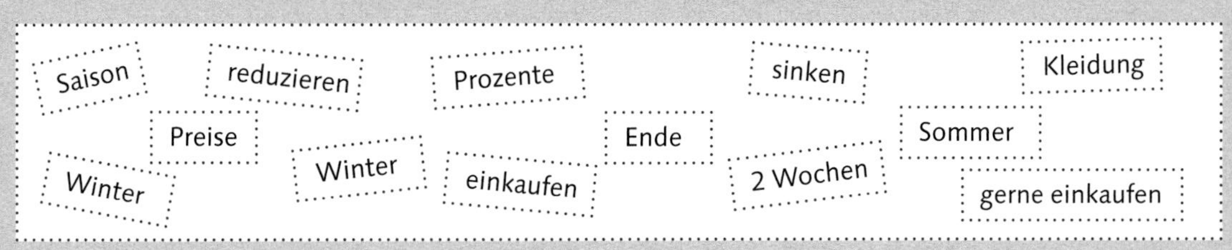

Saison
reduzieren
Prozente
sinken
Kleidung
Preise
Ende
Sommer
Winter
Winter
einkaufen
2 Wochen
gerne einkaufen

Während des Lesens
Lesen Sie den Text und unterstreichen Sie alle Wörter, die Sie kennen.

Schnäppchen-Jäger
Zweimal im Jahr freuen sich die Kunden auf den Einkauf. Im Sommer und im Winter sinken die Preise. Besonders bei der Kleidung. Warum? Es ist Schlussverkauf. Am Ende der Saison (Sommer und Winter) reduzieren viele Geschäfte die Preise. Manchmal bis zu 50 Prozent und mehr. Viele Kunden gehen dann einkaufen. Sie wollen ein Schnäppchen machen, also etwas sehr billig einkaufen. Z.B. eine Bluse für 5 Euro, einen Wintermantel für 30 Euro. Schuhe, Stiefel, Kinderkleidung und andere Waren sind reduziert. Das lohnt sich. Bis 2003 gab es den offiziellen Winter- und Sommer-Schluss-Verkauf (WSV und SSV). Seit 2004 entscheiden die Geschäfte und Kaufhäuser frei. Fast alle machen mit und die Preise sinken wieder. 14 Tage im Sommer und 14 Tage im Winter.

Nach dem Lesen
Steht das so im Text? Kreuzen Sie an.

richtig	falsch	
☐	☐	**1.** Zweimal im Jahr wird Kleidung sehr billig.
☐	☐	**2.** Alle Produkte kosten die Hälfte.
☐	☐	**3.** Die Kleidung kostet nur 5 bis 30 Euro.
☐	☐	**4.** Alle Geschäfte machen den Schlussverkauf.
☐	☐	**5.** Der SSV dauert 4 Wochen.

Was ist ihr bestes Schnäppchen? Was ist es? Was kostet es?

5 Phonetik: Rhythmus, Melodie und Aussprache

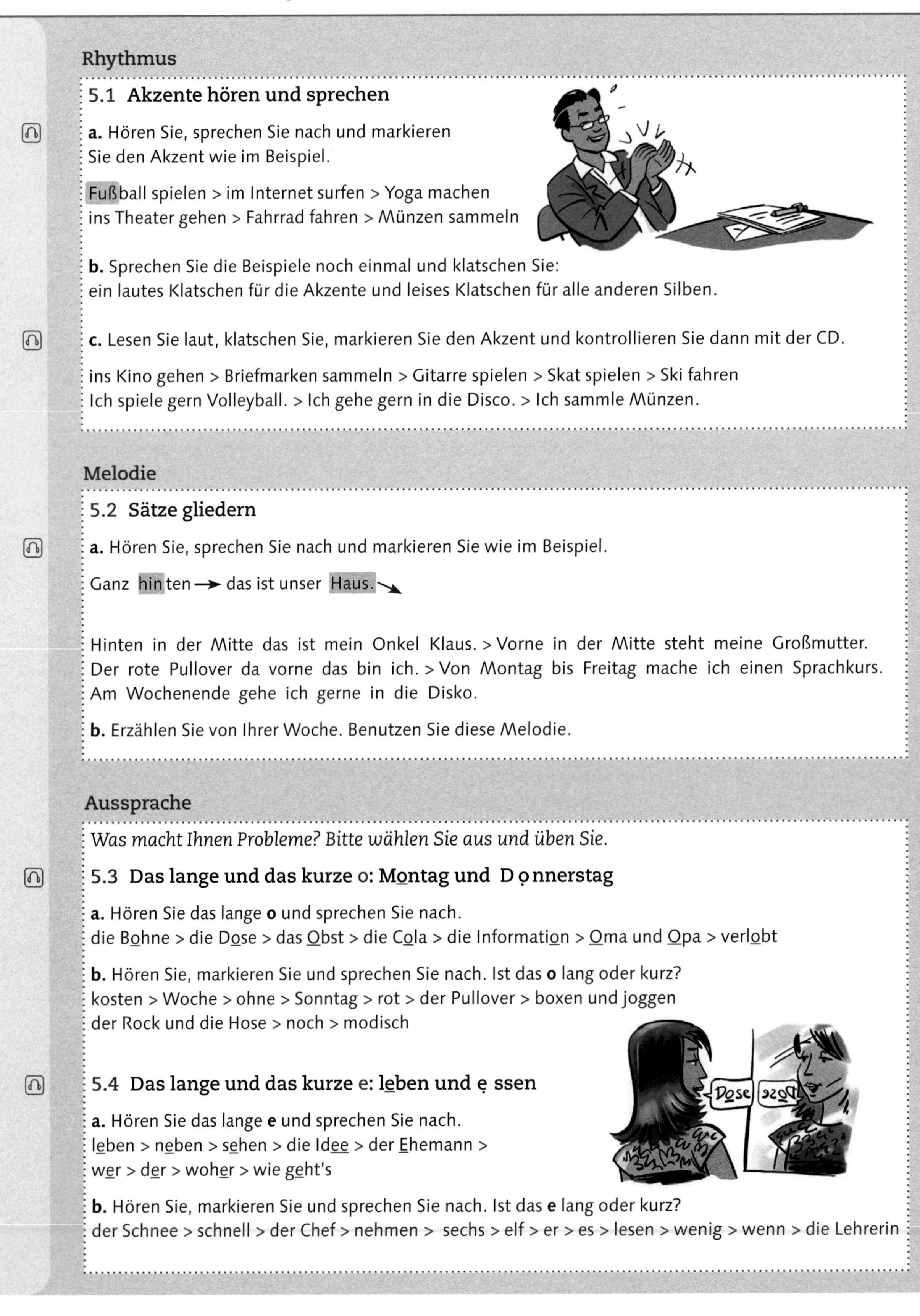

Rhythmus

5.1 Akzente hören und sprechen

a. Hören Sie, sprechen Sie nach und markieren Sie den Akzent wie im Beispiel.

Fußball spielen > im Internet surfen > Yoga machen
ins Theater gehen > Fahrrad fahren > Münzen sammeln

b. Sprechen Sie die Beispiele noch einmal und klatschen Sie:
ein lautes Klatschen für die Akzente und leises Klatschen für alle anderen Silben.

c. Lesen Sie laut, klatschen Sie, markieren Sie den Akzent und kontrollieren Sie dann mit der CD.

ins Kino gehen > Briefmarken sammeln > Gitarre spielen > Skat spielen > Ski fahren
Ich spiele gern Volleyball. > Ich gehe gern in die Disco. > Ich sammle Münzen.

Melodie

5.2 Sätze gliedern

a. Hören Sie, sprechen Sie nach und markieren Sie wie im Beispiel.

Ganz hinten → das ist unser Haus. ↘

Hinten in der Mitte das ist mein Onkel Klaus. > Vorne in der Mitte steht meine Großmutter. Der rote Pullover da vorne das bin ich. > Von Montag bis Freitag mache ich einen Sprachkurs. Am Wochenende gehe ich gerne in die Disko.

b. Erzählen Sie von Ihrer Woche. Benutzen Sie diese Melodie.

Aussprache

Was macht Ihnen Probleme? Bitte wählen Sie aus und üben Sie.

5.3 Das lange und das kurze o: Montag und Dọnnerstag

a. Hören Sie das lange **o** und sprechen Sie nach.
die Bohne > die Dose > das Obst > die Cola > die Information > Oma und Opa > verlobt

b. Hören Sie, markieren Sie und sprechen Sie nach. Ist das **o** lang oder kurz?
kosten > Woche > ohne > Sonntag > rot > der Pullover > boxen und joggen
der Rock und die Hose > noch > modisch

5.4 Das lange und das kurze e: leben und ẹssen

a. Hören Sie das lange **e** und sprechen Sie nach.
leben > neben > sehen > die Idee > der Ehemann >
wer > der > woher > wie geht's

b. Hören Sie, markieren Sie und sprechen Sie nach. Ist das **e** lang oder kurz?
der Schnee > schnell > der Chef > nehmen > sechs > elf > er > es > lesen > wenig > wenn > die Lehrerin

5.5 e oder ö?

a. Hören und ergänzen Sie.
der N....ffe > ge....ffnet > m....hr > m...glich > die Gr... ße > der Fris...r
die Id... e > s...hr > sch... n > schw... r

b. Hören Sie noch einmal und sprechen Sie nach.

5.6 i oder ü?

a. Hören und ergänzen Sie.
w....chtig > l....eben > ....ber > f....nf > v....er > f....r > s...eben
...ben > B... er > B...cher > m...t > M...tze > Term...n > Kost...m

b. Hören Sie noch einmal und sprechen Sie nach.

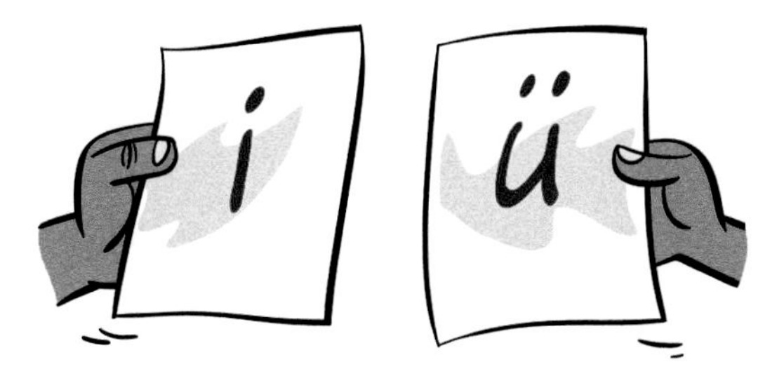

5.7 b, d, g am Silbenende-

a. Am Wort- oder Silbenende spricht man **b, d, g** wie **p, t, k**.
Bitte hören Sie und sprechen Sie nach.

halb eins > das Obst > ab•holen > das Er•geb•nis > am A•bend > gesund > und
spannend > Guten Tag > mittags > weg•fahren > der Flug•hafen

b. Hören Sie den Unterschied? Bitte hören Sie und sprechen Sie nach.

fra•gen – er fragt
ge•ben – sie gibt
die Klei•der – das Kleid

lie•gen – es liegt
lie•ber – lieb
die Bil•der – das Bild

zei•gen – sie zeigt
ha•ben – ihr habt
die Freun•din – der Freund

sieben Ta•ge – ein Tag
blei•ben – er bleibt

c. Hören Sie und sprechen Sie nach.

wenig > billig > richtig > wichtig

⚠ Die Endung **-ig** spricht man meistens **-ich**.

5.8 z liest man im Deutschen wie ts, die Endung -tion spricht man tsion.

Hören Sie und sprechen Sie nach.

die Zahl > zwei > zehn > zwölf > zwanzig > zählen > die Information > die Situation > funktionieren

Zwei Pizza, bitte!

Selbstevaluation

1 **Lesen Sie die Aussagen links und bearbeiten Sie dann die Aufgaben rechts.**

1. Ich kann einfache Dialoge zum Thema Einkaufen verstehen und sagen, was ich kaufen möchte.	**A:** Guten Tag. Ich h .... gerne ein K .... Tomaten. **B:** Sonst noch etwas? **A:** Ja, eine F.......... Milch, bitte.
2. Ich kann über Preise und Mengen beim Einkaufen sprechen.	**A:** Eine T............ Schokolade, eine D......... Erbsen und 200 G......... Salami, bitte. **B:** Das m......... 14 Euro 20. **A:** Was? Das ist aber t......... .
3. Ich kann die Uhrzeiten auf Deutsch sagen.	....
4. Ich kann über meine Hobbys sprechen.	**Nennen Sie drei Hobbys:** **1.** .... **2.** .... **3.** ....
5. Ich kann meine Familie beschreiben und verstehen, wenn jemand über seine Familie berichtet.	**Beschreiben Sie kurz Ihre Familie.** Wie heißen Ihre Eltern / Ihre Geschwister / Ihre Kinder? Wie alt sind sie? Wer arbeitet wo?
6. Ich kann sagen, welche Kleidung ich mag / nicht mag.	Die Bluse finde ich ....(+) Diese Stiefel mag ....(-) Der Mantel sieht ....(++)
7. Ich kann sagen, wo etwas ist /steht/liegt.	**Wo sind die Tasche / das Buch / der Mantel?**
8. Ich kann fragen, wo etwas in einem Gebäude ist.	**Schreiben Sie die Fragen auf.** Toilette? Lebensmittel? Restaurant?
9. Ich kann sagen, wo etwas in einem Gebäude ist.	**Beantworten Sie die Fragen aus Aufgabe 8.**

2 **Markieren Sie ✓ für *kann ich* und O für *kann ich nicht so gut*.**

3 **Korrigieren Sie mit den Lösungen im Anhang. Wie ist Ihr Ergebnis? Ziehen Sie eine Bilanz.**

++	+	–	––

Einheit 9: *Orientierung*

- nach dem Weg fragen / den Weg beschreiben
- um etwas bitten / zu etwas auffordern / einen Rat geben
- Wechselpräpositionen
- Imperativ

Frankfurt am Main

1 **Beschreiben Sie das Foto. Die Adjektive und der Redemittelkasten helfen.**

hoch · niedrig · laut · modern · interessant · schön · hässlich · neu · ruhig · historisch · alt · langweilig

Es gibt	Häuser / Hochhäuser / Wolkenkratzer Gebäude / Kirchen		
Die Häuser	vorne hinten in der Mitte	links / rechts	sind ...

2 **Hören Sie das Gespräch und kreuzen Sie an.**

> Wo steht die Frau?	> Wohin will die Frau?
☐ am Zoo	☐ zur Paulskirche
☐ am Dom	☐ zur Liebfrauenkirche

1 Nach dem Weg fragen / einen Weg beschreiben

1.1 **Hören und lesen Sie nun den Dialog und markieren Sie den Weg im Stadtplan.**

A: Verzeihung, ist das hier die Paulskirche?
B: Nein, das ist der Dom.
A: Der Dom? Und wie komme ich bitte zur Paulskirche?
B: Hm, Moment, also, gehen Sie hier über den Domplatz und dann die Domstraße entlang.
A: O. k., und dann?
B: Über die Braubachstraße bis zum Museum, und am Museum links in die Berliner Straße.
A: In die Berliner Straße, gut.
B: Gehen Sie noch etwa 200 Meter geradeaus, und dann sind Sie an der Paulskirche.
A: Vielen Dank.

Legende
1 Paulskirche **2** Kaiserdom **3** Museum für Moderne Kunst **4** Jüdisches Museum Frankfurt **5** Römer (Rathaus) **6** Goethehaus **7** Oper Frankfurt **8** Historisches Museum Frankfurt **9** Kunsthalle Schirn **10** Institut für Stadtgeschichte

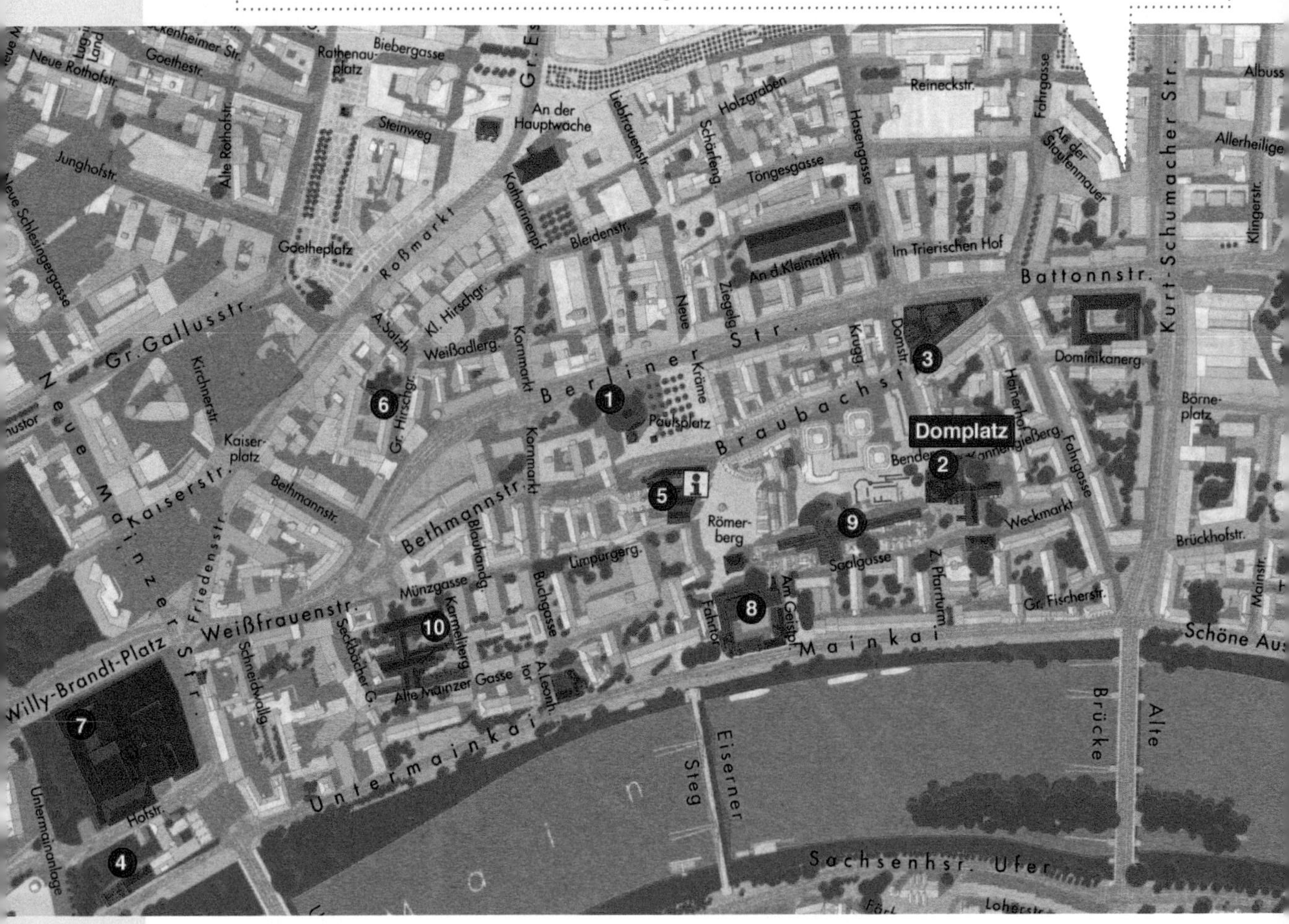

Info: Frankfurt am Main (652 000 Einwohner) ist die größte Stadt im Bundesland Hessen. Die Stadt ist der wichtigste Platz für Börse, Messen (z.B. Autos, Bücher) und Banken (z.B. Europäische Zentralbank) in Deutschland. Frankfurt hat auch den größten Flughafen der Bundesrepublik. In Frankfurt findet man die höchsten Häuser Europas, aber auch historische Gebäude, wie Römer (altes Rathaus), Dom, Paulskirche (Parlament 1848 / 49) und das Goethe-Haus. Der Dichter wurde 1749 hier geboren. Die Stadt ist auch bekannt für ihre Museen, für den Zoo und für kulinarische Spezialitäten: Apfelwein und Handkäs' mit Musik.

B 20

1.2 **Wählen Sie eine Situation. Üben Sie zu zweit einen Dialog. Der Dialogbaukasten hilft. Spielen Sie den Dialog im Kurs vor.**

1. Sie sind an der Paulskirche und möchten zur Hauptwache.
2. Sie sind am Museum für Moderne Kunst und suchen das Historische Museum.
3. Sie sind an der Hauptwache und suchen das Goethe-Haus.
4. …

nach dem Weg fragen:	Entschuldigung, Verzeihung,	ich suche ich möchte wie komme ich wo geht es hier wo ist hier	den / das / die ………… zum ………… zum ………… zur ………… der / das / die …………	 bitte. bitte? bitte?
den Weg beschreiben:	Gehen Sie	die ………… straße die erste / zweite / dritte Straße über den ………… platz bis zur Hauptwache / zum Museum	geradeaus / entlang links / rechts	
⚠ **zu / bis zu** immer mit Dativ	Da ist Dann sind Sie	die / der / das ………… an der / am …………		

2 Wohin? Wo? Akkusativ oder Dativ?

2.1 **Hören Sie die Dialoge und ergänzen Sie die Sprechblasen.**

Anna, wohin gehst du?
In den Deutschkurs. Das ist doch klar!
Hallo Ludmilla, …………?
………… natürlich!

C 81

2.2 **Lesen und ergänzen Sie die Regeln.**

Frage	Antwort		
Wohin gehen Sie? Wohin gehst du? Wohin fährst du? Wohin fahren Sie?	Auf den Römerplatz. Ins (In das) Kino. In die Volkshochschule. In die Messehallen.	(der Römerplatz) (das Kino) (die Volkshochschule) (Plural)	**Regel:** Bewegung, Aktion (Frage: …………?): + *Akkusativ*.

Frage	Antwort		
Wo sind Sie? Wo bist du?	Auf dem Römerplatz. Im (In dem) Kino. In der Volkshochschule. In den Messehallen.	(der Römerplatz) (das Kino) (die Volkshochschule) (Plural)	**Regel:** Ort, Resultat einer Aktion (Frage: …………?): + ………… .

2.3 Ergänzen Sie die Tabelle. Die Beispiele in 2.2 helfen.

	Wohin gehen Sie?		Wo sind Sie?	
der Park	....	Park.	......im.....	Park.
das Büro	......ins.....	Büro.	....	Büro.
die Schule	....	Schule.	....	Schule.
die Museen	....	Museen.	....	Museen.

2.4 Ergänzen Sie die Präpositionen und Artikel.

1. **A:** Wo gibt es Informationen über Frankfurt? **B:** .... Rathaus.
2. **A:** Was machst du morgen? **B:** Ich gehe .... Büro, wie immer.
3. **A:** Wo wohnen Sie? **B:** .... Hotel Maritim.
4. **A:** Am Samstag bin ich gern .... Café oder .... Diskothek.
   B: Ich gehe am Samstag immer .... Bars am Main.
5. .... Park ist heute Open-Air-Kino.
6. **A:** Wohin gehst du? **B:** .... Filmmuseum.
7. **A:** Und wo arbeiten Sie? **B:** Wir arbeiten .... Messeturm.
8. **A:** Was macht ihr am Wochenende? **B:** Wir fahren .... Berge.

2.5 Was ist interessant in Frankfurt? Was möchten Sie sehen, machen, besuchen ... ? Fragen und antworten Sie.

Wohin gehen wir?
Gehen wir in die Alte Oper?
Nein, ich möchte ins Museum für Moderne Kunst. Und du?
Ich gehe in den Zoo!

3 In Frankfurt im Zoo

C 81

3.1 Üben Sie die Präpositionen im Zoo: Wo sind die Tiere? Wo ist der Direktor? Schreiben sie unter die Bilder wie im Beispiel. Die Nomen im Schüttelkasten helfen.

a. Der Direktor sitzt am Schreibtisch, der Leopard steht auf dem Tisch.

b. Der Affe hängt über ....

c. Der Direktor steht zwischen ....

d. Der Direktor steht vor ....

e. Der Löwe liegt ....

f. Der Direktor ....

g. Der Direktor ....

h. Der Direktor ist ....

3.2 Wohin geht der Direktor? Was machen der Direktor und die Tiere noch? Beschreiben Sie die Bewegungen wie im Beispiel.

a. Der Direktor geht ins Affenhaus.

b. Der Tiger springt .... die Mauer.

c. Der Elefant läuft .... Baum.

d. Der Direktor geht ....

e. Der Bär wirft den Ball ....

f. Der Affe springt ....

g. Der Direktor stellt die Tasche ....

h. Der Direktor legt eine Banane ....Affen.

4 Aufforderung, Bitte und Rat: der Imperativ

4.1 Hier sind die Sprechblasen vertauscht. Ordnen Sie die Texte den passenden Zeichnungen zu und lesen Sie vor.

4.2 Imperative (formelle Anrede) – Sammeln Sie die Imperativsätze, die Sie schon kennen.

Arbeiten Sie zu zweit. Lesen Sie bitte den Dialog.

4.3 Vergleichen Sie: Wo steht das Verb? Wo steht die Nominativergänzung (Subjekt)? Ergänzen Sie die Regel.

Formelle Anrede

Aussagesatz:	Sie hören den Dialog.	Sie lesen den Text vor.
Imperativsatz:	Hören Sie den Dialog.	Lesen Sie den Text vor.

Regel: Im Aussagesatz steht das Verb auf Position ...zwei...........
Im Imperativsatz steht das Verb auf Position ....

4.4 Wer sagt was im Kurs? Ergänzen Sie bitte (L = Lehrer/in, K = Kursteilnehmer/in).

	L	K	
1.			Bitte schreiben Sie den Satz an die Tafel.
2.			Wie heißt das auf Deutsch?
3.			Wiederholen Sie das bitte.
4.			Bitte noch einmal.
5.			Erklär mir bitte die Aufgabe.
6.			Weißt du, was ein Aussagesatz ist?
7.			Entschuldigung, ich verstehe das nicht.

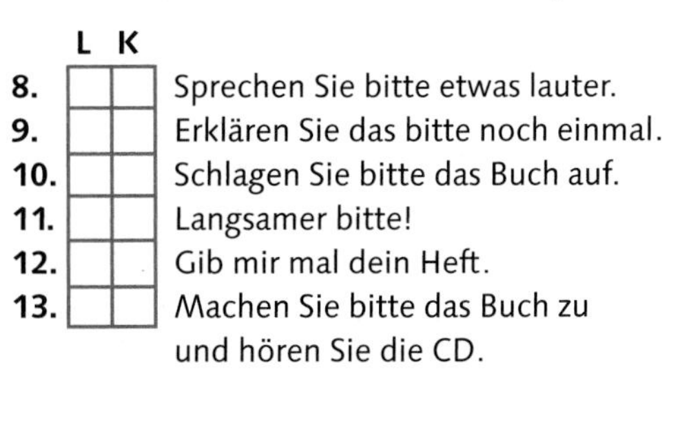

	L	K	
8.			Sprechen Sie bitte etwas lauter.
9.			Erklären Sie das bitte noch einmal.
10.			Schlagen Sie bitte das Buch auf.
11.			Langsamer bitte!
12.			Gib mir mal dein Heft.
13.			Machen Sie bitte das Buch zu und hören Sie die CD.

Info: *Aufforderungen und Bitten klingen im Deutschen mit dem Wort* **bitte** *freundlicher und höflicher: Bitte benutzen Sie* **bitte**.

4.5 Imperativ 2. Person Singular. Welche Sätze passen zusammen? Ordnen Sie bitte und lesen Sie vor.

1. ☐ Ich weiß die Regel nicht mehr.
2. ☐ Ich esse gern Schokolade.
3. ☐ Ich habe Durst.
4. ☐ Ich habe Angst vor dem Test.
5. ☐ Ich bin immer müde.
6. ☐ Pommes frites mag ich nicht.
7. ☐ Was heißt „Liebe" auf Polnisch?
8. ☐ Ich mag keine Rockmusik.
9. ☐ Ich verstehe den Text nicht.
10. ☐ Ich kann die neuen Wörter nicht behalten.
11. ☐ Ich habe keine Lust.

a. Geh doch in die Oper.
b. Schlag doch im Lernerhandbuch nach.
c. Mach doch eine Lernkartei.
d. Sei nicht so faul.
e. Iss nicht so viel Schokolade, das ist nicht gesund.
f. Frag doch Anna.
g. Du, lern doch mit uns zusammen.
h. Schlaf doch einmal aus.
i. Markier im Text zuerst alles, was du verstehst.
j. Nimm doch einen Salat.
k. Trink doch ein Mineralwasser.

C 20.5

4.6 Suchen Sie die Imperativformen in Aufgabe 4.5 und machen Sie eine Tabelle im Heft.

Infinitiv	2. Person Singular	Imperativ (2. Person Singular)
1. gehen	du gehst	Geh
2. nachschlagen	du schlägst nach	Schlag nach
3. machen	du machst	....
4. sein	du bist	....
5. essen	....	....

Kein Subjekt!
„du schlägst nach"
„du gehst nach Hause"
Mach's gut, du!

4.7 Imperativ (2. Person Plural) – Sehen Sie sich die Collage an und markieren Sie die Imperative.

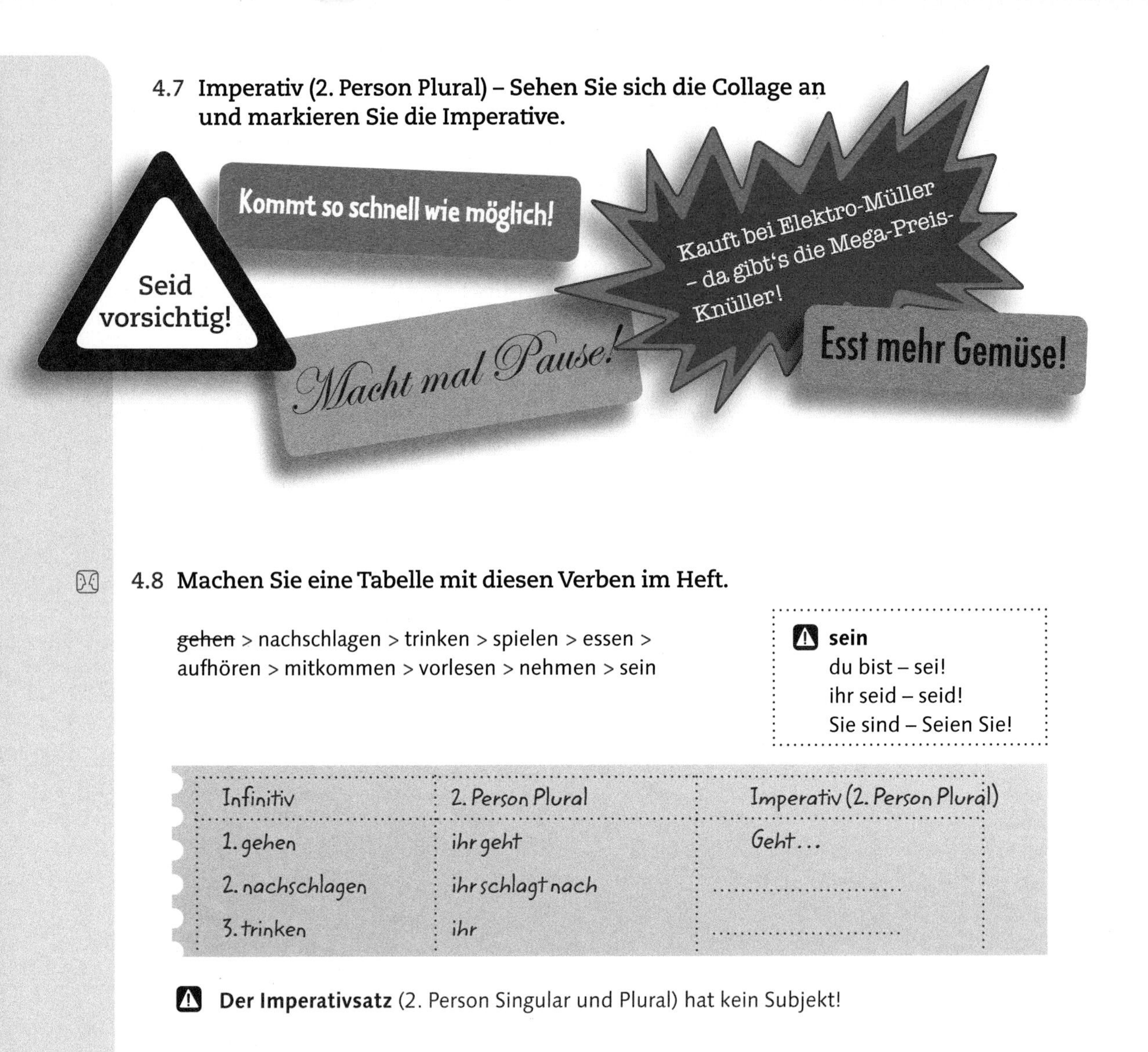

Kommt so schnell wie möglich!
Seid vorsichtig!
Kauft bei Elektro-Müller – da gibt's die Mega-Preis-Knüller!
Macht mal Pause!
Esst mehr Gemüse!

4.8 Machen Sie eine Tabelle mit diesen Verben im Heft.

~~gehen~~ > nachschlagen > trinken > spielen > essen > aufhören > mitkommen > vorlesen > nehmen > sein

sein
du bist – sei!
ihr seid – seid!
Sie sind – Seien Sie!

Infinitiv	2. Person Plural	Imperativ (2. Person Plural)
1. gehen	ihr geht	Geht ...
2. nachschlagen	ihr schlagt nach	....
3. trinken	ihr	....

Der Imperativsatz (2. Person Singular und Plural) hat kein Subjekt!

4.9 Schreiben Sie ein Problem auf einen Zettel. Sammeln Sie die Zettel im Kurs, mischen Sie und verteilen Sie die Zettel neu. Wer findet zu seinem Problem als erster einen passenden Rat?

Ich brauche mehr Geld.
Ich habe Hunger.
Spiel doch Lotto!
Essen Sie doch einen Wurstsalat.

5 „Wo ist der Bahnhof?“

5.1 **Betrachten Sie den Plan und hören Sie die CD. Was meinen Sie: Findet die Frau den Bahnhof?**

5.2 **Hören Sie die CD noch einmal. Markieren Sie im Plan: Welchen Weg beschreibt der Mann beim ersten, zweiten und dritten Mal?**

5.3 **Lesen Sie jetzt den Text und kontrollieren Sie Ihre Ergebnisse aus 5.2.**

A: Entschuldigen Sie bitte. Ich habe eine Frage.
B: Fragen Sie!
A: Wo ist der Bahnhof?
B: Gehen Sie die Straße entlang, dann die erste Straße rechts und die dritte links! Da ist der Bahnhof!
A: Vielen Dank, sehr freundlich ...
B: Ja ja. Vergessen Sie den Weg nicht!
A: Ja... ääh ...
B: Also, sehen Sie, die Straße geradeaus, die erste links, die dritte rechts! Gehen Sie nun!
A: Was? Ich denke, die erste links ...
B: Sagen Sie jetzt nichts. Gehen Sie geradeaus, die dritte Straße rechts ... !
A: Taxi!

5.4 **Lesen Sie den Dialog zu zweit.**

5.5 **Verändern Sie bitte den Dialog. Variieren Sie den Ton. Wählen Sie eine Aufgabe aus.**

1. Der Mann spricht mit einem Kind.
2. Der Mann ist sehr freundlich und mag keine Befehle.
3. Der Mann ist in die Frau verliebt.
4. ...

5.6 **„Entschuldigung, wie komme ich zu ... ?“ Schreiben Sie einen Dialog. Der Stadtplan von Nr. 1.1 hilft.**

So geht's

Kommunikation

nach dem Weg fragen

Entschuldigung, Verzeihung,	wie komme ich wo geht es hier ich suche wo ist hier	zum .... bitte? zur .... den / das / die .... der / das / die ....

den Weg beschreiben

Gehen Sie	die ....straße die erste / zweite / dritte Straße über den ....platz bis zur Hauptwache / zum Museum	geradeaus / entlang links / rechts
Da ist Dann sind Sie	die / der / das .... an der / dem	

Grammatik

Wechselpräpositionen

an auf hinter in neben über unter vor zwischen	**+ Dativ** (wo?) oder **+ Akkusativ** (wohin?)

Imperativ

Infinitiv	2. Pers. Sing.	2. Pers. Plur.	formell
gehen	Geh	Geht	Gehen Sie
nachschlagen	Schlag nach	Schlagt nach	Schlagen Sie nach
trinken	Trink	Trinkt	Trinken Sie
sein	Sei	Seid	Seien Sie

⚠ **liegen** + **stehen** immer mit Dativ (wo?)
legen + **stellen** immer mit Akkusativ (wohin?)

A 11/12 **Lernen lernen**

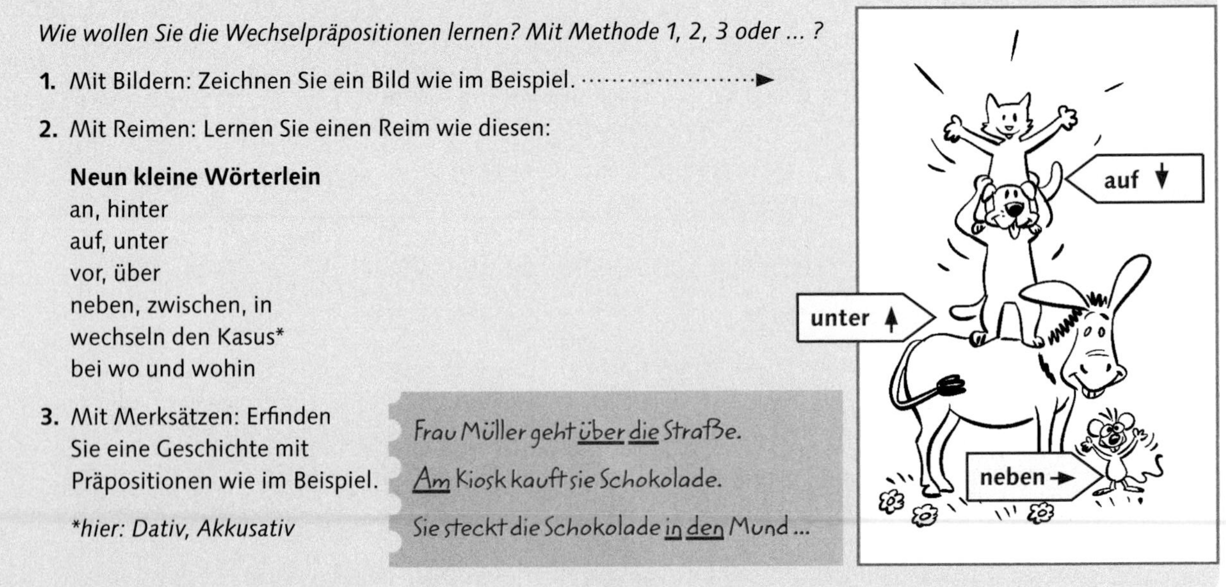

Wie wollen Sie die Wechselpräpositionen lernen? Mit Methode 1, 2, 3 oder ... ?

1. Mit Bildern: Zeichnen Sie ein Bild wie im Beispiel. ....►
2. Mit Reimen: Lernen Sie einen Reim wie diesen:

   Neun kleine Wörterlein
   an, hinter
   auf, unter
   vor, über
   neben, zwischen, in
   wechseln den Kasus*
   bei wo und wohin

3. Mit Merksätzen: Erfinden Sie eine Geschichte mit Präpositionen wie im Beispiel.

   **hier: Dativ, Akkusativ*

Frau Müller geht über die Straße.
Am Kiosk kauft sie Schokolade.
Sie steckt die Schokolade in den Mund ...

Einheit 10: *Von morgens bis abends*

- Berufe benennen
- Tätigkeiten beschreiben
- Tagesablauf beschreiben
- Sätze mit Zeitangaben / Satzstellung
- Modalverben: *können / müssen / dürfen*
- Verwendung von *man*
- Satzklammer

. Ein Pfarrer
betet.
2. Eine jüngere Frau hilft einer alten Frau beim Anziehen.
3. Ein Vater wickelt sein Baby.
4. Ein Tanzlehrer tanzt.
5. Eine Frau macht Gartenarbeit.
6. Der Vater erklärt die Hausaufgaben.
7. Eine Deutschlehrerin geht ins Theater.
8. Mann und Frau beim Geschäftsessen
9. Eine Bardame flirtet mit einem Gast.
10. Ein Fußballspieler schießt ein Tor.
22

1 **Arbeiten Sie zu zweit. Sehen Sie sich die Fotos an und lesen Sie die Aussagen. Was ist Arbeit, was ist keine?**

Das ist keine Arbeit. Das macht doch Spaß.

Natürlich ist das Arbeit.

Nein, sie arbeitet nicht. Sie bekommt doch kein Geld.

Das kommt darauf an. Vielleicht…

2 **Vergleichen Sie Ihre Ergebnisse im Kurs.**

	Ja, das ist Arbeit.	*Vielleicht.*	*Nein, das ist keine Arbeit.*
1		I	III
2	IIII II	III	I

3 **Welche Berufe kennen Sie? Sammeln Sie in der Gruppe.**

1 Männerberufe – Frauenberufe?

1.1 Was ist was? Lesen Sie die Berufe und ordnen Sie sie den Bildern zu.

	A	B	C	D	E
	♀	♀>♂	♀=♂	♀<♂	♂
1. Arzt/Ärztin					
2. Automechaniker/in					
3. Bürokaufmann/-frau					
4. Fabrikarbeiter/in					
5. Putzfrau oder Putzhilfe					
6. Schreiner/in					
7. Informatiker/in					
8. Lehrer/in					
9. Erzieher/Kindergärtnerin					
10. Elektriker/in					
11. Krankenpfleger/-schwester					
12. Hotelfachmann/-frau					
13. Bankkaufmann/-frau					
14. Koch/Köchin					
15. Hausmann/-frau					

a. ☐ b. ☐ c. ☐

d. *1.* e. ☐ f. ☐ g. ☐ h. ☐ i. ☐

j. ☐ k. ☐ l. ☐ m. ☐ n. ☐ o. ☐

1.2 Wie ist das in Ihrem Land? Kreuzen Sie in der Tabelle A, B, C, D oder E an.

A: nur Frauen
B: mehr Frauen als Männer (>)
C: Männer und Frauen gleich (=)
D: weniger Frauen als Männer (<)
E: nur Männer

1.3 Diskutieren Sie die Ergebnisse im Kurs.

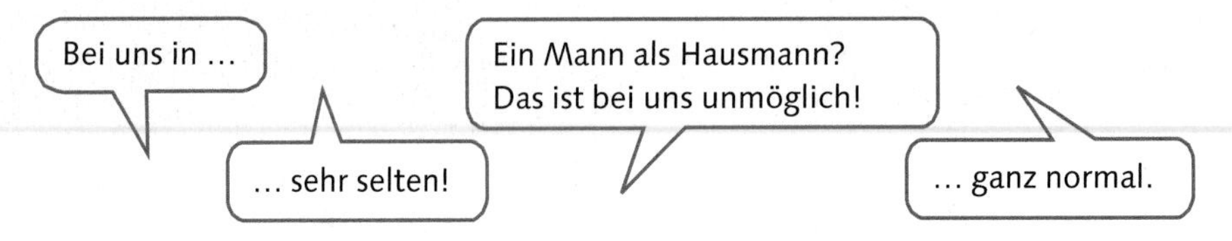

Bei uns in …
… sehr selten!
Ein Mann als Hausmann? Das ist bei uns unmöglich!
… ganz normal.

1.4 Ordnen Sie die Informationen zu und schreiben Sie Aussagen zu den Fragen.

Wer arbeitet wo? Wer macht was? Wer braucht welches Material?

- die Hotelangestellte > der Müllmann > der Tischler/Schreiner > die Taxifahrerin
- in der Stadt > im Hotel > an der Rezeption > in der Werkstatt > auf der Straße
- baut Möbel (Tische, Stühle, ...) > holt den Müll ab > macht die Straße sauber > fährt die Leute durch die Stadt > holt etwas ab > bringt etwas > kennt alle Wege in der Stadt > muss früh aufstehen > begrüßt Leute > gibt Informationen und Tipps > schreibt Rechnungen > muss immer freundlich sein > geht erst spät schlafen
- mit Holz > mit Werkzeug > mit den Gästen > mit den Kunden > im Auto > mit dem Computer

„Ein Tischler arbeitet mit Holz. Er...“

1.5 Ein Lernplakat entwickeln – Arbeiten Sie in Gruppen und sammeln Sie dann Wortschatz zum Thema „Arbeit“ im Kurs. Das Wörterbuch hilft.

Orte	Zeiten	Material	Kollegen ...
im Büro zu Hause in der Fabrik ...	um ... abends am	mit dem Computer mit Werkzeug	alleine im Team mit dem Chef ...

1.6 Welchen Beruf haben Sie? Berichten Sie im Kurs. Benutzen Sie das Lernplakat.

2 Tagesabläufe

A 20.2

2.1 <u>Vor</u> dem Hören: Sehen Sie die beiden Bilder an. Was wissen Sie über die Berufe? Was erzählen die beiden Personen über ihren Tag?

< Herr Simoneit
Bäcker

Frau Peters >
Pilotin

2.2 <u>Während</u> des Hörens: Hören Sie nun die zwei Interviews. Machen Sie Notizen: Wer macht was wann? Hören Sie die Aussagen ein zweites Mal.

2.3 Nach dem Hören: Welche Informationen sind richtig (*r*), welche sind falsch (*f*)? Vergleichen Sie mit Ihren Notizen und tragen Sie ein.

Herr Simoneit		Frau Peters	
1. Herr Simoneit steht um 5.00 Uhr auf.	f	**1.** Frau Peters fährt um 6.30 Uhr zum Flughafen.	
2. Am Morgen fährt er mit dem Fahrrad zur Arbeit.		**2.** Am Morgen kontrolliert sie das Flugzeug.	
3. Seine Arbeit fängt sehr früh an.		**3.** Vormittags um 10.00 Uhr startet sie in München.	
4. Bis 8.00 Uhr backt er Brot und Brötchen.		**4.** Mittags landet sie in Madrid.	
5. Von 9.00 bis 12.00 Uhr macht er Kuchen und Torten.		**5.** Bis 14.00 Uhr hat sie Pause.	
6. Am Mittag geht er nach Hause.		**6.** Am Nachmittag fliegt sie zurück.	
7. Am Nachmittag macht er die Backstube sauber.		**7.** Um 17.00 Uhr fährt sie nach Hause.	
8. Bis 15.00 Uhr verkauft er im Laden.		**8.** Abends trifft sie immer ihren Mann.	
9. Am Wochenende spielt Herr Simoneit gern Skat.		**9.** Sie kochen gern zusammen.	
10. Er geht um 23.00 Uhr ins Bett.		**10.** Manchmal muss Frau Peters auch nachts arbeiten.	

2.4 **Markieren Sie alle Zeitangaben in Aufgabe 2.3. Kennen Sie noch mehr?**

2.5 **Sätze mit Zeitangaben: Lesen Sie die Sätze. Was ändert sich?**

a. Ich gehe zum Unterricht.
b. Ich gehe *morgens* zum Unterricht.
c. *Morgens* gehe ich zum Unterricht.

a. Ich kaufe ein.
b. Ich kaufe *am Nachmittag* ein.
c. *Am Nachmittag* kaufe ich ein.

2.6 **Bilden Sie einen Satz mit einer Zeitangabe. Ihr Nachbar macht weiter wie im Beispiel.**

Ich gehe abends ins Kino.
Abends gehe ich ins Kino.
Am Nachmittag isst Pjotr Kuchen.
Pjotr …

2.7 **Und was machen Sie morgens, mittags, abends, am Wochenende? Was machen Sie gern, was machen Sie nicht gern?**

> lang schlafen
> lang frühstücken
> einkaufen
> putzen
> die Familie besuchen
> Hobbys

Was machen Sie am Wochenende?

3 *können, müssen, dürfen* – Modalverben

3.1 Ergänzen Sie die Sätze.

warten haben einkaufen lesen

1. Hier **muss** man lange ....

2. Hier **kann** man billig ....

3. Ich **kann** schon Zeitungen auf Deutsch ....

4. **Darf** ich dein Auto ....

3.2 Lesen Sie die Aussagen im Kasten. Wann verwendet man *können*, *müssen* oder *dürfen*? Ordnen Sie die Verben zu. Sammeln Sie dann Sätze wie in 3.1.

für:	*für:*	*für:*
– „bitte, bitte!“ – „Ist das okay?“	– „Das mache ich (sehr) gut.“ (z.B. schwimmen, tanzen, Deutsch sprechen) – „Das ist möglich.“	– „Das ist sehr wichtig.“ – „Das geht nicht anders.“ – „Es gibt keine Alternative.“
benutzt man das Modalverb	*benutzt man das Modalverb*	*benutzt man das Modalverb* ......

C 27.2

3.3 Modalverben haben viele Bedeutungen. In der Tabelle sehen Sie die wichtigsten. Wie sagt man das in Ihrer Sprache? Vergleichen Sie.

Modalverb	**Beispiel**	***Bedeutung***	*In Ihrer Sprache*
können	Hier kann man gut essen. Ihr könnt schon viel auf Deutsch sagen. Kann ich den Computer benutzen?	*Möglichkeit* *Fähigkeit* *Erlaubnis*	
müssen	Du musst hier unterschreiben.	*Notwendigkeit*	
dürfen	Darf man hier parken? Sie dürfen hier nicht parken!	*Erlaubnis* *Verbot*	

3.4 Was passt in die Lücken? Ergänzen Sie die Modalverben.

1. Mama, Mama, ... ich ein Eis haben?
2. Susanne fährt schon acht Stunden Auto. Sie .... eine Pause machen.
3. Wow, du .... super Gitarre spielen!
4. Heute ist Samstag. .... ihr heute arbeiten?
5. Wir .... hier rauchen. Das ist eine Raucher-Zone.
6. Sascha .... heute feiern. Er hat frei.

dürfen kannst müsst kann muss darf

3.5 Und Sie? Was dürfen, müssen und können Sie? Schreiben Sie je drei Sätze, tauschen Sie sie mit Ihrem Nachbarn / Ihrer Nachbarin. Er / Sie stellt Sie dann vor.

aufstehen > arbeiten > im Bett bleiben > lange schlafen > die Kinder zur Schule bringen > lesen > ins Kino gehen > Musik hören > sauber machen > Pause machen > …

Susanne muss um 5 Uhr aufstehen.

3.6 Ja-Sager und Nein-Sager. Lesen und hören Sie die Texte. Unterstreichen Sie die Modalverben und die Verneinung. Wie verändert sich die Bedeutung?

Ich arbeite im Büro. Ich muss jeden Morgen um fünf Uhr aufstehen. Ich darf nicht zu spät kommen.

Ich muss Briefe schreiben, ich muss telefonieren und muss mit Kunden sprechen. Ich kann gut mit dem Computer arbeiten. Das macht Spaß.

Um 16 Uhr kann ich nach Hause gehen.

Ich arbeite nicht im Büro. Ich muss nicht jeden Morgen um fünf Uhr aufstehen. Ich darf zu spät kommen.

Ich muss keine Briefe schreiben, ich muss nicht telefonieren und muss nicht mit Kunden sprechen. Ich kann nicht mit dem Computer arbeiten. Das macht keinen Spaß.

Um 16 Uhr kann ich nicht nach Hause gehen.

3.7 Ergänzen Sie die Modalverben im Kasten und schreiben Sie Beispielsätze.

für: – „Das ist verboten!“ – „Das ist nicht okay.“ *benutzt man* .... *+ Verneinung*	*für:* – „Das mache ich nicht (gut).“ (z.B. Ich tanze schlecht, ich spreche kein Englisch) – „Das ist nicht möglich.“ *benutzt man* .... *+ Verneinung*	*für:* – „Das ist nicht nötig.“ – „Man kann etwas anderes tun.“ – „Es gibt eine Alternative.“ *benutzt man* .... *+ Verneinung*

3.8 Modalverben mit Verneinung: Besprechen Sie die Bedeutung.

Modalverb	**Beispiel**	***Bedeutung***	*In Ihrer Sprache*
nicht können	Am Kiosk kann man keine Briefmarken kaufen. Ich kann nicht schwimmen.	*Unmöglichkeit* *Unfähigkeit*	
nicht müssen	Sie muss heute nicht arbeiten.	*nicht notwendig*	
nicht dürfen	Sie dürfen hier nicht fahren.	*Verbot*	

3.9 Schilder – Was kann, muss, darf man hier (nicht) tun?

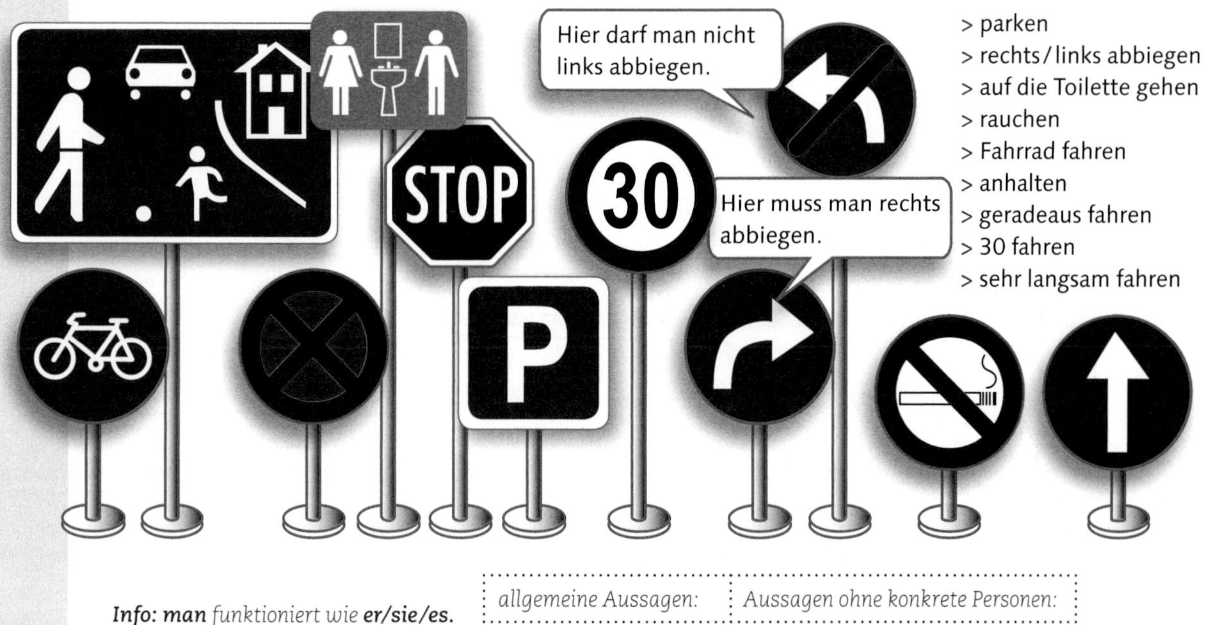

STOP
30
P
Hier darf man nicht links abbiegen.
Hier muss man rechts abbiegen.

> parken
> rechts / links abbiegen
> auf die Toilette gehen
> rauchen
> Fahrrad fahren
> anhalten
> geradeaus fahren
> 30 fahren
> sehr langsam fahren

Info: ***man*** *funktioniert wie* ***er/sie/es.***
Sie können ***man*** *benutzen für:*

allgemeine Aussagen:	*Aussagen ohne konkrete Personen:*
Das macht man nicht!	*Man darf hier nicht rauchen.*

3.10 Sehen Sie bitte den Abschnitt 3 noch einmal an und ergänzen Sie dann die Tabelle.

	dürfen	**können**	**müssen**
ich	darf		
du	darfst		
er / sie / es	darf	kann	muss
wir			
ihr	dürft		müsst
sie / Sie			

3.11 Ergänzen Sie bitte die Modalverben in den Dialogen.

1. **A:** .... du mir Tinas Telefonnummer geben? *(können)*
   B: Ja, klar .... ich das. Sie hat die Nummer 88 70 446. *(können)*
2. **A:** Ich bekomme Besuch und .... meine Wohnung putzen. .... du mir helfen? *(müssen) (können)*
   B: Tut mir Leid, aber ich .... nicht kommen. Du .... allein sauber machen. *(können) (müssen)*
3. **A:** .... ich dein Auto haben? *(dürfen)*
   B: Klar, aber du .... das Auto morgen zurückbringen, okay? *(müssen)*
4. **A:** Herr Simoneit .... immer früh aufstehen. Aber am Sonntag .... er lang schlafen. *(müssen) (können)*
5. **A:** Ich mache morgen eine Party, ... ihr kommen oder .... ihr arbeiten? *(können) (müssen)*
   B: Wir haben Zeit. Wir .... kommen. Danke. *(können)*
6. **A:** .... Sie uns sagen, wo wir CDs finden? *(können)*
   B: Ihr .... mit der Rolltreppe in den zweiten Stock fahren. *(müssen)*

4 Der Satzexpress – Modalverben und Infinitiv

4.1 Zeichnen Sie den Satzexpress ins Heft. Schreiben Sie die Sätze wie im Beispiel.

1. Kannst du mir Tinas Telefonnummer geben?
2. Ich kann nicht schwimmen.
3. Sven kann heute Abend zu uns kommen.
4. Heute Abend kann Sven zu uns kommen.
5. Ein Taxifahrer muss auch nachts arbeiten.
6. Ihr müsst mit der Rolltreppe in den zweiten Stock fahren.
7. Du darfst nicht Auto fahren.
8. Du musst mit dem Taxi fahren.

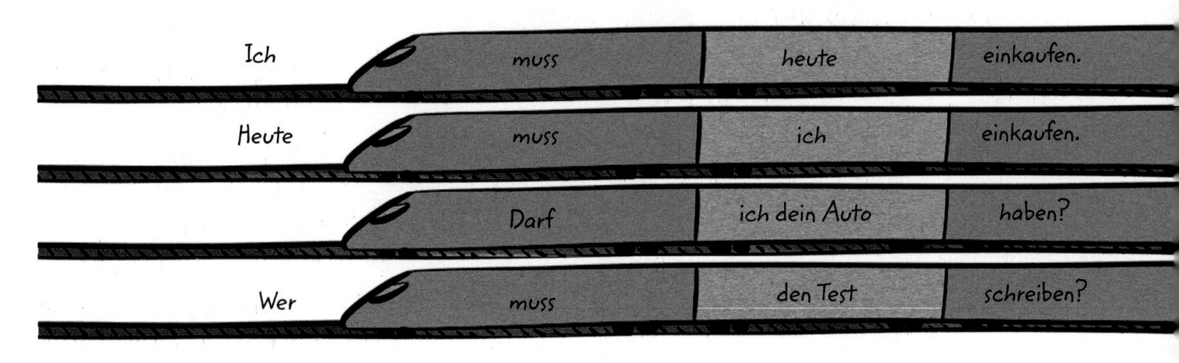

Ich
muss
heute
einkaufen.
Heute
muss
ich
einkaufen.
Darf
ich dein Auto
haben?
Wer
muss
den Test
schreiben?

⚠ Modalverben kommen meist mit einem zweiten Verb vor. Es steht im Infinitiv und am Ende des Satzes.

4.2 Können Sie diese Sätze jetzt schreiben? Sie müssen auf die Satzstellung achten.

1. können / helfen / ich / Ihnen / ?
2. müssen / gehen / zum Arzt / du
3. können / bezahlen / an der Kasse im ersten Stock / man
4. dürfen / fernsehen / du / heute / bis 21 Uhr
5. müssen / einkaufen / die Geschenke / morgen / wir
6. dürfen / anrufen / dich / ich / heute / ?
7. ...

4.3 Ein Spiel zu dritt – Schreiben Sie drei Aktivitäten auf Karten. Schreiben Sie auch die Modalverben mit allen Formen auf Karten. Machen Sie zwei Stapel (1. Verben, 2. Aktivitäten). A zieht eine Aktivität, B ein Verb, C baut einen Satz. A und B kontrollieren.

4.4 Personen im Kurs raten. Jeder beschreibt eine Person. Was kann sie gut/nicht so gut ...? Welche Hobbys hat sie? Was muss sie ...? Beschreiben Sie dann die Personen im Kurs ohne Namen. Die anderen raten.

Sie hat zwei Kinder, kann Englisch sprechen. Sie kann aber nicht kochen. Sie trägt immer Jeans, muss früh aufstehen und singt im Chor.

Das ist Victoria!!!

5 Wörter systematisch lernen

5.1 Bilden Sie zwei Gruppen. Gruppe 1 betrachtet Bild A, Gruppe 2 Bild B. Sie haben 10 Sekunden Zeit. Schließen Sie die Bücher. Sprechen Sie im Kurs: Was ist auf dem Bild?

5.2 Jetzt lernen Sie Wörter. Gruppe 1 lernt die Wörter in der Liste 1, Gruppe 2 lernt die Wörter in der Liste 2. Sie haben 60 Sekunden Zeit. Machen Sie dann das Buch wieder zu und schreiben Sie alle Wörter auf, die Sie gelernt haben. Welche Gruppe hat mehr Wörter?

Liste 1

Café	Tisch	Stuhl	sitzen
Arzt	helfen	krank	Patient
Heute	Abend	Kino	gehen
Hotel	Rezeption	begrüßen	Gast

Liste 2

Hotel	begrüßen	helfen	Stuhl
Patient	Kino	sitzen	Café
Abend	gehen	Gast	Arzt
krank	Tisch	heute	Rezeption

5.3 Wählen Sie jetzt eine Einheit aus und machen Sie Vorschläge, wie Sie die Wörter lernen wollen.

So geht's

Kommunikation

Berufe beschreiben

Ich arbeite in einem Restaurant. Meine Arbeit beginnt um 16 Uhr und ich arbeite bis 22 Uhr. Ich arbeite in der Küche. Ich kann gut kochen und meine Spezialitäten sind Suppen und Braten. Wir arbeiten in einem Team. Wir sind 5 Personen in der Küche. Mein Beruf ist Köchin.

Zeitangaben machen

am Montag, Wochenende ... im Januar, im Sommer, ... um 18 Uhr, 7.15 Uhr ... von 9 bis 15 Uhr, von Montag bis Donnerstag ... bis 14 Uhr, morgen, bald, ...	am Morgen / morgens am Vormittag / vormittags am Mittag / mittags am Nachmittag / nachmittags am Abend / abends in der Nacht / nachts	früh spät 1998

Grammatik

Modalverben *dürfen / können / müssen*

	dürfen	*können*	*müssen*
ich	darf	kann	muss
du	darfst	kannst	musst
er/sie/es	darf	kann	muss
wir	dürfen	können	müssen
ihr	dürft	könnt	müsst
sie/Sie	dürfen	können	müssen

Sätze mit Zeitangaben

Morgen besuche ich Tante Olga.	oder	Ich besuche *morgen* Tante Olga.
Am Nachmittag spielt er Klavier.	oder	Er spielt *am Nachmittag* Klavier.
Um 17 Uhr ist die Arbeit zu Ende.	oder	Die Arbeit ist *um 17 Uhr* zu Ende.

Satzklammer bei Modalverben

Können wir uns heute treffen?
Heute Nachmittag muss ich arbeiten.
Musst du auch abends bei der Arbeit sein?
Nein. Um acht können wir uns sehen.
Okay. Darf mein Bruder mitkommen?
Muss das sein?

Lernen lernen

A 20.2 **Einen Hörtext strategisch bearbeiten**

Vor dem Hören:	Fragen an den Text stellen (Wer, was, wann, wo, ... ?)	Wörter zum Thema sammeln
Während des Hörens:	Fragen beantworten	Notizen machen
Nach dem Hören:	Antworten kontrollieren	Notizen vergleichen

Einheit 11: ... *einmal durch das Jahr*

- nach Daten fragen / Daten angeben
- Feste und Feiertage
- Glückwünsche
- Einladungen
- Ordinalzahlen
- Wiederholung / Redewendungen mit Modalverben

1 **Hören Sie die Tonaufnahmen. Welche Szene passt zu welchem Bild? Manchmal gibt es mehrere Möglichkeiten.**

a. .... **b.** .... **c.** .... **d.** .... **e.** ....
f. .... **g.** .... **h.** .... **i.** ....

2 **Sehen Sie die Bildcollage an. Welche Feste und Feiertage kennen Sie? Was gibt es auch bei Ihnen?**

Weihnachten > Ostern > Tag der Arbeit > Silvester > Karneval > Heiligabend

Weihnachten feiern wir auch.

Tag der Deutschen Einheit gibt es bei uns nicht.

1 4 Jahreszeiten, 12 Monate, 52 Wochen = 365 Tage

Januar

Wo	52	01	02	03	04	05
Mo		2	9	16	23	30
Di		3	10	17	24	31
Mi		4	11	18	25	
Do		5	12	19	26	
Fr		6	13	20	27	
Sa		7	14	21	28	
So	1	8	15	22	29	

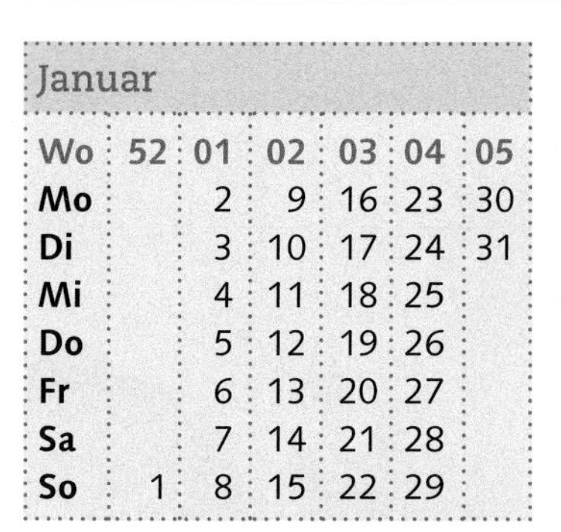

Februar

Wo	05	06	07	08	09
Mo		6	13	20	27
Di		7	14	21	28
Mi	1	8	15	22	
Do	2	9	16	23	
Fr	3	10	17	24	
Sa	4	11	18	25	
So	5	12	19	26	

März

Wo	09	10	11	12	13
Mo		6	13	20	27
Di		7	14	21	28
Mi	1	8	15	22	29
Do	2	9	16	23	30
Fr	3	10	17	24	31
Sa	4	11	18	25	
So	5	12	19	26	

April

Wo	13	14	15	16	17
Mo		3	10	17	24
Di		4	11	18	25
Mi		5	12	19	26
Do		6	13	20	27
Fr		7	14	21	28
Sa	1	8	15	22	29
So	2	9	16	23	30

Im April, im April macht das Wetter, was es will. (Spruch)

Es war eine Mutter, die hatte vier Kinder, den Frühling, den Sommer, den Herbst und den Winter… (Volkslied)

Mai

Wo	18	19	20	21	22
Mo	1	8	15	22	29
Di	2	9	16	23	30
Mi	3	10	17	24	31
Do	4	11	18	25	
Fr	5	12	19	26	
Sa	6	13	20	27	
So	7	14	21	28	

Juni

Wo	22	23	24	25	26
Mo		5	12	19	26
Di		6	13	20	27
Mi		7	14	21	28
Do	1	8	15	22	29
Fr	2	9	16	23	30
Sa	3	10	17	24	
So	4	11	18	25	

Lerntipp:
Alle Monate haben den Artikel **der**.

1.1 **Sehen Sie sich den Kalender an und notieren Sie die Monate und Jahreszeiten.**

1.2 **Wer findet die Antworten zuerst? Der Kalender hilft.**

Welche Monate haben 31 Tage?
Welcher Monat hat 28/29 Tage?
Wann macht das Wetter, was es will?
Welche Monate haben 30 Tage?
Welche Monate haben ein „r“ am Ende?

Juli

Wo	26	27	28	29	30	31
Mo		3	10	17	24	31
Di		4	11	18	25	
Mi		5	12	19	26	
Do		6	13	20	27	
Fr		7	14	21	28	
Sa	1	8	15	22	29	
So	2	9	16	23	30	

August

Wo	31	32	33	34	35
Mo		7	14	21	28
Di	1	8	15	22	29
Mi	2	9	16	23	30
Do	3	10	17	24	31
Fr	4	11	18	25	
Sa	5	12	19	26	
So	6	13	20	27	

September

Wo	35	36	37	38	39
Mo		4	11	18	25
Di		5	12	19	26
Mi		6	13	20	27
Do		7	14	21	28
Fr	1	8	15	22	29
Sa	2	9	16	23	30
So	3	10	17	24	

Oktober

Wo	39	40	41	42	43	44
Mo		2	9	16	23	30
Di		3	10	17	24	31
Mi		4	11	18	25	
Do		5	12	19	26	
Fr		6	13	20	27	
Sa		7	14	21	28	
So	1	8	15	22	29	

November

Wo	44	45	46	47	48
Mo		6	13	20	28
Di		7	14	22	29
Mi	1	8	15	23	30
Do	2	9	16	24	
Fr	3	10	17	25	
Sa	4	11	18	26	
So	5	12	19	27	

Dezember

Wo	48	49	50	51	52
Mo		4	11	18	25
Di		5	12	19	26
Mi		6	13	20	27
Do		7	14	21	28
Fr	1	8	15	22	29
Sa	2	9	16	23	30
So	3	10	17	24	31

O Tannenbaum

Melodie: Volkstümlic
Text: Joachim A. Zar

Tan - nenbaum, wie treu sind dei - ne

iers-zeit, nein auch im Win - ter, wenn

Tan - nenbaum, wie treu sind dei

Helau!
Alaaf!
Fröhliche Weihnachten!
Frohe Ostern!
Prost Neujahr.
Herzlichen Glückwunsch!

1.3 Hören Sie die Lieder zu den Jahreszeiten. Welches gefällt Ihnen am besten? Gibt es in Ihrer Sprache Lieder zu den Jahreszeiten?

1.4 Lesen Sie die Sprechblasen. Wann sagt man was? Was sagt man bei Ihnen?

1.5 Welche Feiertage sind für Sie wichtig? Tragen Sie diese Tage in den Kalender ein.

2 Ordinalzahlen und Daten

C 76

Für Datumsangaben brauchen Sie die Ordinalzahlen. Einige Ordinalzahlen sind unregelmäßig. Sie sind in der Tabelle markiert.

Info: *Von 1. (ers**te**) bis 19. (neunzehn**te**) enden die Ordinalzahlen auf –**te(n)**,*
*ab 20. (zwanzig**ste**) immer auf –**ste(n)**.*

2.1 Daten angeben – Ergänzen Sie bitte die Tabelle.

	A: Welches Datum ist heute? B: Heute ist …	A: Wann kommst du? B: Ich komme …
Datum:		
1. 1.	der **erste** Januar	am **ersten** Januar
2. 2.	der zweite	am zweiten
3. 3.	der **dritte**	am **dritten**
4. 4.	der vier............	am
5. 5.		
6. 6.		
7. 7.	der **siebte**	
8. 8.		
9. 9.		
10. 10.		
20. 11.	der zwanzig**ste**	
31. 12.	der einund..........................	

2.2 Wann ist welcher Feiertag? Ordnen Sie zu und lesen Sie vor.

1. Weihnachten
2. Tag der deutschen Einheit
3. Tag der Arbeit
4. Silvester
5. Heiligabend
6. Advent
7. Ostern
8. Oktoberfest
9. Neujahr

a. am 24. Dezember
b. am 1. Mai
c. am 31. Dezember
d. im Herbst
e. am 25. und 26. Dezember
f. am 1. Januar
g. am 3. Oktober
h. im Frühling
i. 4 Wochen vor Weihnachten

2.3 Welche Feiertage stehen in Ihrem Kalender? Wann ist was?

Ein wichtiger Termin ist der …

Der 24. 12. ist sehr wichtig. Dann essen wir viel und gut.

2.4 Zahlen und Daten im Kurs. Sammeln Sie Fragen und antworten Sie im Kurs.

Welcher Tag ist heute / morgen?
Wann ist der Kurs zu Ende?
Seit wann sind Sie in Deutschland?
Wann haben Ihre Kinder Geburtstag?
...

Seit dem 11.05.2005.
Am 4. Juli.
Heute ist der ...

2.5 Sammeln Sie die Geburtstage im Kurs und machen Sie eine Liste. Wer hat im Frühling, im Sommer, im Herbst, im Winter Geburtstag? Wer hat das gleiche Sternzeichen?

Steinbock	Wassermann	Fische	Widder	Stier	Zwillinge
22.12.–20.01.	21.01.–19.02.	20.02.–20.03.	21.03.–20.04.	21.04.–20.05.	21.05.–21.06.
Krebs	**Löwe**	**Jungfrau**	**Waage**	**Skorpion**	**Schütze**
22.06.–22.07.	23.07.–23.08.	24.08.–23.09.	24.09.–23.10.	24.10.–22.11.	23.11.–21.12.

3 Geburtstage feiern

3.1 Hören Sie den Dialog und fragen Sie dann weiter im Kurs.

A: Michael, wann hast du Geburtstag?
B: Im Oktober. Am 10.10. Und du, Jean?
C: Im April. Am 21.4. Und wann hast du Geburtstag, Maria?
D: Im ...

Info: *Der Geburtstag ist für die meisten Menschen in den deutschsprachigen Ländern ein sehr wichtiger Tag. Viele Leute machen eine Geburtstagsfeier am Nachmittag oder am Abend. Es gibt immer etwas zu essen und zu trinken. Man lädt Verwandte und Freunde ein. Kinder machen am Nachmittag einen Kindergeburtstag mit Kuchen und Spielen, Jugendliche machen oft eine Party. Ältere Erwachsene feiern die „runden" Geburtstage (30, 40, ...) mit einem großen Fest. Die Gäste bringen immer ein Geschenk mit. In den katholischen Regionen feiert man auch seinen Namenstag. Das ist der Festtag des Heiligen, von dem man seinen Namen hat. Zum Namenstag und zum Geburtstag sagt man „Herzlichen Glückwunsch" und wünscht „Alles Gute".*

3.2 Ein Geburtstagsständchen – Hören Sie die Lieder. Welches gefällt Ihnen am besten? Welche Lieder singt man bei Ihnen?

3.3 **Sehen Sie die Collage an. Was schenkt man? Was schenkt man nicht? Wählen Sie vier Beispiele aus.**

Eine ... kann man nicht schenken. Das ist keine gute Idee.
Bei uns in China schenkt man ...
Geld zum Geburtstag finde ich nicht gut.
Alfred Döblin: Berlin Alexanderplatz Roman
dtv

3.4 **Wählen Sie eine Person aus und überlegen Sie, was Sie schenken.**

„Meine Mutter bekommt ..." „Für meinen Freund Sergej kaufe ich ..."

Ein Geschenk für ... Ihre Mutter > Ihren Sohn > Ihre Nachbarin > Ihren Lehrer > Ihre beste Freundin

3.5 **Eine Feier mit dem Kurs planen. Beantworten Sie die Fragen und planen Sie zusammen.**

Was feiern Sie?
Wer kommt?
Was gibt es zu essen?
Wann kommen die Gäste?
Wo wollen Sie feiern?
Was ziehen Sie an?
Bis wann geht die Feier?
...

4 Einladungen annehmen/ablehnen

4.1 **Lesen Sie die Einladung und ergänzen Sie die Lücken.**

Lieber Dimitri, Berlin, 10.06.05

ich habe am 25. Juni G.......................... . Ich werde 30 Jahre a...... und möchte eine Geburtstagsfeier machen. Die Feier findet am Samstag, den 26. Juni statt. Sie f............ um 18.00 Uhr an. Ich feiere in unserem Garten, in der Kohlenstraße 25. Bei gutem W........... wollen wir grillen, es gibt Steaks, Würstchen und Salat.

Ich möchte dich und deine F............ einladen. Könnt ihr kommen? Sag mir bitte bis zum 20. Juni Bescheid. Meine T...................... ist: 089-55664321.

Liebe G............ von Stefanie

B 5.2

4.2 **Schreiben Sie jetzt selbst eine Einladung für eine Feier (Geburtstag, neue Wohnung ...).**

4.3 **Sie hören drei Dialoge. Notieren Sie: Wer lädt wen ein? Wer kommt nicht?**

	wer?	**wen?**	**kommt nicht**
Dialog 1	Silvia	....	....
…			

4.4 **Hören Sie jetzt Dialog 1 und 2 noch einmal und ergänzen Sie die Dialoggrafik 2.**

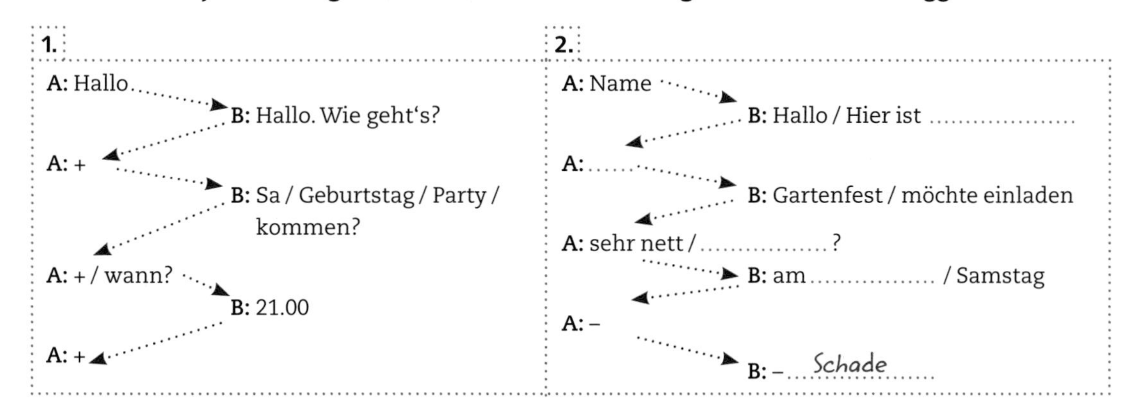

1.
A: Hallo
B: Hallo. Wie geht's?
A: +
B: Sa / Geburtstag / Party / kommen?
A: + / wann?
B: 21.00
A: +
2.
A: Name
B: Hallo / Hier ist ....
A:
B: Gartenfest / möchte einladen
A: sehr nett / ....?
B: am .... / Samstag
A: –
B: – Schade

4.5 **Wählen Sie einen Dialog aus. Spielen Sie den Dialog.**

4.6 **Notieren Sie auf je einer Karte: 1. Einladung, wann? 2. Absage (-), warum? 3. Zusage (+). Fragen und antworten Sie wie im Beispiel. Der Redemittelkasten hilft.**

Ich feiere am Montag um 16 Uhr. Kommst Du?
Nein, tut mir Leid. Am Montag fahre ich nach Mainz.
einladen Mo, 16:00 Uhr
–, nach Mainz fahren

Absagen – Zusagen +

Einladen	**+**	**+ –**	**–**
Ich mache am Wochenende eine Party. Kommst du / Kommt ihr? / Kommen Sie?	Ja, gern. Danke, ich komme / wir kommen gern. Ja, ich kann / wir können kommen.	Ich weiß noch nicht. Vielleicht.	Nein, tut mir Leid. Danke, aber ich kann nicht kommen.
Wir feiern am Samstag. Hast du / Habt ihr / Haben Sie Zeit?	Ja, ich habe / wir haben Zeit.	Ich komme gern, aber ich muss im Kalender nachsehen.	Am Samstag geht's leider nicht. Schade, am Samstag habe ich schon etwas vor.

So geht's

Kommunikation

Nach Daten fragen / Daten nennen

Frage	Antwort
Wann besuchst du mich?	Am Wochenende.
Wann muss er zum Arzt?	Am 17.03., nächsten Montag.
Seit wann hast du Arbeit?	Seit 2 Monaten, seit dem 01. April.
Seit wann kennen Sie ihn?	Ich kenne ihn seit vielen Jahren.

Einladung

Einladen	+	+ -	-
Ich mache am Wochenende eine Party. Kommst du / Kommen Sie?	Ja, gern. Danke, ich komme / wir kommen gern. Ja, ich kann / wir können kommen.	Ich weiß noch nicht. Vielleicht.	Nein, tut mir Leid. Danke, aber ich kann nicht kommen.
Wir feiern am Samstag. Hast du / Haben Sie Zeit?	Ja, ich habe / wir haben Zeit.	Ich komme gern, aber ich muss im Kalender nachsehen.	Am Samstag geht's leider nicht. Schade, am Samstag habe ich schon etwas vor.

Grammatik

Ordinalzahlen

Heute ist der **erste**, zwei**te**, **dritte**, vier**te**, … , **siebte**, … , zehn**te**, zwanzig**ste** August.

Wir treffen uns am **ersten**, zwei**ten**, **dritten**, … , elf**ten**, einundreißig**sten** Mai.

Daten mit *seit* und *am*

Ich lebe seit drei Jahren in Deutschland. Seit 2003.

Wir lernen seit zwei Monaten Deutsch. Seit dem 11. Mai.

Holger hat am 02.03. Geburtstag.

Wir treffen uns am Samstag, also am 28. November.

A 21 **Lernen lernen**

Hörstrategie:
Konzentrieren Sie sich auf das, was für Sie wichtig ist.

Einheit 12: *Lebensläufe*

- von der Vergangenheit erzählen
- biografische Angaben machen
- Perfekt mit *haben* – regelmäßige Verben
- *sein* und *haben* im Präteritum
- Jahreszahlen

1 **Wer? Was? Wann? Ein Quiz zur Weltgeschichte.**
Ordnen Sie die Bilder zu und schreiben Sie die Jahreszahlen zu den Ereignissen.

☐	.... Das Ende der DDR	☐	Sigmund Freud	> 1492
☐	.... Die Mondlandung	☐	Charlie Chaplin	> ~~1789~~
☐	..*1789*.. Die Französische Revolution	☐	Wolfgang Amadeus Mozart	> 1939–1945
☐	.... Die Entdeckung von Amerika	☐	Günter Grass	> 1969
☐	.... Der Zweite Weltkrieg	☐	Carl Benz	> 1989

Das Ende der DDR war …

2 **Hören Sie drei Biografien. Wer sind die Personen? Wann haben sie gelebt? Notieren Sie.**

Nr. 1 ist … Er/Sie hat von … bis … gelebt.

⚠ So liest man Jahreszahlen: **1833** > *18 hundert 33* | **1950** > *19 hundert 50* | **2005** > *2 tausend 5* | **2010** > *2 tausend 10*

3 **Welche Daten und Personen sind in Ihrem Land wichtig?**

1 Ein Lebenslauf

1.1 Mehmet spricht über seine Vergangenheit.
Lesen Sie den Text und korrigieren Sie die Sätze 1–10.

Mein Name ist Mehmet Güler. Ich bin jetzt 50, und Nurtin, meine Frau, ist 44 Jahre alt. Ich bin aus der Türkei. Ich habe früher in Sorgun gelebt. Mein Vater war Bauer. Zu Hause waren wir fünf Kinder. Meine Frau kommt auch aus Sorgun. Wir haben dort 1982 geheiratet. Wir haben eine Tochter, Melahat, und einen Sohn, Esat. Melahat ist 24, Esat ist 22. Von 1983 bis 1990 haben wir in Izmir gewohnt. Seit 1991 leben wir in Deutschland. Ich bin Mechaniker und habe vier Jahre in Kassel bei VW gearbeitet. Meine Frau war zu Hause und hat den Haushalt gemacht. Seit 1995 arbeite ich in Stuttgart bei Bosch. Esat ist auch Mechaniker und arbeitet auch bei uns in der Firma. Melahat studiert Kunst in Kassel. Natürlich haben beide gut Deutsch gelernt. 2002 haben wir in der Türkei ein Haus gekauft. Es steht direkt am Meer. Wir machen dort gern Ferien.

Mehmet und Nurtin haben 1980 geheiratet.
Nein, das stimmt nicht. Sie haben 1982 geheiratet.

1. Mehmet und Nurtin haben 1980 geheiratet.
2. Mehmet ist aus Istanbul.
3. Mehmet und Nurtin haben drei Kinder.
4. Sie haben von 1982 bis 1995 in Izmir gewohnt.
5. Sie leben seit 1995 in Deutschland.
6. Mehmet hat fünf Jahre bei VW gearbeitet.
7. Familie Güler hat 2004 ein Haus gekauft.
8. Melahat und Esat sprechen kein Deutsch.
9. Melahat studiert Physik.
10. Esat arbeitet bei VW in Kassel.

***Info**: In Deutschland leben heute etwa zwei Millionen Menschen aus der Türkei. Die ersten kamen als Arbeiter in den späten 50er und 60er Jahren. In dieser „Wirtschaftswunder-Zeit" gab es in der Bundesrepublik mehr Arbeitsplätze als Arbeitskräfte. So kamen auch aus anderen Ländern viele „Gastarbeiter" nach Deutschland und sind geblieben. In Deutschland leben heute zum Beispiel fast eine Million Menschen aus Jugoslawien, Kroatien und Bosnien-Herzegowina, ca. 600.000 aus Italien, ca. 350.000 aus Griechenland und jeweils etwa 130.000 aus Spanien und Portugal.*

1.2 **Markieren Sie die Vergangenheitsformen in 1.1 und schreiben Sie sie ins Heft.**

Perfekt	Präteritum von sein
Ich habe ... gelebt.	Mein Vater war Bauer.

Info: Wenn man über die Vergangenheit spricht, steht das Verb in einer anderen Zeitform. In der Umgangssprache verwendet man im Deutschen meistens das Perfekt. Bei **sein** und **haben** verwendet man meistens das Präteritum (siehe 3).

Perfekt (früher)	Präsens (heute)
Ich habe bei VW gearbeitet.	Ich arbeite jetzt bei Bosch.

Präteritum (früher)	Präsens (heute)
Mein Vater war Bauer.	Ich bin Mechaniker.

2 Perfekt mit *haben* – regelmäßige Verben

C 19.5

2.1 **Perfekt und Infinitiv: Sammeln Sie die Perfekt-Formen aus Text 1.1 an der Tafel. Schreiben Sie die Infinitive daneben.**

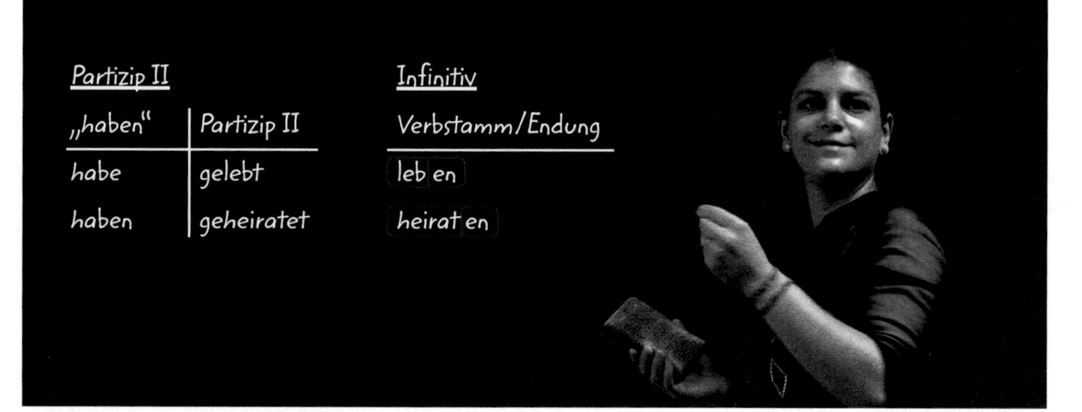

2.2 **Ergänzen Sie die Regel.**

Regelmäßige Verben bilden das Partizip II meistens so: .... + Verbstamm + ...

2.3 **Bilden Sie das Partizip II.**

kaufen, antworten, tanzen, fragen, frühstücken, warten, spielen, kosten, arbeiten, haben, suchen, meinen, feiern, sagen, hören, lernen, kochen, duschen, leben, passen

Wie heißt das Partizip von tanzen?
Das Partizip heißt ge...

2.4 Das Partizip II bei den trennbaren Verben – Lesen Sie die Sätze. Welche Regel ist richtig? Kreuzen Sie an.

1. Frau Müller hat schon eingekauft.
2. Sandra hat das Fenster aufgemacht.
3. Frau Chaptal hat das Radio angemacht.
4. Sie hat den Termin abgesagt.
5. Ich habe die richtige Regel angekreuzt.

☐ Bei trennbaren Verben steht **ge-** immer vor dem Verb.

☐ Bei trennbaren Verben steht **-ge-** immer vor dem Verbstamm.

2.5 Wo steht das Partizip II im Satz? Lesen und markieren Sie. Ergänzen Sie dann Satz Nummer 5.

1. Ich habe in Frankfurt gewohnt.
2. Ich habe in Frankfurt in der Gartenstraße gewohnt.
3. Ich habe in Frankfurt in der Gartenstraße in einem Hochhaus gewohnt.
4. Ich habe in Frankfurt in der Gartenstraße in einem Hochhaus mit Anna gewohnt.
5. Ich habe in Frankfurt in der Gartenstraße in einem Hochhaus mit Anna und ... ...

Lerntipp: Das Partizip kann man leicht finden. Im Hauptsatz steht es immer hinten.

2.6 Machen Sie aus den Wörtern Sätze.

1. Ich / in / gelebt / habe / Österreich.
2. geheiratet / 1982 / Sie / in / haben / Sorgun.
3. Frau / Seine / gemacht / den / Haushalt / hat.
4. Kinder / gelernt / Ihre / haben / Deutsch.

2.7 Schreiben Sie Ihre eigene Grammatiktabelle.

leben	Ich	habe	in Italien	gelebt.
wohnen	Du		in Zürich	
arbeiten	Peter		bei Hoechst	
kaufen	Frau Müller		Schokolade	
kosten	Es		nichts	
lernen	Wir		Deutsch	
spielen	Ihr		Fußball	
machen	Maria und Josef		Urlaub	

2.8 Schreiben Sie mit den Verben aus 2.7 Sätze im Perfekt. Schneiden Sie die Sätze auseinander. Ihre Partner ordnen die Sätze wieder.

2.9 **Melahat schreibt an ihre alte Schulfreundin in München. Ergänzen Sie den Brief. Benutzen Sie die passenden Verben aus 2.7.**

Liebe Lisa, Kassel, 28. 8. 2005

wie geht es dir? Mir geht es gut. Ich mache jetzt ein Praktikum im Museum. Das ist wirklich super!
Vor ein paar Tagen war Stefan hier. Kennst du noch „den schönen Stefan"? Er .... ein Haus
in Ratingen .... Er ist verheiratet und hat zwei Kinder. Tja ... ☹
Petra wohnt jetzt auch in München. Früher .... sie in Hamburg ....
Sie .... dort bei IBM .... Jetzt hat sie einen Job bei Siemens.
Ich .... gestern mit ihr Tennis .... Im Dezember fahre ich in die Alpen.
Du weißt, letztes Jahr .... ich keinen Urlaub ....
Auf dem Weg in die Alpen komme ich nach München. Bist du zu Hause?

Alles Liebe
Deine Melahat

2.10 **Üben Sie mit den Partizipien aus 2.3 und 2.4. Fragen und antworten Sie im Kurs.**

Wann hast du zuletzt getanzt?

Ich habe 8 Stunden am ...

Was hast du heute gefrühstückt?

Habe ich Ihnen schon gesagt... Sie haben wundervolle Augen!

3 Die Verben *sein* und *haben* im Präteritum

C 19.2

3.1 Lesen Sie den Text und ergänzen Sie dann die Tabelle.

Mehmet erzählt von seiner Kindheit:

„Meine Großeltern waren Bauern und hatten acht Kinder. Mein Vater war auch Bauer und hatte fünf Kinder. Meine Eltern hatten immer viel Arbeit und waren oft nicht zu Hause. Wir Kinder waren oft allein, aber wir hatten viele Freunde. Ich hatte einen besonders guten Freund, Erkan. Manchmal war ich den ganzen Tag mit ihm zusammen. Seine Eltern hatten ein großes Haus mit Garten. Dort habe ich am liebsten gespielt."

	sein		haben	
	Präsens	**Präteritum**	**Präsens**	**Präteritum**
ich				
du		*warst*		*hattest*
er/sie/es				
wir				
ihr		*wart*		*hattet*
sie/Sie				

3.2 Präsens oder Präteritum? Ergänzen Sie die richtigen Formen von *sein* und *haben*.

1. Gestern .... ich im Konzert. .... ihr auch da?
2. Du .... aus Deutschland? Da .... wir 1999.
3. Meine Großeltern .... sieben Kinder. Wir .... zu zweit zu Hause, nur meine Schwester und ich. Ich .... noch keine Kinder.
4. **A:** Sie sehen sehr gut aus, Frau Schneider. .... Sie in Italien? **B:** Nein, ich .... in den Alpen.
5. **A:** .... Sie Herr Meier? **B:** Nein, ich .... Herr Ernst.
6. **A:** .... Sie verheiratet? **B:** Nein, aber ich .... verheiratet.
7. **A:** Wir .... keinen Apfelsaft mehr! **B:** Nein? Gestern .... wir noch fünf Flaschen.
8. Ein Jahr lang .... ich keine Arbeit. Es .... scheußlich! Jetzt .... ich Arbeit bei Audi.
9. Wir haben jetzt Ferien, aber du .... immer müde!

4 Über die eigene Vergangenheit sprechen.

4.1 Partnerinterview: Arbeiten Sie in Gruppen. Stellen Sie Fragen zur Biografie und notieren Sie die Antworten. Wechseln Sie dann die Rollen.

Beispiele für Fragen		Antworten
Woher kommst du / kommen Sie?		Aus …
Wo hast du / haben Sie von … bis … gelebt / gewohnt?		In …
Hattest du / Hatten Sie … eine Wohnung / ein Haus?		Ja, … / Nein, …
Warst du schon / Waren Sie schon in …?		…
Wo hast du / haben Sie	Urlaub gemacht?	In …
	Deutsch gelernt?	In / Bei …
	gearbeitet?	
	…	…
Wie lange hast du / haben Sie in / bei … gearbeitet?		… Jahre.
Was hast du / haben Sie … gemacht?		…
Von wann bis wann warst du / waren Sie …?		Von … bis …
Wann hast du / haben Sie geheiratet?		…
Seit wann lebst du / leben Sie in …?		Seit …

Von 1995 bis 2002 haben wir in Hamburg gewohnt.

Danach waren wir in Berlin.

Früher habe ich Russisch gelernt.

Herr Li kommt aus China. Von 1999 bis 2002 hat er Englisch gelernt. Seit …

4.2 Berichten Sie im Kurs über die Interviews.

4.3 Notieren Sie drei richtige und eine falsche Aussage über Ihre Biografie. Lesen Sie die Aussagen vor. Wer findet die falsche Aussage?

4.4 Hier sind Antworten. Fragen Sie nach den unterstrichenen Satzteilen.

1. Ich war 1998 in Südamerika.
2. Ich habe vier Jahre Spanisch gelernt.
3. 2003.
4. In Zürich.
5. Ich war von 1996 bis 1998 arbeitslos.
6. Von 1989 bis 1993 habe ich in Portugal gelebt.
7. Ich habe 2002 geheiratet.
8. Von 1997 bis 1999.
9. Fünf Jahre.
10. Bei Opel.

Wann waren Sie / warst du in Südamerika?

4.5 Welche anderen Fragen können Sie zu den Antworten in 4.4 stellen?

Wo warst du 1998?

Wie lange hast du Spanisch gelernt?

4.6 Tabellarischer Lebenslauf. Lesen Sie den Lebenslauf von Frau Müller. Ergänzen Sie dann die Nomen. Der Schüttelkasten hilft.

Name | Fremdsprachen | ~~Staatsangehörigkeit~~ | Adresse | Telefon | Studium / Berufsausbildung | Geburtsort | Auslandsaufenthalte | Geburtsdatum | Berufstätigkeit | Schulbildung

Lebenslauf

....	Bärbel Müller
....	Oppenheimerstraße 7
	60594 Frankfurt / Main
....	069 / 842430
....	12. März 1976
....	Aschaffenburg
Staatsangehörigkeit	deutsch
....	1982 - 1986 Grundschule
	1986 - 1995 Gymnasium
	1995 Abitur in Aschaffenburg
....	1996 - 2001 Romanistik, Germanistik, Universtät in Frankfurt
	2001 Magister-Examen in Frankfurt
	2001 - 2002 Deutsch als Fremdsprache, Universität in Giessen
....	1995 - 1996 Au-Pair in Valencia / Spanien
	2002 Italienischkurs in Genua / Italien
....	Englisch, Spanisch, Italienisch
....	Seit 2002 Deutsch- und Spanischlehrerin in Frankfurt

4.7 Schreiben Sie nun Ihren eigenen Lebenslauf.

5 Emigration

5.1 Sehen Sie die Texte unten kurz an. Was für Texte sind das: Zeitung, Lehrbuch, Roman, Lexikon?

5.2 Wer war was? Ordnen Sie zu und kontrollieren Sie mit den Texten.

Viele Deutsche waren im Exil. Besonders in der Zeit des Nationalsozialismus (1933–1945) haben viele Menschen Deutschland verlassen. Was haben sie gemacht?

1. Albert Einstein war … .
2. Marlene Dietrich war … .
3. Bertolt Brecht war … .

Schauspieler/Schauspielerin — Physiker/Physikerin — Schriftsteller/Schriftstellerin

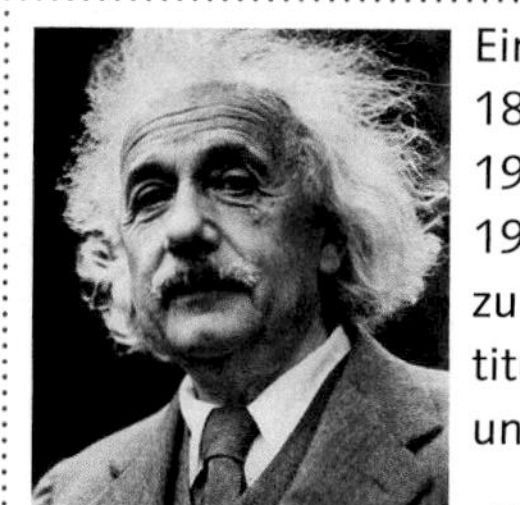

Einstein, Albert, geboren in Ulm 14.3.1879, gestorben in Princeton (USA) 18.4.1955, in München aufgewachsen, dt. Physiker (ab 1901 schweizer., ab 1940 amerik. Staatsbürgerschaft); Begründer der Relativitätstheorie. E. wurde 1909 als Prof. an die Universität Zürich berufen, ging 1911 nach Prag, 1912 zurück nach Zürich und wurde 1913 in Berlin Direktor des Kaiser Wilhelm Instituts für Physik. 1921 bekam E. den Nobelpreis. E. emigrierte 1933 in die USA und wirkte bis zu seinem Tod am „Institute for Advanced Studies" in Princeton.

„Wichtig ist, dass man nicht aufhört zu fragen."

Dietrich, Marlene, geb. in Berlin 27.12.1901, gest. 6.5.1992 in Paris, dt. Schauspielerin (ab 1939 amerik. Staatsbürgerschaft). 1922 bekam D. ihre erste Theaterrolle. Bekannt wurde sie 1930 mit dem Film „Der blaue Engel" (Regie: Josef v. Sternberg, nach dem satirischen Roman „Professor Unrat" von Heinrich Mann). Nach diesem Film reiste D. in die USA und bekam einen Filmvertrag bei „Paramount Pictures". NS-Propagandaminister Goebbels und die nationalsozialistische Filmindustrie machten D. bis 1937 Filmangebote; D. lehnte ab und blieb in Amerika. Ab 1976 lebte sie in Paris.

„Die Männer sagen immer, sie lieben die innere Schönheit der Frau – aber sie schauen ganz woanders hin."

Brecht, Bertolt, geb. in Augsburg 10.2.1898, gest. 14.8.1956 in Berlin, dt. Schriftsteller. 1917 Immatrikulation an der Philosophischen Fakultät der Universität München. Ab 1922 meist in Berlin; 1922/23 erste Theaterpremieren („Trommeln in der Nacht", „Baal", „Im Dickicht der Städte"). Ab 1926 Studium der Schriften von Marx u. Engels, innovative Theaterkonzepte, Kooperation mit dem Komponisten Kurt Weill. B. hatte Welterfolge u.a. mit „Dreigroschenoper", „Mutter Courage und ihre Kinder". 1933 Emigration, zuerst Prag, später Dänemark, Schweden, Finnland und über die UdSSR in die USA. B. kehrte 1947 aus dem Exil zurück, zunächst in die Schweiz, später nach Berlin (Ost), dort leitete er das „Berliner Ensemble".

„Wer A sagt, muß nicht B sagen. Er kann auch erkennen, dass A falsch war."

5.3 Kennen Sie andere bekannte Emigranten? Sammeln Sie die Namen an der Tafel.

So geht's

Kommunikation

Aussagen über die Vergangenheit machen. Beispiele:

Von *19*… bis *20*…	haben wir / habe ich	in …	gewohnt.
Im Jahr …		in …	gelebt.
… Jahre (lang)		bei …	gearbeitet.
Früher	habe ich	…	gelernt.
Dann / Danach	waren wir / war ich	in …	
…	habe ich	…	geheiratet.
Seit …	leben wir / lebe ich	in …	

Grammatik

Perfekt mit *haben* – regelmäßige Verben

Infinitiv	**haben** (auch: Hilfsverb)	**Partizip II**
wohnen	ich habe	gewohnt
leben	du hast	gelebt
arbeiten	er / sie / es hat	gearbeitet
machen	wir haben	gemacht
lernen	ihr habt	gelernt
kaufen	sie / Sie haben	gekauft

Präteritum von *sein* und *haben*

	sein	**haben**
ich	war	hatte
du	warst	hattest
er / sie / es	war	hatte
wir	waren	hatten
ihr	wart	hattet
sie / Sie	waren	hatten

A 17.6 **Lernen lernen**

Übungen selbst machen: durcheinander geworfene Texte/Sätze/Dialoge ordnen.

bei VW	4 Jahre	und	gearbeitet	Herr Güler	hat	ist	Mechaniker

Option 3

- Inhalt der Einheiten 9 – 12 wiederholen
- Gedichte
- Tagesabläufe beschreiben
- Phonetik: Rhythmus (Wortakzent bei Komposita), Melodie (Frage und Aufforderung), Aussprache (*Ich*-Laut [ç] und *Ach*-Laut [x])
- Selbstevaluation: Was kann ich?

1 Alles Käse – Wiederholungsspiel

Mit diesem Spiel können Sie wiederholen, was Sie bisher in eurolingua gelernt haben. Sie können sehen, was Sie schon wissen und was Sie noch üben müssen.

Vorbereitung

> Sie brauchen für jeden Spieler eine Spielfigur.
> Ihre Lehrerin / Ihr Lehrer hat Grammatik-, Wortschatz- und Ereigniskarten.
> Sie können auch selbst Karten mit Aufgaben schreiben.

Spielregeln

> Spielen Sie zu viert oder zu fünft.
> Beginnen Sie beim Startfeld. Gehen Sie so schnell wie möglich zur Maus.
> Sie dürfen Ihre Spielfigur in jeder Runde ein oder zwei Felder bewegen (vertikal oder horizontal).
> Kommen Sie auf ein Ereignis-, Grammatik- oder Wortschatzfeld? Lösen Sie die Aufgabe auf der Karte.
> Richtig? Sie dürfen noch ein Feld weitergehen. Falsch? Sie müssen ein Feld zurückgehen.

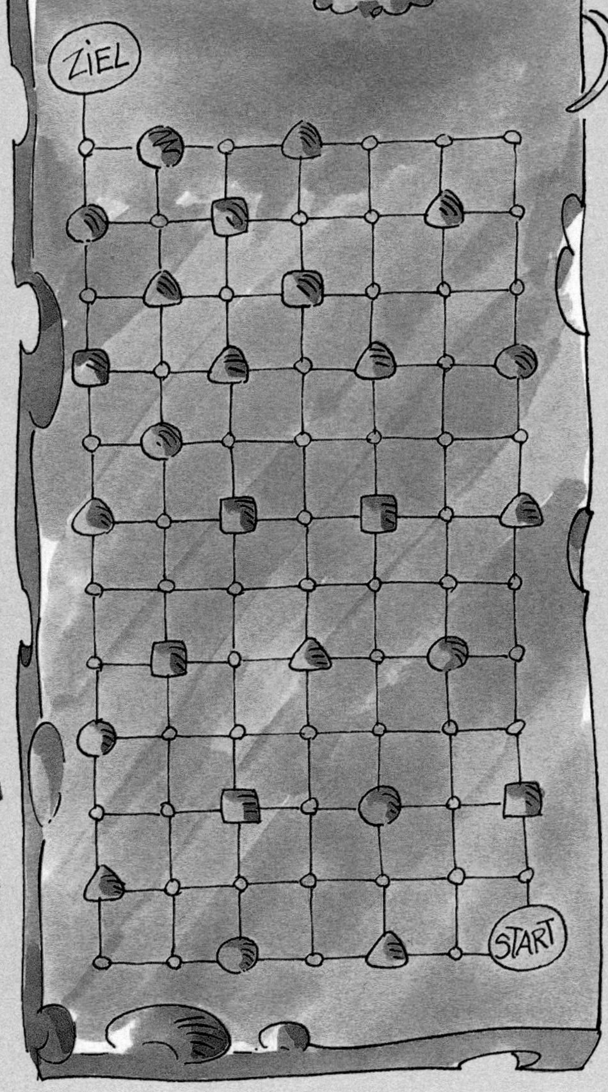
ZIEL
START

Nennen Sie fünf Kleidungsstücke.
Sie dürfen zwei Felder weitergehen.
Wie heißt das Partizip II von „feiern"?
Ereignisfeld
Grammatik
Wortschatz

2 Gedichte von Ernst Jandl

Was kann man mit den Gedichten machen?

Neun Ideen: Suchen Sie sich etwas aus.

1. lesen
2. die Bilder den Gedichten zuordnen
3. laut lesen
4. zu Hause (laut) lesen
5. im Kurs gemeinsam lesen und variieren
6. Fragen stellen
7. in der Muttersprache darüber sprechen
8. eigene Gedichte schreiben oder Bilder malen
9. nichts, wenn Sie diese Gedichte nicht mögen

1.

sieben kinder
wieviele kinder haben sie eigentlich? – sieben
zwei von der ersten frau
zwei von der zweiten frau
zwei von der dritten frau
und eins
ein ganz kleins
von mir selber

2.

familienfoto
der vater hält sich gerade
die mutter hält sich gerade
der sohn hält sich gerade
der sohn hält sich gerade
der sohn hält sich gerade
der sohn hält sich gerade
der sohn hält sich gerade
die tochter hält sich gerade
die tochter hält sich gerade

3.

bericht
was sich den ganzen tag so tut
was sich das ganze jahr so tut
was sich die ganze zeit so tut
was sich halt so tut
was sich halt den ganzen tag so tut
was sich halt das ganze jahr so tut
was sich halt die ganze zeit so tut
halt was sich so tut
halt was sich den ganzen tag so tut
halt was sich das ganze jahr so tut
halt was sich die ganze zeit so tut
was sich so tut halt
was sich den ganzen tag so tut halt
was sich das ganze jahr so tut halt
was sich die ganze zeit so tut halt

4.

sieben weltwunder
und das wievielte bin ich?
und das wievielte bist du?
und das wievielte ist die kuh?
und das wievielte ist der uhu?
und das wievielte ist das känguru?
und das wievielte ist der marabu?
und wieviele bleiben übrig
wenn es den marabu und das känguru und den uhu
und die kuh und dich und mich
einmal nicht mehr gibt?

5.

1944	**1945**
krieg	krieg
krieg	krieg
krieg	krieg
krieg	krieg
krieg	mai
krieg	
krieg	
krieg	
krieg	
krieg	
krieg	
krieg	

6.

nein
nein
nein
nein
nein
nein
nein
(beantwortung
von sieben nicht
gestellten fragen)

Ernst Jandl (1.8.1925 – 9.6.2000) war Österreicher und einer der wichtigsten Vertreter des „experimentellen Gedichts“ bzw. der „Konkreten Poesie“ in der deutschen Sprache. Jandl spielte mit den Inhalten und den Formen der Sprache. So waren für ihn nicht nur die Bedeutungen eines Wortes wichtig, sondern auch sein Bild- (Schrift, Grafik) und Klangcharakter (Intonation).

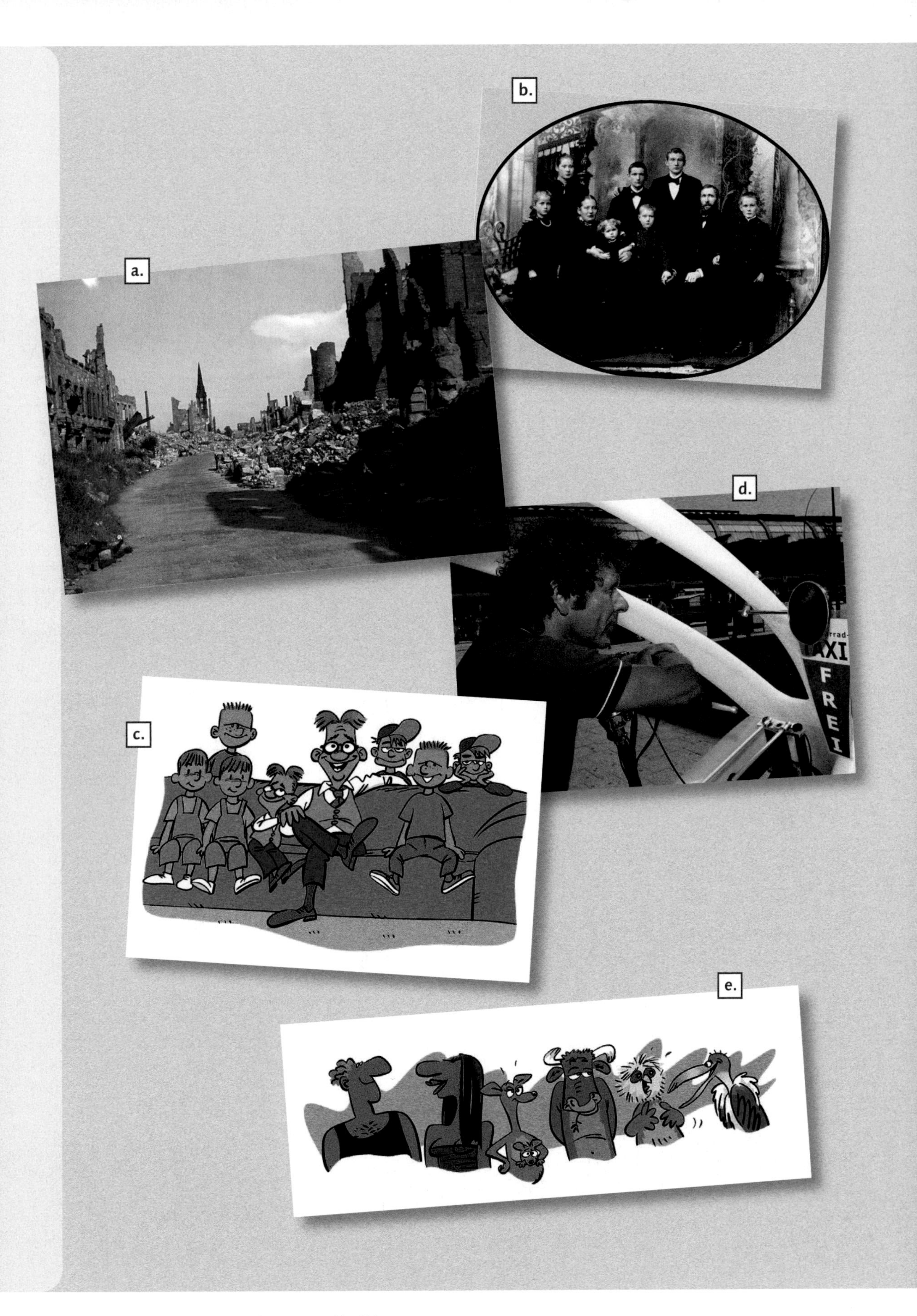
a.
b.
c.
d.
AXI
F
R
E
I
e.

3 Tagesabläufe beschreiben

3.1 Geräuschcollage – Schauen Sie die Zeichnungen an und hören Sie dann die CD. Was passiert zuerst? Was passiert danach? Ordnen Sie die Bilder.

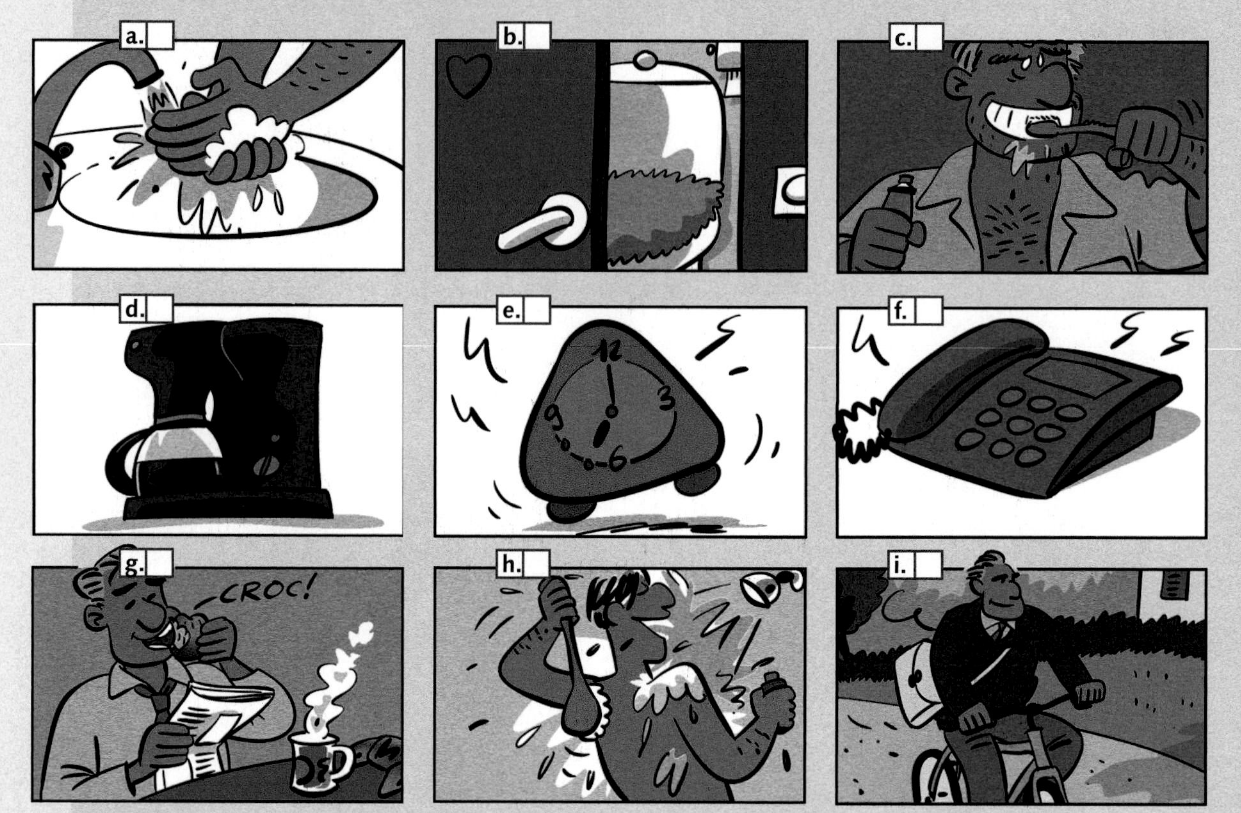

3.2 Was passiert? Erzählen Sie. Die Wörter im Kasten helfen.

mit dem Fahrrad zur Arbeit fahren > Kaffee kochen > Wecker klingeln > auf die Toilette gehen > einen Apfel essen > seine Hände waschen > Zähne putzen > duschen > aufstehen > frühstücken > Kaffee trinken > telefonieren > Zeitung lesen

Beispiel: *Um 7 Uhr klingelt der Wecker. Oliver steht auf.* Er ... / Dann ... / Danach ...

3.3 Interview – Was hat Ihr/e Nachbar/in am letzten Wochenende gemacht? Machen Sie Notizen und berichten Sie im Kurs.

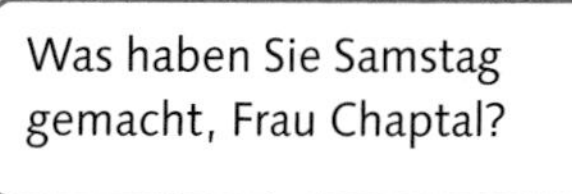

Samstag abend war ich zu Hause. Mein Mann hat für uns gekocht.

Frau Chaptal war Samstag abend zu Hause. Ihr Mann hat gekocht.

4 Phonetik: Rhythmus, Melodie und Aussprache

Rhythmus

4.1 Der Wortakzent bei Komposita

a. Hören Sie und markieren Sie den Wortakzent: Bahnhof > Straße > Bahnhofstraße > Paulskirche > Römerplatz > Volkshochschule > Messehallen > Deutschkurs

b. Ergänzen Sie die Regel: In Komposita ist der Wortakzent (fast) immer auf dem .... Wort.

c. Sammeln Sie andere Komposita, markieren Sie den Wortakzent und lesen Sie laut.

Melodie

4.2 Frage und Aufforderung: steigende und fallende Melodie

Spielen Sie Lotto   Aufforderung: Spielen Sie (doch) Lotto! ↘   Frage: Spielen Sie Lotto? ↗

Frage oder Aufforderung? Ergänzen Sie **?** oder **!**. Finden Sie weitere Beispiele.

- Lesen Sie den Text
- Lernen Sie die neuen Wörter
- Hören Sie den Dialog
- Trinken Sie einen Kaffee
- Arbeiten Sie zu zweit
- Spielen Sie Lotto

Aussprache

4.3 Der Ich-Laut [ç]

a. Hören Sie die Beispiele:
ich > möchte > sprechen > manchmal > vielleicht > richtig >
nicht > wichtig > welches > Mädchen > das Gespräch > Bücher
So geht's: *Sprechen Sie **jjjjja**, holen Sie tief Luft und flüstern Sie **jjjjja**. Das j wird zum **ch*** [ç].

b. Hören Sie und sprechen Sie nach:
Sprechen ist wichtig für mich. > Manchmal bin ich sehr vorsichtig. >
Sprechen ist leicht und ein Gespräch ist interessant.

4.4 Der Ach-Laut [x]

a. Hören Sie die Beispiele:
machen > acht > doch > kochen > suchen > Kuchen > brauchen > rauchen
So geht's: *Sprechen Sie ein **k** und öffnen Sie den Verschluss der Zunge langsam **kchchch**.*

b. Hören Sie und sprechen Sie nach:
Sprachen lernen macht doch Spaß! > Nachmittags, am Wochenende und auch nachts. >
Brauchen wir ein Buch?

4.5 Ich-Laut [ç] oder Ach-Laut [x]? Ergänzen Sie und markieren Sie die Ach-Laute. Lesen Sie dann laut.

Nach den dunklen Vokalen **a** , ..., ..., ... spricht man (fast) immer den Ach-Laut **[x]**.

der Koch und die Köchin   ein Buch, zwei Bücher   Acht Würstchen mit Brötchen, bitte.
eine Frucht, zwei Früchte   eine Sprache sprechen   Fröhliche Weihnachten.

4.6. Ausnahmen

Hören Sie und sprechen Sie nach: Chor > sechs > wechseln > Chef > Chance

Selbstevaluation

1 **Lesen Sie die Aussagen links und bearbeiten Sie dann die Aufgaben rechts.**

1. Ich kann nach dem Weg fragen.	Entschuldigung, wie .... ich zur Hauptstraße, bitte? Verzeihung, wo .... hier der Bahnhof, bitte?
2. Ich kann den Weg beschreiben.	.... Sie über .... Marktplatz, dann die Bahnhofstraße geradeaus. Da ist dann der Bahnhof.
3. Ich kann sagen, wo ich bin und wohin ich gehe.	**A:** Wo .... du? **B:** Ich bin .... Deutschkurs. **A:** Wohin .... du? **B:** Ich gehe .... Café.
4. Ich kann Ratschläge geben.	**A:** Ich habe Durst. **B:** .... doch ein Mineralwasser! **A:** Ich verstehe den Text nicht. **B:** .... doch die Lehrerin!
5. Ich kann Modalverben benutzen.	**1.** Hier .... man anhalten. **2.** Hier .... man nicht fahren. **3.** Hier .... man maximal 50 km/h fahren. STOP 50
6. Ich kann Zeitangaben machen.	*Markieren Sie die Zeitangabe und variieren Sie die Zeitangaben-Position.* **1.** Er fährt morgens mit Klara in die Firma. **2.** .... **3.** ....
7. Ich kann über Daten und Termine sprechen.	*Schreiben Sie die Zahlen als Wörter.* **1.** Heute ist der .... (1.) Mai. **2.** Stefan hat am .... (21.) März Geburtstag.
8. Ich kann jemanden einladen/ Einladungen annehmen/ ablehnen.	**A:** Ich mache eine Party. ....? **B:** Ja, ... / Nein, ...
9. Ich kann in der Vergangenheit formulieren.	Ich .... (sein) gestern in Heidelberg. Da .... ich viele Fotos .... (machen).

2 **Markieren Sie ✓ für *kann ich* und ○ für *kann ich nicht so gut*.**

3 **Korrigieren Sie mit den Lösungen im Anhang. Wie ist Ihr Ergebnis? Ziehen Sie eine Bilanz.**

++	+	–	– –

Einheit 13: *Medien im Alltag*

- sagen, wie man etwas findet
- sagen, was man gemacht hat
- über Medien sprechen
- Perfekt mit *haben* – unregelmäßige Verben
- Perfekt – Verben auf *-ieren*
- Perfekt mit *sein*

1 **Was kann man mit diesen Medien machen? Ordnen Sie zu.**

lesen > hören > telefonieren > surfen > anrufen > schreiben > schicken > bekommen > fernsehen …

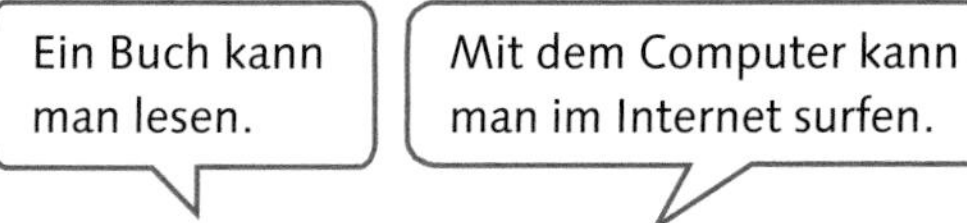

Ein Buch kann man lesen.
Mit dem Computer kann man im Internet surfen.

2 **Claudias Tag. Notieren Sie: Was macht Claudia wann?**

morgens	mittags	abends
Radio hören		

3 **Wann benutzen Sie welche Medien? Berichten und fragen Sie im Kurs.**

Mein Handy benutze ich jeden Tag. Und du, hast du auch ein Handy?

Morgens lese ich meistens die Zeitung. Und du?

1 Gestern bei Julian

1.1 Sehen Sie sich die Bilder an. Was passiert hier?

HOUSE OF FLYING DAGGERS
– einen DVD-Player kaufen
– mit Norma telefonieren
– Norma zu einem Film einladen
– in die Videothek gehen
– DVD ausleihen
Julian kauft einen DVD-Player.
– DVD-Player auspacken
– Fernseher anmachen
– nicht funktionieren

1.2 Norma erzählt. Hören Sie und beantworten Sie die drei Fragen.

1. Wann hat Julian angerufen?
2. Welchen Film hat Julian ausgeliehen?
3. Was hat nicht funktioniert?

1.3 Hören Sie noch einmal und lesen Sie den Text. Unterstreichen Sie die richtigen Formen.

Gestern Nachmittag hat Julian mich angerufen/abgeholt. Er hat einen DVD-Player gefunden/gekauft und er hat mich zu einem Film eingeladen/mitgenommen. Er hat mich am Telefon gefragt/geantwortet, welchen Film ich sehen möchte. Ich habe gesagt/geredet: „Titanic. Ich habe ihn schon zehn mal gesehen/gehört. Der Film ist Klasse." Am Nachmittag hat er den Film in einer Videothek ausgeliehen/ausgepackt. Dann haben wir noch einmal telefoniert/geschrieben.

Julian hat diskutiert/gesagt: Komm doch heute Abend um acht Uhr vorbei.

Wir haben uns dann um acht Uhr bei Julian gefunden / getroffen. Es war richtig gemütlich. Wir haben ein bisschen geredet/gehört und dabei schon ein Glas Wein getrunken/gegessen. Dann hat Julian den Fernseher angemacht/gegeben und ich habe mich schon auf einen romantischen Film gefreut /gewartet. Und was passiert? Nichts! Warum? Naja, der DVD-Player hat nicht funktioniert/gearbeitet.

C 24

1.4 Schreiben Sie die Partizip-II-Formen aus 1.3 in Ihr Heft. Kennen Sie noch weitere Formen?

Infinitiv	ge-..............-t	Infinitiv	......-ge-..............-t	Infinitiv	..............-t
kaufen	gekauft	auspacken		telefonieren	
....		....		....	

Infinitiv	ge-..............-en	Infinitiv	......-ge-..............-en
finden		anrufen	
sehen		einladen	
schreiben		mitnehmen	
treffen		ausleihen	
trinken			
essen			
geben			

Info: *Verben auf -ieren bilden das Partizip II nur mit dem Stamm und der Endung -t. (z.B. buchstabieren > buchstabiert)*

Lerntipp: Welche Partizipien enden auf –t und welche auf –en? Das können Sie nicht am Infinitiv sehen. Lernen Sie die Verben immer gleich mit dem Partizip II! Eine Liste der Verben mit Partizip II auf –en (unregelmäßige Verben) finden Sie im Anhang.

C 25.2

1.5 Verben mit be-, ver-, er-, ... : Schauen Sie in der Grammatik/im Lernerhandbuch nach. Wie heißt das Partizip II dieser Verben?

bezahlen, vergessen, erzählen

Wie viel hast du eigentlich für den DVD-Player bezahlt?

1.6 Wie geht es bei Norma und Julian weiter? Schreiben Sie die Geschichte zu Ende.

Spaziergang gemacht > Wein getrunken > zusammen gekocht > Musik gehört > Karten gespielt > Kuss gegeben > ...

1.7 Schreiben Sie die Sätze im Perfekt.

1. Saskia diskutiert mit Norma.
2. Wir sehen viel fern.
3. Der DVD-Player funktioniert nicht.
4. Ich lade meine Schwester zum Film ein.
5. Du machst das Radio an.
6. Herr Askari repariert seinen Computer.
7. Julian kauft ein Handy.
8. Ihr schreibt einen Brief.
9. Eva findet die DVD nicht.
10. Sie trinken ein Glas Wein.

1.8 Was haben Sie heute/gestern gemacht? Fragen und antworten Sie im Kurs. Benutzen Sie die Partizipien.

gearbeitet > gegessen > getrunken > gesehen > geschrieben > gemacht > angerufen > eingeladen > gekauft > telefoniert > gelernt > gefrühstückt > getanzt > gehört > repariert

Was haben Sie heute gefrühstückt?

Hast du gestern Abend telefoniert?

Ich habe zwei Brötchen gegessen und ...

2 Musik

2.1 Was glauben Sie: Welche Musik hört Claudia?

Jazz > Rock > Heavy Metal > Klassik > Pop > Volksmusik > Techno > Reggae > Hip Hop > …

2.2 Hören Sie, was Claudia über Musik sagt und kreuzen Sie an. Was ist richtig?

- ☐ Sie hört nur abends Musik.
- ☐ Sie hört selten Musik.
- ☐ Sie hört oft Musik.
- ☐ Sie hört gern morgens Musik.
- ☐ Sie mag nur Klassik.
- ☐ Sie findet Jazz nicht gut.
- ☐ Sie mag jede Musik.
- ☐ Sie mag Heavy Metal sehr.
- ☐ Sie hört nur zu Hause Musik.
- ☐ Sie hört auf dem Weg zur Arbeit Musik.
- ☐ Sie hört gern im Auto Musik.
- ☐ Sie hört gern Musik im Bett.

2.3 Hören Sie die Musik. Ordnen Sie zu.

2.4 Fragen Sie, wie Ihre Nachbarin / Ihr Nachbar die Musik findet und antworten Sie.

fragen, wie jemand etwas findet	**sagen, wie man etwas findet**	☺	😐	☹
Wie finden Sie / findest du Jazz? / Pop? / Klassik?	Jazz finde ich …	sehr gut. klasse. toll. super.	(ganz) gut. (ganz) interessant. (ganz) schön. okay.	nicht gut. langweilig. scheußlich. ätzend.
Mögen Sie / Magst du …	Ich mag … / Mir gefällt …	… (+) … sehr. (++)		nicht. (-) gar nicht. (--)

2.5 Wann und wo hören Sie welche Musik? Machen Sie Interviews im Kurs.

> Ich höre gern Jazz in meiner Lieblingskneipe. Rockmusik mag ich nicht und beim Essen mag ich auch keine Musik.

> Mit 15 habe ich viel ……………………… gehört.

3 Unglaublich – aber wahr

3.1 Tratsch – Hören Sie das Gespräch. Machen Sie Notizen. Was haben Sie verstanden?

Frau Frank war Ski fahren. Sie hatte einen Unfall. Sie hat sich das Bein gebrochen.
Frau Braun und Frau Sommer unterhalten sich über Frau Frank. Frau Braun erzählt.

3.2 Üben Sie nun den ersten Teil des Dialogs zu zweit. Achten Sie auf die Betonung.

Frau Braun: Haben Sie schon gehört?
Frau Frank hat sich das Bein gebrochen.
Frau Sommer: Nein, wirklich?
Wie ist denn das passiert?
Frau Braun: Also, Frau Frank ist doch am Montag in die Ferien gefahren. Aber nicht mit dem Auto, oder mit dem Zug, nein, geflogen ist sie! Von Frankfurt nach München geflogen!
Frau Sommer: Nein, wirklich?
Frau Braun: Ja, und dann hat sie in Garmisch-Partenkirchen ein Zimmer im Hotel genommen. Morgens ist sie immer erst um elf Uhr aufgestanden und dann hat sie mit dem Skilehrer gefrühstückt.
Frau Sommer: Nein, wirklich? Mit dem Skilehrer?

3.3 Hören Sie jetzt den zweiten Teil des Dialogs mehrmals. Markieren Sie dann die Betonung wie in 3.2.

Frau Braun: Ja, und dann ist es passiert!
Frau Sommer: Was denn?
Frau Braun: Na, der Unfall. Also, der Skilehrer und Frau Frank sind abends in eine Disco gegangen und haben getanzt.
Frau Sommer: Nein, so was!
Frau Braun: Aber ja doch! Man sagt, sie hat nur Augen für den Skilehrer gehabt. Sie hat eine Stufe nicht gesehen und bums, hat sie sich das Bein gebrochen.
Frau Sommer: Nein, wirklich? Das Bein?
Frau Braun: Ja, genauso ist es gewesen. Drei Tage ist sie noch im Hotel geblieben und ihr Skilehrer hat sie jeden Tag besucht, mit Blumen!
Frau Sommer: Und was hat ihr Mann gesagt?
Frau Braun: Ach der! Der weiß doch nichts. Frau Frank ist gestern zurückgekommen und hat erzählt, dass es ein Skiunfall war.
Frau Sommer: Unglaublich!
Frau Braun: Aber wahr!

3.4 Üben Sie jetzt den ganzen Dialog zu zweit. Spielen Sie mit Betonung, Gestik und Mimik.

4 Perfekt mit *sein*

C 19.5

4.1 Manche Verben bilden das Perfekt mit *sein*. In den Texten 3.2 und 3.3 finden Sie acht davon. Suchen Sie sie heraus und machen Sie eine Liste.

Infinitiv	sein + Partizip II
passieren	ist passiert

Regeln:

1. Perfekt mit *sein*: Verben der (Orts-)Veränderung (z.B. *gehen*, *fahren*, *fliegen*, *kommen*, *einschlafen*) und die Verben *bleiben*, *passieren* und *sein*.

2. Perfekt mit *haben*: Alle anderen Verben

Lerntipp: Die meisten Verben bilden das Perfekt mit **haben**. Machen Sie sich eine eigene Liste mit den Verben mit **sein** und lernen Sie sie auswendig.

4.2 Wie der Unfall wirklich war. Schauen Sie die Bilder an. Erzählen Sie, was passiert ist.

Herr und Frau Frank sind mit dem Auto in den Urlaub gefahren.

mit dem Auto fahren

in einer Pension wohnen

zusammen im Bett frühstücken / um 8 Uhr aufstehen

zusammen Ski fahren / Frau Frank stürzen / Bein brechen

einen Tag im Krankenhaus bleiben

nach Hause fahren

4.3 Schreiben Sie die Sätze im Perfekt.

1. Der Computer ist kaputt.
2. Anton steht noch nicht auf.
3. Claudia schläft ein.
4. Wir gehen in die Videothek.
5. Herr und Frau Chaptal fahren ins Konzert.
6. Die Post kommt heute nicht.
7. Du bleibst im Bett.
8. Ich bleibe noch zehn Minuten hier.
9. Fliegt ihr nach Zürich?
10. Was passiert dann?

4.4 Haben oder sein? Kreuzen Sie an. Sprechen Sie in ganzen Sätzen.

Ich bin heute Morgen um 7 Uhr aufgestanden.

haben	sein		haben	sein	
☐	☐	um 7 Uhr aufgestanden.	☐	☐	zu Hause geblieben.
☐	☐	gekocht.	☐	☐	einen Toast gegessen.
☐	☐	die Zeitung gelesen.	☐	☐	gearbeitet.
☐	☐	„Monopoly" gespielt.	☐	☐	mit dem Fahrrad gefahren.
☐	☐	Freunde getroffen.	☐	☐	in einer Kneipe gewesen.
☐	☐	ins Kino gegangen.	☐	☐	eine E-Mail geschrieben.

4.5 Schreiben Sie zu zweit Mini-Dialoge und spielen Sie sie im Kurs.

A: Hast du heute Morgen viel gegessen?
B: Nein, ich habe nur Kaffee getrunken.

A: Wie sind Sie zum Kurs gefahren?
B: Ich habe den Bus/die Straßenbahn/den Zug genommen.

4.6 Hören Sie das Lied und lesen Sie mit.

Ich bin im Traum geflogen, da war ich ganz weit oben.
Ich hab' die Erde gesehen, hab' den Mond angelacht –
Doch es war mitten in der Nacht und ich bin aufgewacht.
Da bin ich tief gefallen: zum Glück vom Bett zum Boden.

Das ist alles nur gelogen.
Alles nur gelogen, sag' ich, alles nur gelogen.

Es war mitten in der Nacht und ich bin aufgewacht.
Da bin ich aufgestanden, hab' mich angezogen,
Bin in die Kneipe gegangen, bin in der Kneipe geblieben.
Bin nach Haus' gekommen: da war es kurz vor sieben.

Das ist alles nur gelogen.
Alles nur gelogen, sag' ich, alles nur gelogen.

Du bist zu mir gekommen. Wo ist die Zeit geblieben?
Hast telefoniert, gesurft, zwölf SMS geschrieben.
Dann bist du gegangen, abends um sieben!
Du bist gegangen und ich bin geblieben.

Das ist alles nicht gelogen.
Alles nicht gelogen, sag' ich, alles nicht gelogen.

4.7 Erzählen Sie zusammen im Kurs einen Traum.

A: Ich habe einen Traum gehabt.
B: Ich habe geträumt, ich bin ins Kino gegangen.
C: Plötzlich ist ein Auto gekommen.
D: Und dann ...

5 Perfekt: Wortstellung

5.1 Lesen Sie die Beispiele und schreiben Sie dann die Sätze richtig.

Aussagesatz	Ja/Nein-Frage	W-Frage
Tom hat das Buch vergessen.	Hast du gestern mit Monika gesprochen?	Wo hast du gearbeitet?

1. gefunden / er / den Film / nicht / hat / .
2. hat / Nachrichten / gehört / wer / heute Morgen / ?
3. Norma / Julian / einen Kuss / hat / gegeben / ?
4. am Montag / ist / Frau Frank / gefahren / in die Ferien / ?
5. Frau Müller / was / hat / vergessen / ?
6. hat / nicht / der Unterricht / stattgefunden / .

6 Eine Geschichte schreiben

6.1 Markieren und korrigieren Sie die 7 Fehler in den Partizipien.

Am Samstag bin ich um acht Uhr geaufstandet. Zuerst habe ich den Computer angemachen. Ich habe keine E-Mails gebekommt. Dann habe ich geduscht und frühgestückt. Danach bin ich zum Briefkasten gegangt. Aber die Post hat mir keinen Brief gebracht. Ich bin schon ganz traurig gewest. Du hast mich angerufen. Und du hast gefragen: „Hast du heute Zeit?" Da war der Tag wieder schön.

6.2 Wählen Sie 4 Bilder aus und schreiben Sie mit den Wörtern *zuerst*, *dann* und *danach* eine kleine Geschichte.

6.3 Lesen Sie Ihre Geschichte. Sind alle Partizipien richtig?

7 Was lesen Sie gern?

7.1 Ein Interview. Lesen Sie zuerst die Überschrift. Was glauben Sie: Was steht im Text? Lesen Sie dann und beantworten Sie die Fragen.

Zeitung gestern und heute
Ein Interview mit der Zeitungsexpertin Irene Reindl
von Markus König

Markus König: Die Tageszeitung gehört für die meisten Deutschen heute zum Alltag. Wann hat es in Deutschland mit der Zeitung angefangen?

Irene Reindl: Zeitungen gibt es in Deutschland seit etwa 400 Jahren. Schon vor 1600 hat es eine Zeitung gegeben, allerdings nur einmal im Monat. 1605 hat dann Johann Carolus in Straßburg die erste Wochenzeitung produziert. Etwa fünfzig Jahre später hat man die erste Tageszeitung in Leipzig gedruckt. Und um 1700 haben schon etwa 200.000 Menschen eine Tageszeitung gelesen.

König: Für eine Tageszeitung braucht man doch viele Nachrichten. Wie hat man die damals bekommen?

Reindl: Damals hat es kein Telefon oder Internet gegeben. Die Nachrichten sind mit der Post gekommen – also mit Pferden. Und in Leipzig haben sich mehrere Postwege gekreuzt. Viele Informationen sind da zusammengelaufen – ein idealer Ort für eine Tageszeitung.

König: Gibt es Unterschiede zu den Tageszeitungen heute?

Reindl: Ja. Vieles hat man damals ganz anders gemacht. Man hat zum Beispiel keine Überschriften geschrieben. Das hat man erst im 19. Jahrhundert gemacht. Man hat auch nicht seine eigene Meinung geschrieben. Kirche oder Staat haben alles kontrolliert. Andere Meinungen in der Zeitung waren verboten. Frei berichten, ohne Kontrolle, das war in Deutschland erst ab 1848 möglich.

König: Heute gibt es Radio, Fernsehen und Internet. Was glauben Sie: Warum lesen jeden Tag über 22 Millionen Deutsche eine Zeitung?

Reindl: Die Tageszeitung hat eine wichtige Funktion in unserer Demokratie: Sie kritisiert und kontrolliert Politik und Staat. Die Zeitung ist aber auch ein praktisches Medium. Ich brauche keine technischen Geräte. Ich kann aus verschiedenen Themen aussuchen, was ich lese. Ich kann Artikel mehrmals lesen und ich kann auch Pausen machen.

1. Wann hat es in Deutschland die erste Tageszeitung gegeben?
2. Wie hat man um 1650 Nachrichten bekommen?
3. Was hat man erst im 19. Jahrhundert gemacht?
4. Warum ist die Zeitung praktisch?

7.2 Was lesen Sie täglich, oft, manchmal, selten, nie?

	täglich	oft	manchmal selten	nie	
SMS					
Brief/E-Mail					
Kochrezept					
Sachbuch					
Zeitung/Zeitschrift					
Comic					
Roman					

7.3 Berichten Sie über Ihre Liste im Kurs.

Die Zeitung lese ich täglich.

Ich lese nie Comics.

7.4 Was lesen Sie am liebsten? Was mögen Sie gar nicht? Diskutieren Sie und machen Sie eine gemeinsame Hitliste für Ihren Kurs.

So geht's

Kommunikation

fragen und sagen, wie man etwas findet

A: Wie findest du Reggae?
B: Reggae finde ich ganz gut.
A: Mögen Sie Volksmusik?
B: Ich mag Volksmusik nicht. / Volksmusik finde ich ätzend.

über Medien sprechen

Ich telefoniere oft abends.
Morgens höre ich meistens Radio.
Mit dem Computer schreibe ich E-Mails.
Ich surfe täglich im Internet.

Grammatik

unregelmäßige Verben im Perfekt

Infinitiv	*Partizip II*
sprechen	gesprochen
ausleihen	ausgeliehen
finden	gefunden

Bei den unregelmäßigen Verben ist der Stamm im Partizip II oft unterschiedlich (z.B. *finden – gefunden*). Deshalb muss man bei diesen Verben immer die Partizipien lernen.

Infinitiv	*Partizip II (-t)*
telefonieren	telefoniert
funktionieren	funktioniert

Perfekt mit *sein*

Infinitiv	**sein** (auch: Hilfsverb)	**Partizip II**
fahren	ich bin	gefahren
bleiben	du bist	geblieben
sein	er/es/sie ist	gewesen
fliegen	wir sind	geflogen
aufstehen	ihr seid	aufgestanden
gehen	sie/Sie sind	gegangen

Einige Verben bilden das Perfekt mit *sein*. Das sind Verben der Fortbewegung (Ortsveränderung) oder der Zustandsveränderung (z.B. *gehen, fahren, fliegen, kommen, aufstehen, einschlafen*) und die Verben *bleiben, sein, passieren*.

Verben auf -ieren bilden das Partizip II nur mit dem Stamm und der Endung -t.

Wortstellung im Perfekt

Position 1	**Position 2**		**Ende**	
Wir	haben	viel	gelernt.	*(Aussagesatz)*
Wann	bist	du	gekommen?	*(W-Frage)*
Hast	du	Holger	gesehen?	*(Ja/Nein-Frage)*

A 7 **Lernen lernen**

Wichtige Themen wiederholen/einen Lernplan machen

Mo	5 Minuten:	Perfekt mit *sein*
Di	5 Minuten:	Wechselpräpositionen
Mi	5 Minuten:	unregelmäßige Verben im Perfekt
Do	5 Minuten:	...

Einheit 14: *Über den Tellerrand*

- über das Essen sprechen
- über das Wetter sprechen
- eine E-Mail schreiben
- *ja/nein/doch*
- Wiederholung: Vergangenheit, Präpositionen

1 **Frühstück im Kurs: Was ist was? Ordnen Sie zu und ergänzen Sie die Artikel.**

d............	☐ Brot	☐ Ei	☐ Radio	☐ Brötchen	☐ Müsli
	8 Sauerkraut	☐ Handy	☐ Croissant	☐ (Mineral)wasser	
d............	☐ Butter	☐ Wurst	☐ Salami	☐ Spaghetti	☐ Marmelade
	☐ Margarine	☐ Banane	☐ Milch	☐ Zeitung	19 Bohnen
d............	27 Tee	☐ Fisch	☐ Käse	☐ Reis	☐ Joghurt
	☐ Orangensaft	☐ Honig	☐ Toast	☐ Kaffee	☐ Sekt

2 **Was gehört für Sie zum Frühstück?**

Frühstück ohne Zeitung macht keinen Spaß.

Zum Frühstück esse ich gern/oft …

Ich höre morgens immer Radio.

3 **Was haben Sie heute gefrühstückt? Erzählen Sie.**

1 Frühstück in Deutschland

1.1 Frühstück in Deutschland: Was möchten Sie wissen? Notieren Sie:

Wann...? Was ...?
Wie lange ...? Wo...?

1.2 Lesen Sie die E-Mail. Welche Fragen von Ihnen beantwortet sie? Welche weiteren Informationen finden Sie?

Betreff: Frühstück in Deutschland
Von: Ferdinand Kunze <ferdinand.kunze@web.de>
An: rosana.alves@hotmail.com
Datum: 25.07.2005 15:06:42

Liebe Rosana,
in deiner letzten E-Mail hast du nach dem Frühstück in Deutschland gefragt. Die Antwort ist nicht einfach. Deutsche frühstücken sehr individuell. Das Frühstück ist bei uns in der Woche und am Wochenende oft unterschiedlich.

In der Woche stehen die meisten früh auf. Sie müssen zur Arbeit gehen. Dann essen sie oft nur ein Brot mit Marmelade und trinken schnell eine Tasse Kaffee. Manche trinken lieber Tee. Viele essen auch ein Brot mit Wurst oder Käse. Zwischen 9 und 10 Uhr essen manche ein zweites Frühstück. Sie machen sich ein Brot mit Wurst oder Käse zu Hause und essen es in der Frühstückspause in der Firma.

Am Wochenende haben die meisten mehr Zeit. Sie frühstücken in Ruhe. Viele holen samstags und sonntags frische Brötchen vom Bäcker. Am Sonntag essen viele auch ein gekochtes Ei zum Frühstück. Bei manchen gibt es dann Orangensaft oder Obst. Manche essen auch Müsli oder Cornflakes mit Milch. Manche Leute schlafen am Wochenende lang. Sie essen dann früher zu Mittag oder sie machen „Brunch" (englisch: breakfast + lunch). Das ist halb Frühstück, halb Mittagessen.

Ich mag das Frühstück am Wochenende am liebsten. Ich stehe früh auf. Und dann lese ich in Ruhe die Zeitung und esse ein Brötchen mit Käse und ein Croissant mit Honig. Und der Kaffee schmeckt mir mit Ruhe am besten.

Wie frühstückt ihr? Bitte schreib mir bald wieder. Ich freue mich immer, wenn ich eine E-Mail von dir bekomme.

Liebe Grüße
Ferdinand

1.3 Schreiben Sie eine E-Mail über das Frühstück in Ihrem Land nach dem Modell in 1.2. Gehen Sie so vor:

1. Was möchten Sie schreiben? Sammeln Sie Stichwörter.
2. In welcher Reihenfolge? Ordnen Sie die Stichwörter.
3. Schreiben Sie kurze, einfache Sätze.
4. Korrigieren Sie Ihre E-Mail. Achten Sie auf **A:** Wortstellung und **B:** Endungen von Verben.

A: Wir trinken viel Kaffee. / Magst du Tee? / Wann frühstückst du?
B: Ich esse, sie trinken, ...

2 Frühstück international

2.1 Wir haben Studenten und Studentinnen aus China, England, Frankreich und Griechenland gefragt: „Was esst und trinkt ihr morgens in eurem Land?" Was meinen Sie, wer sagt was? Klären Sie unbekannte Wörter und ordnen Sie die Ländernamen zu. In den Listen sind immer zwei Speisen falsch. Welche sind es?

☐ China ☐ England ☐ Frankreich ☐ Griechenland

1.
- Schinken und Speck
- Eis mit Früchten
- Schokolade
- 1 Ei (am Sonntag)
- eine Tasse Kaffee oder Tee
- Käse (nicht sehr üblich)
- Zwieback mit Marmelade

2.
- Nudeln
- Reissuppe
- Spaghetti
- Eier
- Milch
- Müsli
- Reisbrei mit Sauerkraut
- kalter Gurkensalat

3.
- Eier und Schinken
- Kartoffelsalat
- Toast mit Marmelade
- Cornflakes
- Schnitzel

4.
- warmer Kaffee (Winter)
- kalter Kaffee (Sommer)
- Speck und Bohnen
- Joghurt
- 1 bis 5 Zigaretten

für Kinder:
- Brot mit Marmelade und Butter
- Milch
- Eier

2.2 Hören Sie jetzt das Interview. Waren Ihre Vermutungen richtig? Haben Sie die falschen Speisen gefunden? Wenn nicht, dann hören Sie das Interview noch einmal.

3 Camping am Bodensee

3.1 Lesen Sie das Tagebuch von Anne und vergleichen Sie mit der Karte. Wo waren Anne und Thorsten? Was haben sie gemacht?

4. August

Gestern hat unser Campingurlaub endlich begonnen. Und wir haben gutes Wetter!
Wir sind mit dem Zug an den Bodensee gefahren. In Friedrichshafen sind wir ausgestiegen und am Bahnhof haben wir ein Auto gemietet. Zuerst haben wir das Zeppelin Museum besucht. Das war sehr interessant. Ich möchte gerne einmal mit einem Zeppelin fliegen.
Thorsten hat sich leider gelangweilt. Mittags sind wir nach Lindau weitergefahren. Eine schöne Stadt. In Lindau haben wir im „Hotel am See" Mittag gegessen. Mir hat es nicht so gut geschmeckt. Die Kellnerin hat Thorsten so oft angesehen. Thorsten hat es nicht gemerkt. Nach dem Essen sind wir am Hafen von Lindau spazieren gegangen. Sehr romantisch: Sonne, See, Hafen, Thorsten und ich! In Lindau sind wir auch noch in einem Café gewesen. Abends sind wir weiter nach Bregenz zum Campingplatz gefahren. Wir haben das Zelt im Dunklen aufgebaut. Das war chaotisch. Aber wir haben es geschafft. Danach waren wir furchtbar müde. Wir haben uns schnell in unsere Schlafsäcke gelegt und sind gleich eingeschlafen.
Heute Morgen bin ich früh aufgewacht, Thorsten schläft noch. Was kann man in Bregenz wohl machen?

3.2 In ihrem Reiseführer findet Anne diese Bilder. Sagen Sie, was man in Bregenz machen kann. Was finden Sie gut/nicht gut?

segeln

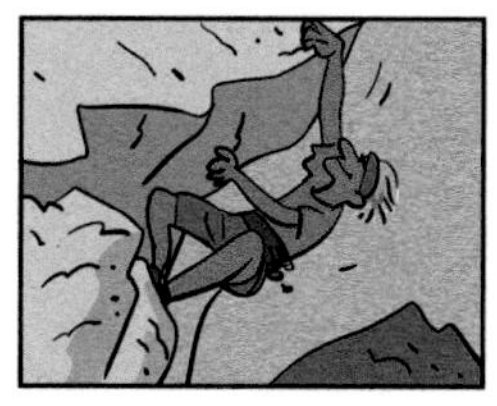
klettern

Beach-Volleyball spielen

surfen

reiten

wandern

tauchen

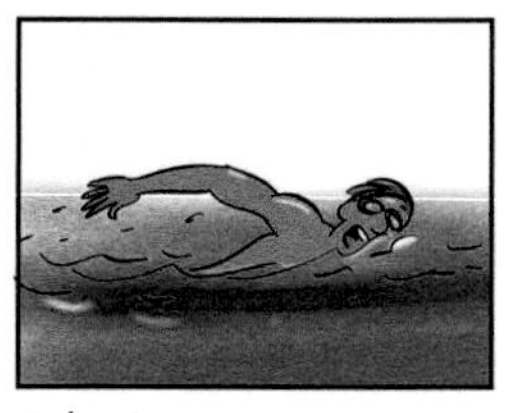
schwimmen

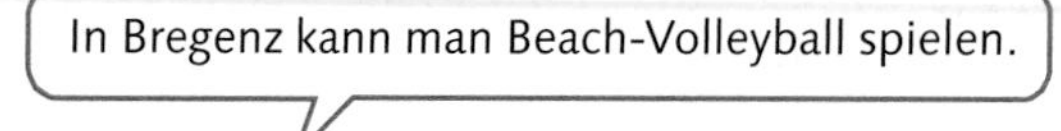

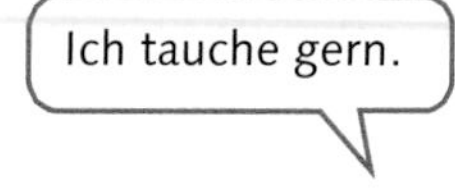

3.3 Sehen Sie das Bild an und hören Sie den Dialog. Was haben Anne und Thorsten vergessen?

- ☐ Annes Bikini
- ☐ ein Handtuch
- ☐ Kaffee
- ☐ Nudeln

3.4 Hören Sie den Dialog. Was ist richtig / falsch?

	richtig	falsch
1. Anne kauft Kaffee.	☐	☐
2. Die Nachbarn laden Anne und Thorsten zum Frühstück ein.	☐	☐
3. Anne geht zu den Nachbarn.	☐	☐
4. Thorsten geht mit Anne zum Frühstück.	☐	☐

3.5 Anne geht zum Frühstück bei Herrn und Frau Stegmaier. Sie unterhalten sich. Was glauben Sie, was ist das Thema?

☐ der Campingplatz ☐ der Bodensee ☐ das Wetter ☐ der Kaffee ☐ ....

3.6 Hören und lesen Sie das Gespräch. War Ihre Vermutung richtig?

Frau Stegmaier: Sind Sie zum ersten Mal am Bodensee?
Anne: Ja. Und Sie?
Herr Stegmaier: Ach, wissen Sie, wir haben ja unseren Wohnwagen hier.
Zwei- bis dreimal im Monat sind wir hier auf dem Campingplatz. Wir lieben den Bodensee bei jeder Jahreszeit und bei jedem Wetter.
Anne: Bei Schnee, Nebel, Regen oder Gewitter im Wohnwagen ... Ist das nicht langweilig?
Herr Stegmaier: Nein. Der See ist doch jeden Tag anders. Es schneit, es ist neblig, es regnet oder es blitzt und donnert. Und sehr oft ist es bewölkt. Jedes Mal macht der See ein anderes Gesicht.
Anne: Aber heute ist es sonnig und warm.
Frau Stegmaier: Ja, viel besser als letzte Woche. Da war das Wetter wirklich schlecht. Na ja, wir haben dann mit unseren Freunden Karten gespielt. Das hat auch Spaß gemacht.
Herr Stegmaier: Ich glaube, heute scheint die Sonne den ganzen Tag.
Anne: Toll, ich möchte gern schwimmen gehen.
Frau Stegmaier: Noch eine Tasse Kaffee? Kommt Ihr Freund noch?

4 Das Wetter

B26
C61

4.1 Lesen Sie noch einmal das Gespräch 3.6 und markieren Sie alle Wörter, die das Wetter beschreiben. Schreiben Sie dann die Wörter unter die Symbole.

	-r Nebel			-e Wolke(n)	
				es ist bewölkt	es blitzt / …

4.2 Hören Sie drei Wetterberichte. Kreuzen Sie an: Wie ist das Wetter?

Wetterbericht A	☐	☐	☐	☐	☐	☐
Wetterbericht B	☐	☐	☐	☐	☐	☐
Wetterbericht C	☐	☐	☐	☐	☐	☐

4.3 Wie ist das Wetter in …? Beschreiben Sie.

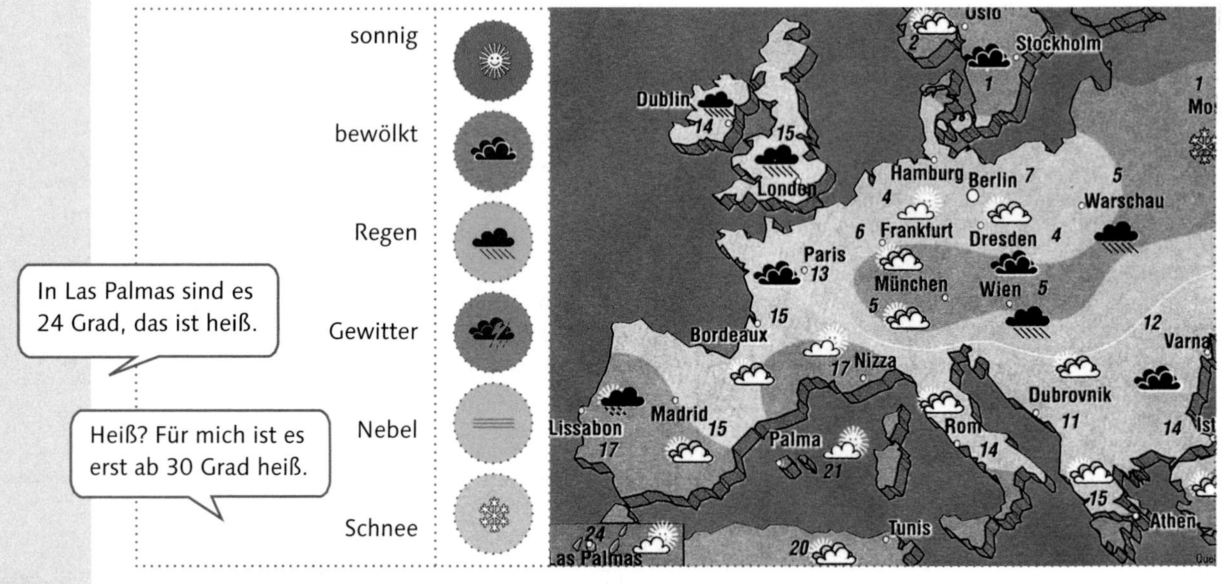

4.4 Wie ist das Wetter heute? Erzählen Sie im Kurs.

	☺	☹
Das Wetter ist	gut.	schlecht.

Heute ist es neblig. Es ist kalt.

Info: *Das Wort* ***es*** *hat oft keine eigene Bedeutung, ist aber für die Satzstruktur notwendig, z.B. wenn kein anderes Subjekt im Satz ist. (Es regnet.)*

5 Wiederholung: Vergangenheit und Präpositionen

5.1 Thorsten erzählt Herrn und Frau Stegmaier von gestern. Ergänzen Sie die Verben im Präteritum oder Partizip II.

ankommen > aufbauen > essen > fahren > haben > hören > schmecken > ~~sein~~ > sein > sein > spazieren gehen

„Das ist unser erster Urlaub zusammen. Wir haben eine Woche Zeit für den Bodensee. Gestern ..waren.. wir zuerst in Friedrichshafen. Das Zeppelin Museum .... langweilig. Aber dann sind wir nach Lindau .... Da haben wir in einem super Hotel Mittag .... Das Schnitzel da hat mir gut .... Wir sind dann am Hafen .... Der Hafen ist sehr schön. Abends sind wir im Dunklen hier .... Ohne Licht haben wir das Zelt .... Das .... chaotisch. Und dann .... wir heute Morgen keinen Kaffee. Aber das haben Sie ja ...."

5.2 Eine Postkarte von Thorsten. Ergänzen Sie die Präpositionen und Artikel.

☐ auf den	☐ auf dem
☐ an den	☐ am
☐ auf den	☒ auf dem
☐ in den	☐ im
☐ über den	☐ über dem
☐ in die	☐ in der
☐ in die	☐ in den
☐ an den	☐ am
☐ an den	☐ am
☐ in die	☐ in der

Hallo Bernd,

wir sind .... Campingplatz „Seeblick“ .... Bodensee. Das Wetter ist super. Man kann hier auf dem See segeln, ... See schwimmen und tauchen oder mit dem Schiff .... See fahren. Man kann hier auch .... Oper gehen. Anne ist schon .... Bergen gewandert. Ich habe noch nichts gemacht. Gestern waren wir .... Hafen von Lindau. Vielleicht gehen wir heute .... Strand. Da kann man Beach-Volleyball spielen. Morgen fahren wir weiter .... Schweiz.

Liebe Grüße
Thorsten

An Bernd Holtmann
Nordstraße 32
D-27580 Bremerhaven

6 *Ja, nein, doch?*

6.1 **Lesen Sie die Dialoge. Wann antwortet man mit *ja* und wann mit *doch*? Ergänzen Sie die Tabelle.**

A: Nie kann ich richtig ausschlafen.
B: Musst du morgen arbeiten?
A: Ja!

A: Ach wie schön! Morgen kann ich lange schlafen.
B: Musst du morgen nicht arbeiten?
A: Doch, aber ich muss erst um zehn Uhr anfangen.

C98

	Ja	**Doch**
Fragen ohne Verneinung:	X	
Fragen mit Verneinung:		

6.2 **Sie hören zehn Fragen. Wie reagieren Sie? Kreuzen Sie an und vergleichen Sie im Kurs.**

	1	**2**	**3**	**4**	**5**	**6**	**7**	**8**	**9**	**10**
ja										
nein										
doch										

7 Essen und Trinken in Deutschland

7.1 **Welche Spezialität isst man in welcher Region in Deutschland?**

a. Münchener Weißwürste
b. Nordsee-Krabben
c. Thüringer Klöße
d. Westfälischer Schinken
e. Grüne Soße

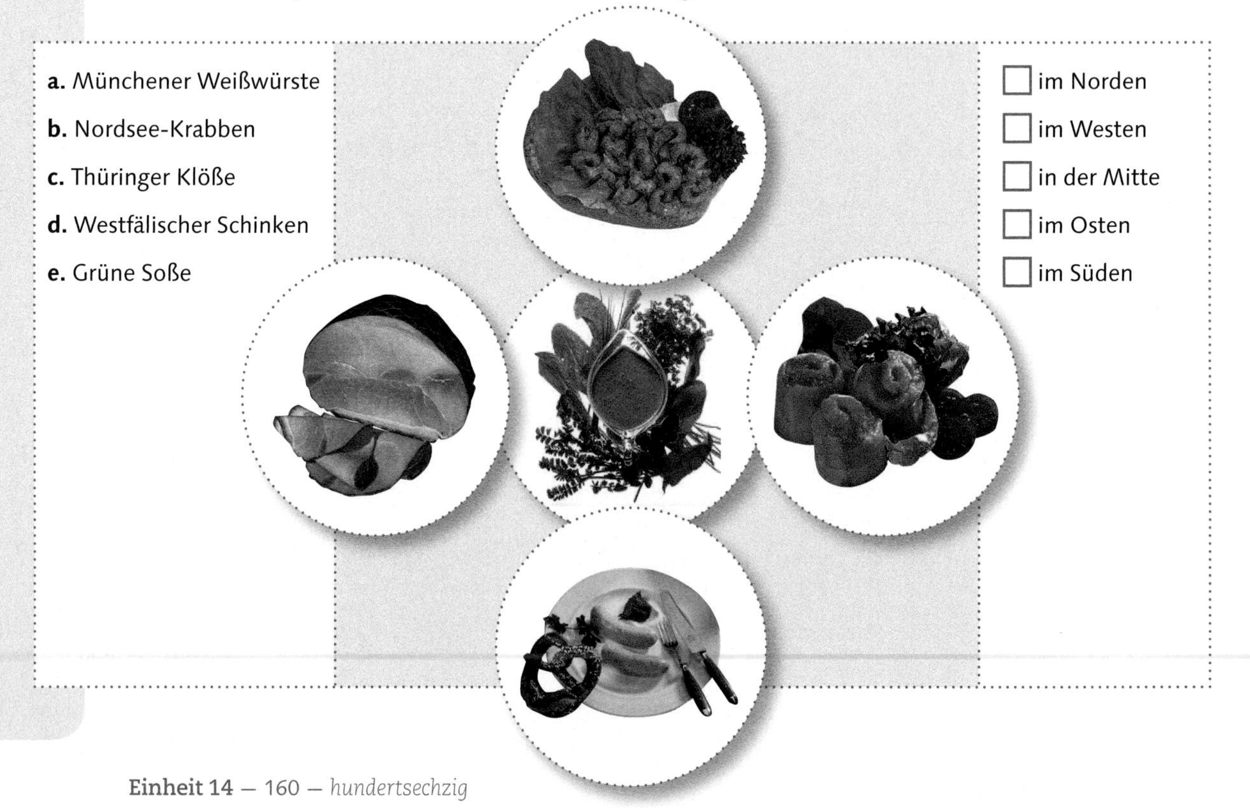

☐ im Norden
☐ im Westen
☐ in der Mitte
☐ im Osten
☐ im Süden

7.2 **Ein Quiz**

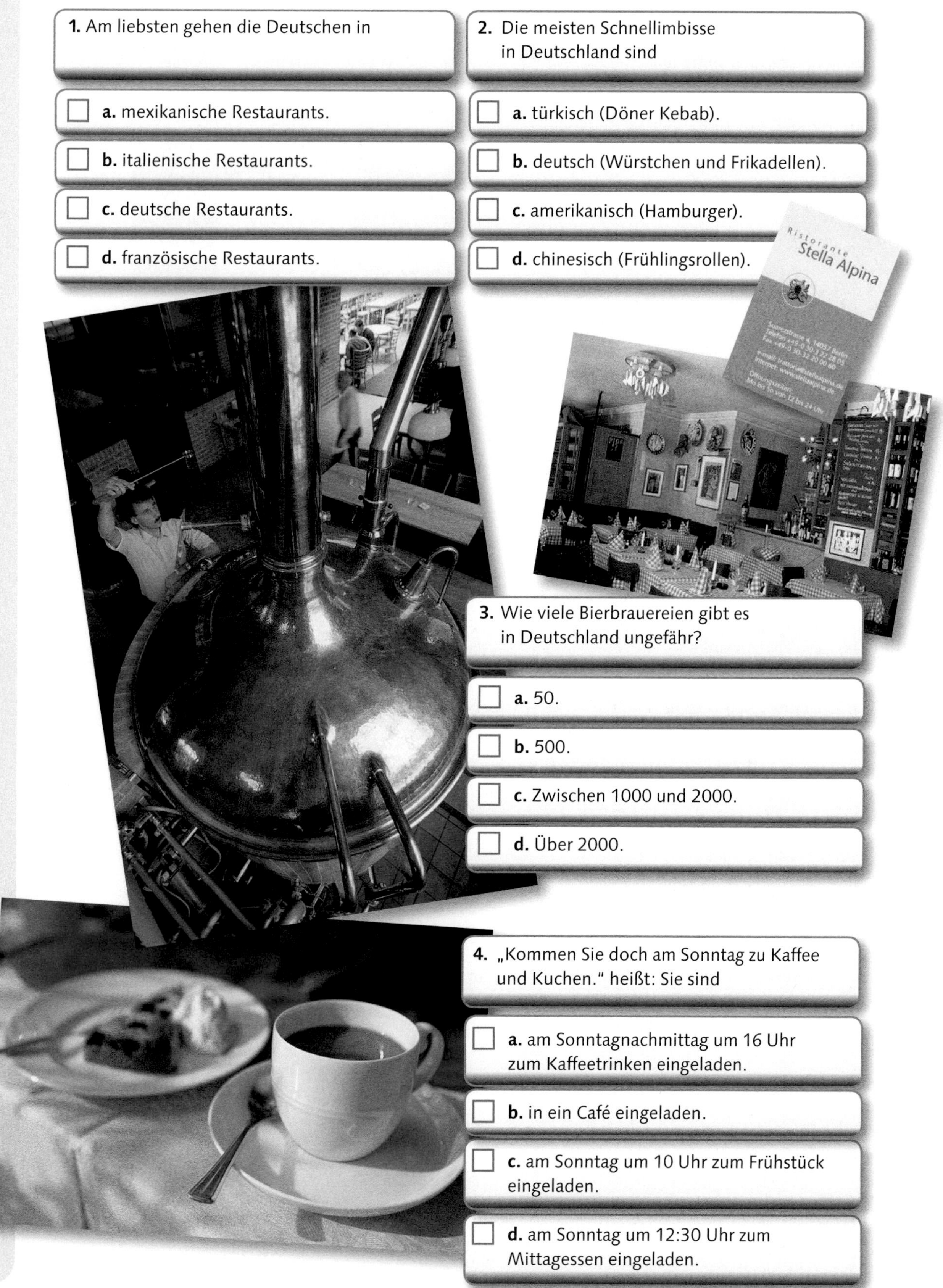

1. Am liebsten gehen die Deutschen in

- [ ] **a.** mexikanische Restaurants.
- [ ] **b.** italienische Restaurants.
- [ ] **c.** deutsche Restaurants.
- [ ] **d.** französische Restaurants.

2. Die meisten Schnellimbisse in Deutschland sind

- [ ] **a.** türkisch (Döner Kebab).
- [ ] **b.** deutsch (Würstchen und Frikadellen).
- [ ] **c.** amerikanisch (Hamburger).
- [ ] **d.** chinesisch (Frühlingsrollen).

3. Wie viele Bierbrauereien gibt es in Deutschland ungefähr?

- [ ] **a.** 50.
- [ ] **b.** 500.
- [ ] **c.** Zwischen 1000 und 2000.
- [ ] **d.** Über 2000.

4. „Kommen Sie doch am Sonntag zu Kaffee und Kuchen." heißt: Sie sind

- [ ] **a.** am Sonntagnachmittag um 16 Uhr zum Kaffeetrinken eingeladen.
- [ ] **b.** in ein Café eingeladen.
- [ ] **c.** am Sonntag um 10 Uhr zum Frühstück eingeladen.
- [ ] **d.** am Sonntag um 12:30 Uhr zum Mittagessen eingeladen.

So geht's

Kommunikation

über das Frühstück sprechen

Zum Frühstück esse ich immer zwei Scheiben Toast mit Butter und Marmelade. Käse und Wurst mag ich morgens nicht. Meistens trinke ich zum Frühstück Tee. Und ich höre die Nachrichten um acht Uhr im Radio.

über das Wetter sprechen

Heute ist das Wetter schlecht. Es regnet, blitzt und donnert und es ist kalt.

Grammatik

ja / nein / doch

A: Möchten Sie noch Kaffee?
B: Ja, gern. / Nein, danke.

A: Möchten Sie keinen Kaffee mehr?
B: Doch, bitte. / Nein, danke.

es

Es regnet. | Es hat geblitzt. | Heute ist es bewölkt.

Das Wort es hat oft keine eigene Bedeutung. Man braucht es aber für die Struktur von Sätzen. Es ersetzt dann das fehlende Subjekt.

Lernen lernen

einen Text korrigieren

1. Schreiben Sie zunächst einen kompletten Text.

2. Lesen Sie den Text mehrmals. Konzentrieren Sie sich bei jedem Lesen auf ein Problem. z.B.:

> Ist die Wortstellung richtig (z.B. Verb auf Pos. 2 im Aussagesatz)?
> Sind die Verben richtig konjugiert?
> Sind die Nomen groß geschrieben?
> …

Nehmen Sie das Wörterbuch, die Grammatik in eurolingua oder das Lernerhandbuch zu Hilfe, wenn Sie nicht sicher sind.

3. Schreiben Sie die korrigierten Teile im Satz neu.

4. Machen Sie eine Fehlerstatistik. Welches sind häufige Fehler?
Achten Sie beim nächsten Text besonders auf diese Fehler.

Einheit 15: *Wie geht es dir?*

- Körperteile benennen
- fragen/sagen, wie es geht
- über Krankheiten sprechen
- ein Gedicht schreiben
- Wiederholung: Imperativ

1 **Was machen die Leute für ihre Gesundheit? Verbinden Sie die Ausdrücke und ergänzen Sie die Nummern.**

im Garten	☐ putzen
nicht	☐ joggen
zum Arzt	☐ spazieren gehen
oft	6 essen
Obst und Gemüse	☐ lachen
Zähne	☐ machen
im Park / im Wald	☐ arbeiten
einen Mittagsschlaf	☐ gehen
	☐ rauchen

2 **Ordnen Sie zu und sammeln Sie weitere Wörter.**

Essen	Sport	andere
		Zähne putzen

Ich mache dreimal pro Tag/Woche/Monat Sport.

Ich esse wenig Schokolade.

3 **Gesundheits-Check: Was tun Sie für Ihre Gesundheit?**

1 Der Körper

1.1 Schreiben Sie schon bekannte Wörter auf die Linien. Hören Sie dann die CD und ergänzen Sie.

der Hals > die Schulter > die Haare > die Stirn > das Knie > der Fuß > die Zehe > der Kopf > das Gesicht > der Arm > die Hand > der Finger > der Rücken > der Po > die Brust > der Bauch > das Bein > das Auge > das Ohr > die Nase > der Mund > der Zahn > das Kinn

das Ohr

1.2 Suchrätsel: Sie finden hier 14 Körperteile im Plural. Welche? Schreiben Sie die Formen heraus.

K	Ö	P	F	E	Z	E	H	E	N	X
N	A	S	E	N	F	A	B	T	I	U
I	R	B	C	D	Ü	Z	Ä	H	N	E
E	M	O	N	E	ß	R	U	U	H	H
B	E	I	N	E	E	Y	C	N	Ä	Ä
O	H	R	E	N	E	S	H	D	L	N
Z	G	Q	F	I	N	G	E	R	S	D
G	E	S	I	C	H	T	E	R	E	E

1.3 Hören sie noch einmal die Vokabeln aus 1.1. Zeigen Sie auf die Körperteile.

1.4 Welche Körperteile braucht man wozu? Hier sind zehn Verben. Wählen Sie fünf aus und schreiben Sie die passenden Körperteile dazu. Erklären Sie danach wie im Beispiel.

Zum Essen brauche ich viele Körperteile. Den Mund ...

1. essen
2. küssen
3. Rad fahren
4. riechen
5. SMS schreiben
6. schwimmen
7. spazieren gehen
8. diskutieren
9. Klavier spielen
10. Zelt aufbauen

zum Essen
zum Küssen
...

1.5 Ähnlichkeiten – Sehen Sie das Bild an und hören Sie das Gedicht. Schreiben Sie dann ein Gedicht über sich.

Taufe
Die Stirn wie der Vater
Die Nase wie die Mutter
Das Kinn wie die Oma
Die Ohren wie die Tante Tine
Die Augen wie Onkel Willi
Die Hände wie das Brüderchen
Der Popo wie das Schwesterchen -
Es ist zum Aus-der-Haut-Fahren

Manfred Hausin

Ich Die Hände wie mein Opa
Meine Haare wie Tante Anke
Mein Bauch wie ...

2 Haben Sie Schmerzen?

2.1 Schreiben Sie die Sätze 1 bis 6 in die passenden Sprechblasen.

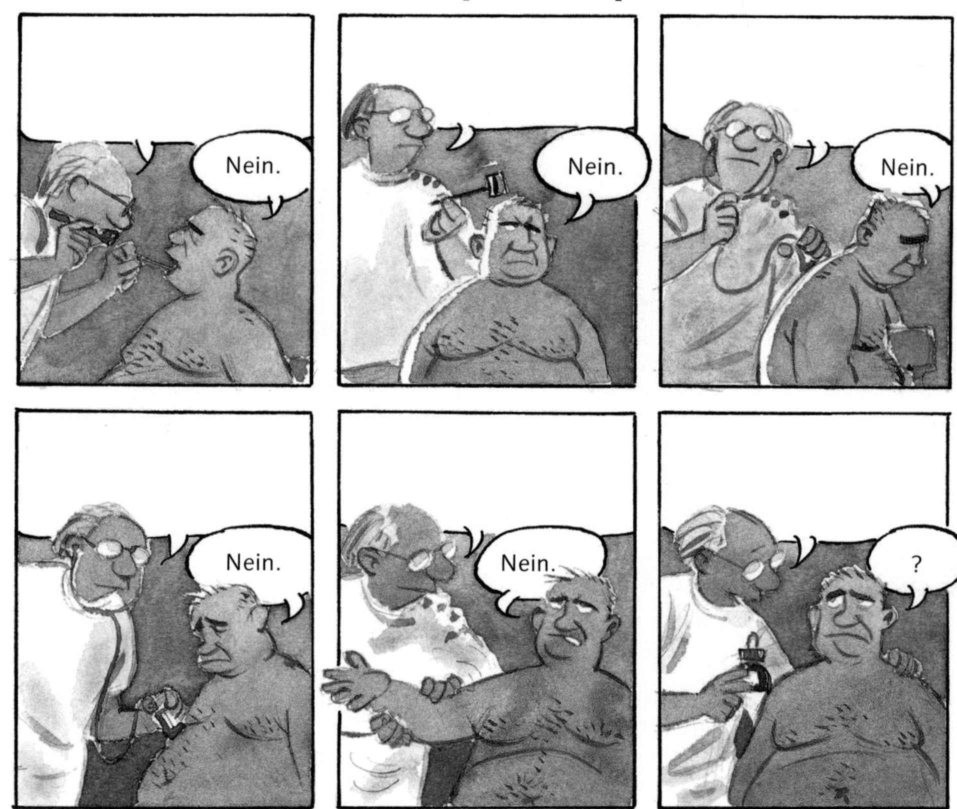
Nein.
Nein.
Nein.
Nein.
Nein.
?

1. Tut der Arm weh?
2. Gut, dann nehmen Sie diese Tropfen dreimal täglich.
3. Haben Sie Kopfschmerzen?
4. Sagen Sie mal „A". Haben Sie Halsschmerzen?
5. Haben Sie Bauchschmerzen?
6. Haben Sie Rückenschmerzen?

2.2 Was machen Sie? Fragen und antworten Sie im Kurs.

Ich gehe ins Bett.
Ludmilla, du hast Bauchschmerzen. Was machst du?

Sie haben ... / Du hast ...

... Bauchschmerzen.
... Rückenschmerzen.
Dann nimm doch eine Tablette.
... Halsschmerzen.
... Zahnschmerzen.
viel schlafen
... Erkältung.
viel Tee trinken
... Husten.
... Schnupfen.
... Fieber.
... schlechte Laune.
...

Was machen Sie/machst du?

Ich denke einfach nicht daran.
Ich nehme Tropfen / Tabletten / einen Whisky/ ...
Ich warte einfach ab.
Ich gehe sofort zum Arzt.
Ich gehe ins Bett.
Ich gehe spazieren.
Ich trinke einen Tee.

2.3 Was machen Sie bei ... ? Sammeln Sie Tipps im Kurs.

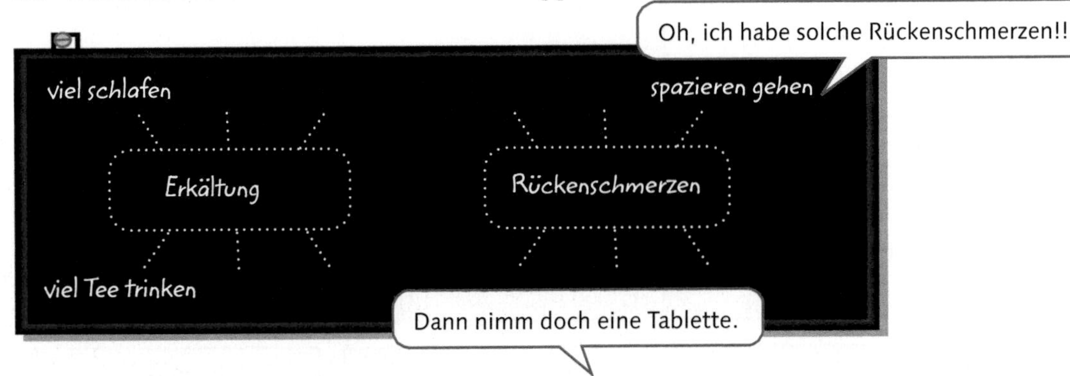

2.4 Bei der Hausärztin. Lesen Sie zuerst die Sätze 1 bis 10. Hören Sie dann den Dialog. Was ist richtig? Kreuzen Sie die richtigen Sätze an und lesen Sie vor.

1. ☐ Die Frau hat kein Fieber.
2. ☐ Ihre Nase läuft.
3. ☐ Der Hals ist rot.
4. ☐ Die Frau hat Bauchschmerzen.
5. ☐ Sie ist schon seit einer Woche krank.
6. ☐ Die Ärztin sagt, sie muss im Bett bleiben.
7. ☐ Die Ärztin verschreibt Tabletten gegen Kopfschmerzen.
8. ☐ Die Ärztin sagt, sie muss in einer Woche wiederkommen.
9. ☐ Sie muss Tropfen gegen Halsentzündung nehmen.
10. ☐ Sie darf nicht rauchen und keinen Alkohol trinken.

2.5 Hören Sie den Dialog noch einmal. Lesen Sie jetzt mit und spielen Sie den Dialog.

A: Was fehlt Ihnen, Frau Brahms?
B: Ich habe Halsschmerzen und meine Nase läuft.
A: Sagen Sie mal A!
B: Aaaaahhh…
A: Ihr Hals ist ganz rot. Wie lange haben Sie das schon?
B: Noch nicht lange. Vielleicht drei Tage.
A: Haben Sie auch Fieber?
B: Ja, heute Morgen hatte ich 39 Grad!
A: Ich verschreibe Ihnen Tabletten gegen die Halsschmerzen und Nasentropfen. Von den Tabletten nehmen Sie drei am Tag. Immer nach dem Essen. Hier ist das Rezept.
B: Vielen Dank.
A: Bleiben Sie heute und morgen im Bett. Sie müssen sich ausruhen. Und kommen Sie bitte nächste Woche wieder. Brauchen Sie eine Krankmeldung für den Arbeitgeber?
B: Ja, bitte.
A: Gut, dann schreibe ich Sie bis Freitag krank. Und noch etwas: Bitte keine Zigaretten und keinen Alkohol.
B: Danke, Frau Doktor, auf Wiedersehen.
A: Auf Wiedersehen, Frau Brahms. Gute Besserung!

2.6 Ein kleiner Unfall. Sehen Sie sich die Geschichte an. Beschreiben Sie. Was ist passiert?

spazieren gehen > Zeitung lesen > auf einer Bananenschale ausrutschen > Hose kaputt > in ein Kleidergeschäft gehen > neue Hose kaufen > …

2.7 Hatten Sie auch schon einmal einen Unfall? Berichten Sie im Kurs.

3 Über Krankheiten sprechen

3.1 Sehen Sie das Bild an und lesen Sie die Sätze. Hören Sie dann das Telefongespräch.

- [1] Monika Brahms.
- [ ] Danke, das ist lieb! Bis gleich.
- [ ] Du musst ins Bett! Kann ich etwas für dich tun? Vielleicht in der Apotheke etwas holen?
- [ ] Hallo Monika. Was hast du denn? Bist du krank?
- [ ] Hallo Fabian. Mir geht es nicht so gut. Ich habe Fieber …
- [ ] Hast du auch Halsschmerzen?
- [ ] Ich komme gleich.
- [ ] Ja, danke. Ich war heute Morgen schon beim Arzt. Ich habe ein Rezept für Tabletten und Nasentropfen.
- [ ] Ja, und mein Kopf tut weh.

3.2 Ordnen Sie nun den Dialog und schreiben ihn auf. Kontrollieren Sie mit der CD. Lesen Sie danach den Dialog zu zweit.

B 19

3.3 Schreiben Sie Mini-Dialoge und spielen Sie im Kurs. Der Dialogbaukasten hilft.

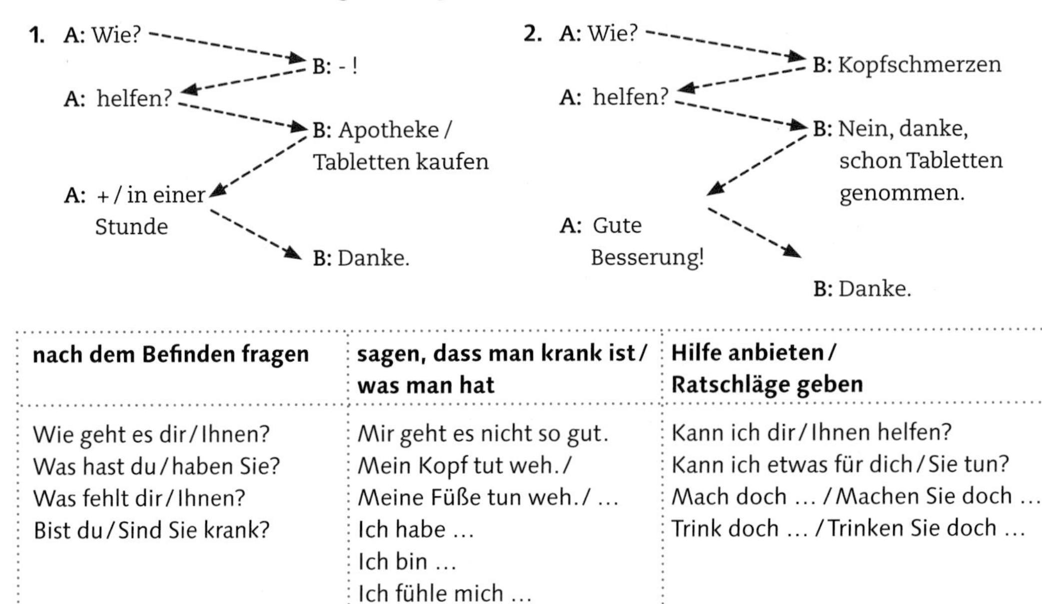

1. **A:** Wie? → **B:** - !
A: helfen? → **B:** Apotheke / Tabletten kaufen
A: + / in einer Stunde → **B:** Danke.

2. **A:** Wie? → **B:** Kopfschmerzen
A: helfen? → **B:** Nein, danke, schon Tabletten genommen.
A: Gute Besserung! → **B:** Danke.

nach dem Befinden fragen	sagen, dass man krank ist / was man hat	Hilfe anbieten / Ratschläge geben
Wie geht es dir / Ihnen? Was hast du / haben Sie? Was fehlt dir / Ihnen? Bist du / Sind Sie krank?	Mir geht es nicht so gut. Mein Kopf tut weh. / Meine Füße tun weh. / … Ich habe … Ich bin … Ich fühle mich …	Kann ich dir / Ihnen helfen? Kann ich etwas für dich / Sie tun? Mach doch … / Machen Sie doch … Trink doch … / Trinken Sie doch …

Info: *Wenn jemand krank ist, wünscht man* ***Gute Besserung****! Wenn jemand niest, sagt man* ***Gesundheit****!*

4 Was tut gut?

4.1 Betrachten Sie die Tabelle und kreuzen Sie an. Ergänzen Sie zwei weitere Dinge. Was machen Sie täglich, oft … ?(A). Fragen Sie dann Ihren Partner (B). Berichten Sie im Kurs.

	täglich		**oft**		**manchmal**		**selten**		**nie**		**letzte Woche (+/-)**	
	A	B	A	B	A	B	A	B	A	B	A	B
etwas lesen												
nichts tun												
Freunde treffen												
lange schlafen												
spazieren gehen												
lecker essen												
Sport machen												
einen Film sehen												
Musik machen												
…												
…												

Herr Chaptal trifft seine Freunde oft. Letzte Woche hat er seine Freunde nicht getroffen.

4.2 Lesen Sie den Text. Was ist die Nordic Walking-Technik? Unterstreichen Sie wichtige Wörter. Das Wörterbuch hilft.

Nordic Walking

Im Sommer ist Nordic Walking bei Wintersport-Profis beliebt, in Norwegen ist es Volkssport. Nordic Walking ist eine gute Alternative zum Joggen und sehr leicht zu lernen. Die Technik kann man mit der Skilanglauftechnik vergleichen: Die Füße zeigen gerade nach vorne. Die Schultern sind locker und entspannt. Das rechte Bein und der linke Arm kommen zusammen nach vorne, danach das linke Bein und der rechte Arm.

Die Stöcke hält man nah am Körper. Sie sind gut für den Rücken und die Knie. Die Bauch-, Brust-, Arm- und Beinmuskeln sind aktiv. Nordic Walking ist besonders gut für Leute mit zu viel Gewicht oder mit Rückenproblemen.

Bei Nordic Walking produziert der Körper nach etwa dreißig Minuten Glückshormone. Das nennt man auch „Runners high". Man ist besonders kreativ und hat oft gute Ideen.

4.3 Machen Sie die Bewegungen im Kurs.

So geht's

Kommunikation

fragen, wie es geht	**sagen, wie es geht**	**Hilfe anbieten / Ratschläge geben**
Wie geht es dir /Ihnen? Was hast du / haben Sie? Was fehlt dir /Ihnen? Bist du / Sind Sie krank?	Mir geht es nicht gut. Mein Arm tut weh. / Meine Beine tun weh. Ich habe Halsschmerzen / Rückenschmerzen. Ich fühle mich krank.	Kann ich dir / Ihnen helfen? Kann ich etwas für dich / Sie tun? Trink doch / Trinken Sie doch einen Tee.

Lernen lernen

A 13 **schwierigen Wortschatz pantomimisch lernen**

a. Wortschatz sammeln und auf Karten schreiben
b. Bewegungen / Gesten erfinden
c. vorspielen und raten

Einheit 16: *Meine vier Wände*

- Wohnungen beschreiben
- etwas begründen
- Konjunktionen *und / aber / denn*
- Graduierung mit *zu... / nicht... genug*
- Sätze und Texte

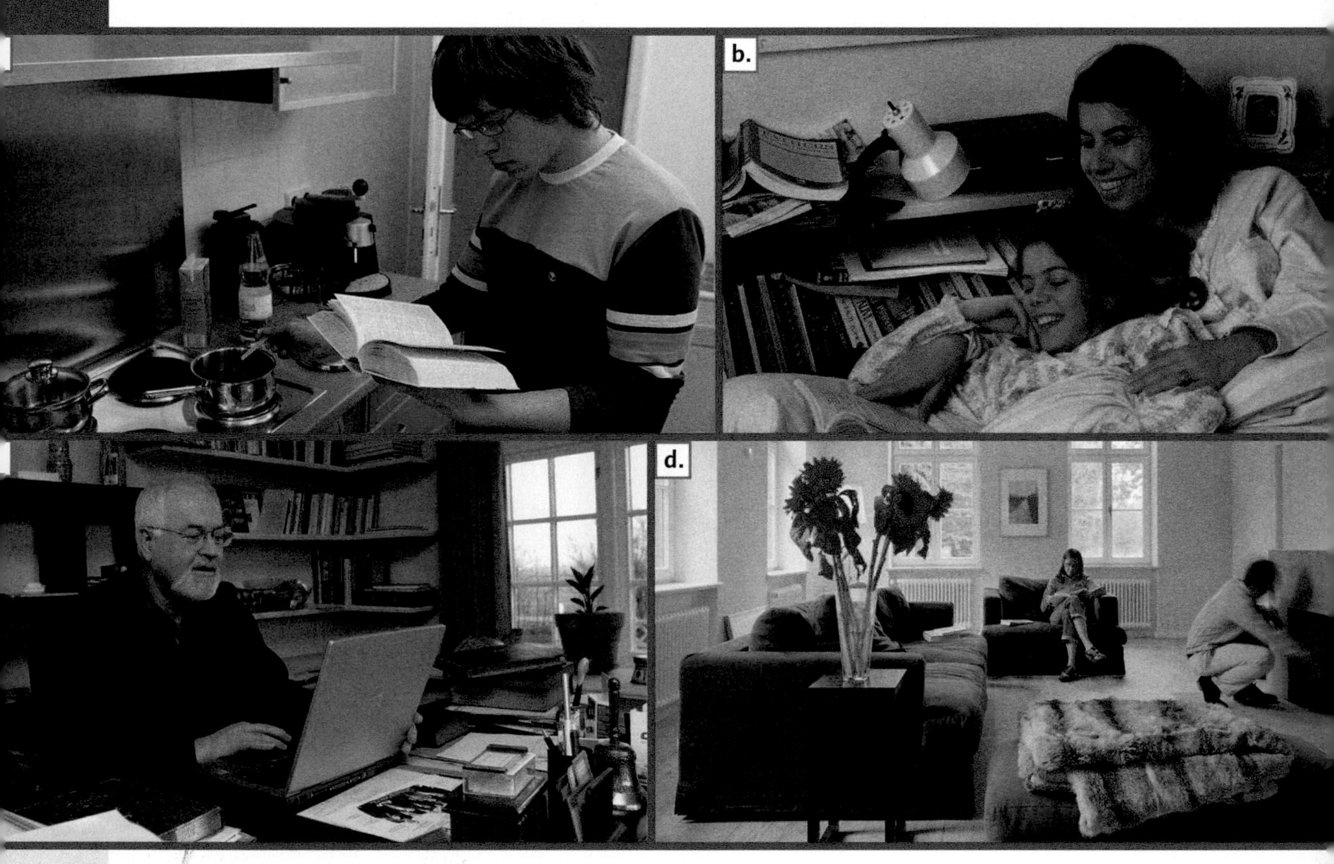

1 **Wie heißen die Räume auf den Fotos? Ordnen Sie zu.**

das Schlafzimmer > das Kinderzimmer > das Wohnzimmer > das WC/die Toilette > die Küche > das Arbeitszimmer > das Badezimmer > der Flur

2 **Was ist Ihr Lieblingsraum? Was machen Sie da?**

Mein Lieblingsraum ist das Schlafzimmer.

Am Wochenende bleibe ich lange im Bett und höre Musik.

3 **Woran denken Sie bei dem Wort *Wohnung*? Machen Sie ein Wörternetz.**

Wohnung, Freizeit, Familie, fernsehen, warm, kochen, besuchen, Kinder, laut, spielen, ...

1 Meine vier Wände

1.1 **Schreiben Sie die Zahlen zu den Wörtern. Ergänzen Sie die Artikel und Pluralformen. Die Wortliste im Anhang oder das Wörterbuch helfen.**

1	.... Fenster /......................	7	.... Teppich /......................		.... Computer /....................
2	.... Balkon /......................	8	.... Lampe /......................		.... Bett /......................
3	.... Fußboden /......................	9	.... Sofa /......................		.... Stuhl /......................
4	.... Hi-Fi-Anlage /...............	10	.... Vase /......................		.... Tisch /......................
5	.... Vorhang /......................	11	.... Regal /......................		.... Tür /......................
6	.... Tapete /......................	12	.... Wand /......................		.... Bild /......................

1.2 **Was ist wo? Wählen Sie einen Raum aus und beschreiben Sie ihn.**

in der Mitte rechts / links		
rechts / links	neben hinter vor an (am)	dem Fenster / der Tür / der Lampe / ...
	auf über	dem Tisch / dem Regal / ...
	unter	der Lampe / dem Fenster ...
	zwischen	dem Schrank und dem Stuhl / ...
	im Regal	

Der Tisch steht in der Mitte. Auf dem Tisch steht eine Tasse...

1.3 **Zeichnen Sie Ihr Traum-Wohnzimmer. Beschreiben Sie dieses Zimmer Ihrer Partnerin / Ihrem Partner. Sie / Er zeichnet das Zimmer auf. Vergleichen Sie und wechseln Sie dann.**

1.4 **Wortschatz systematisch lernen. Hier ist ein Vorschlag. Sammeln Sie weitere Ideen im Kurs.**

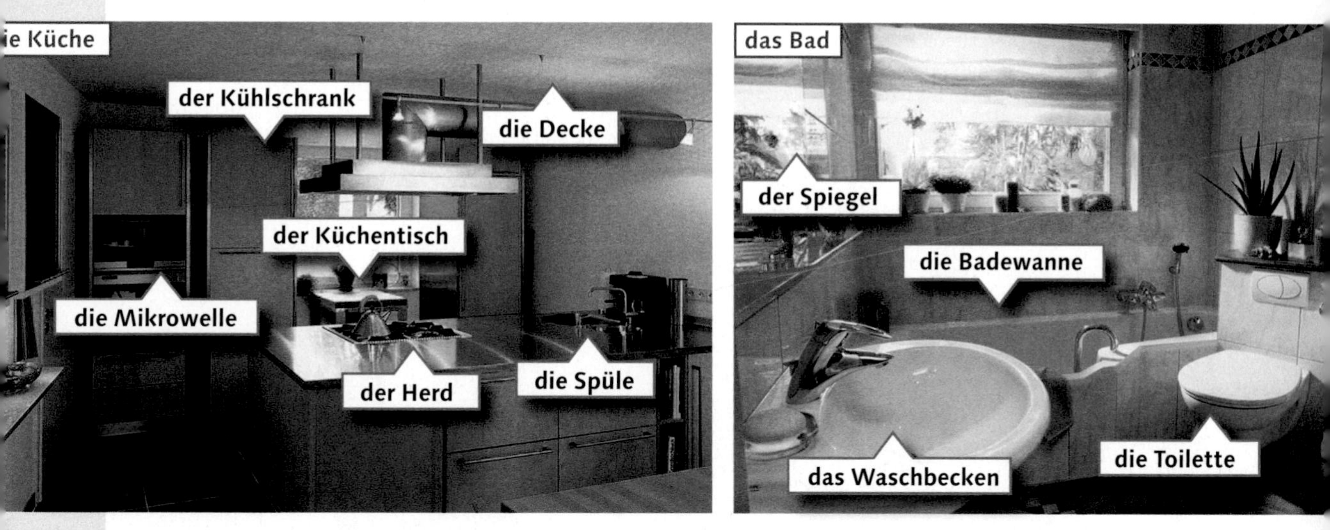

1.5 **Geräusche in der Wohnung. Was hören Sie? In welchem Zimmer sind die Leute?**

1. Dusche .... Badezimmer ....
2. ....
3. ....
4. ....
5. ....
6. ....

2 *zu ... / nicht ... genug*

2.1. **Sehen Sie das Bild an und lesen Sie. Was bedeutet *nicht groß genug* und *zu dick?***

Das T-Shirt ist nicht groß genug!
Nein. Du bist zu dick!

2.2 **Ordnen Sie zu.**

1. Der Schrank ist zu groß.
2. Der Schrank ist groß.
3. Der Schrank ist nicht groß genug.

☐ **a.** Der Schrank ist voll. Die Winterpullover passen nicht mehr hinein.
☐ **b.** Der Schrank passt nicht in mein Zimmer.
☐ **c.** Meine Sachen passen komplett in den Schrank.

2.3 **Machen Sie eigene Sätze mit *zu* ... und *nicht* ... *genug*.**

Der Computer ist zu alt. Er ist nicht schnell genug.

Ich finde, dein Fahrrad ist zu langsam.

Nein, es ist schnell genug.

3 Menschen und ihre Wohnungen

3.1 Sehen Sie sich die Bilder in 1.1 noch einmal an. Wer wohnt hier? Schreiben Sie einen „Steckbrief" zu den Personen. Berichten Sie im Kurs.

Mann/Frau?
Alter:
Familienstand:
Kinder:
Beruf:
Einkommen in Euro:
Hobbys:
Ich glaube, in Zimmer 2 wohnt ein Ehepaar. Die Frau liebt Blumen und der Mann … . Was meint ihr?

3.2 Lesen Sie die Texte und unterstreichen Sie Wörter zum Thema „Wohnen". Ordnen Sie dann den Wortschatz in Gruppen (z.B. Zimmer, Häuser/Wohnungen, Eigenschaften, ...).

1. Ashley Wood und ihr Sohn Bernhard wohnen in einem Reihenhaus in Edingen. Im Erdgeschoss sind das Wohn- und Esszimmer, die Küche und eine kleine Toilette. Schlafzimmer, Bad und Kinderzimmer sind im ersten Stock. Das Haus hat einen Garten und einen Keller. Ashley arbeitet in Ludwigshafen. Sie muss jeden Tag 20 Kilometer zur Arbeit fahren. Das ist weit, aber sie lebt gerne in einem Dorf. Dort ist es ruhig und grün.

2. Gerhard Hein ist 66 Jahre alt. Er ist Rentner und lebt mit seiner Frau Luise in Berlin. Sie wohnen zur Miete in einer Altbauwohnung. Die Heins haben viel Kontakt mit den Nachbarn. In dem Haus wohnen zwölf Familien. Frau Hein sagt, ihr und ihrem Mann gefällt es gut in dem Haus. Die Wohnung hat aber zwei Probleme. Die Heins müssen zu Fuß in den vierten Stock, denn das Haus hat keinen Aufzug. Und im Winter kann man die Wohnung schlecht heizen, denn die Zimmer sind sehr hoch.

3. Anke Wiggermann ist Studentin in Göttingen. Sie ist mit ihrer Freundin Sandra in eine Drei-Zimmer-Wohnung gezogen. Sie wohnen zusammen in einer WG (Wohngemeinschaft). Anke hat ein Zimmer und Sandra hat auch ein Zimmer. Sie teilen sich das Wohnzimmer, die Küche und das Bad. Vorher hat Anke allein in einem Ein-Zimmer-Appartment gewohnt. Das war zu laut und nicht hell genug. Jetzt kann sie gut lernen, denn die Wohnung ist ruhig. Zur Universität brauchen die zwei nur fünf Minuten mit dem Fahrrad.

4. Familie Gansen wohnt mit ihren Kindern Pia (10) und Alexander (6) in einer Sozialwohnung in einem Hochhaus in Mannheim. Die Wohnung hat drei Zimmer. Ein Wohnzimmer, ein Schlafzimmer und ein Kinderzimmer. Die Wohnung ist 80 m² groß. Das ist klein für vier Personen, aber die Gansens können keine große Wohnung bezahlen. Herr Gansen ist Maurer und seine Frau arbeitet halbtags als Verkäuferin. Die Schule für die Kinder ist in der Nähe, aber es gibt keinen Spielplatz.

3.3 **Welche der Bilder A – E passen zu den Texten? Nennen Sie Gründe. Ein Bild passt nicht.**

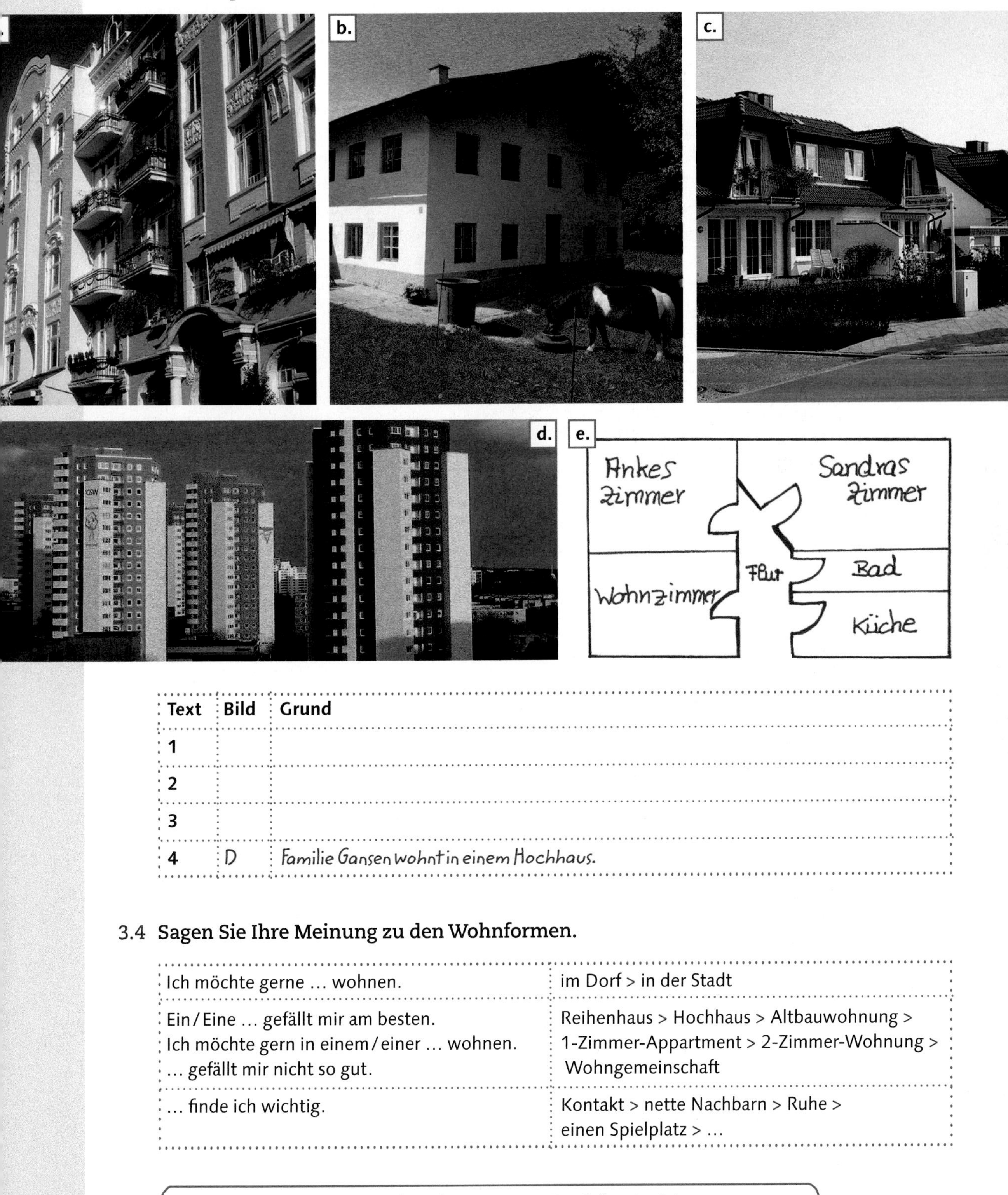

Text	Bild	Grund
1		
2		
3		
4	D	Familie Gansen wohnt in einem Hochhaus.

3.4 **Sagen Sie Ihre Meinung zu den Wohnformen.**

Ich möchte gerne … wohnen.	im Dorf > in der Stadt
Ein/Eine … gefällt mir am besten. Ich möchte gern in einem/einer … wohnen. … gefällt mir nicht so gut.	Reihenhaus > Hochhaus > Altbauwohnung > 1-Zimmer-Appartment > 2-Zimmer-Wohnung > Wohngemeinschaft
… finde ich wichtig.	Kontakt > nette Nachbarn > Ruhe > einen Spielplatz > …

Ich möchte gerne in der Stadt wohnen. Eine WG gefällt mir nicht so gut.
Ich möchte in einem 1-Zimmer-Appartment wohnen. Ruhe finde ich wichtig.

4 und/aber/denn

4.1 Sätze und Text. Lesen Sie die linke und die rechte Spalte. Was ist an der rechten Spalte anders? Markieren Sie die Unterschiede.

Martin und Heike Held leben in Augsburg.
Martin arbeitet bei der Sparkasse.
Heike arbeitet im Kindergarten.
Martin und Heike haben eine neue Wohnung gesucht.
Martin und Heike bekommen ein Baby.
Martin und Heike ziehen bald um.
Die neue Wohnung ist teuer.
Die neue Wohnung hat auch ein Kinderzimmer.
Martin muss jetzt lange zur Arbeit fahren.
In der Straße der neuen Wohnung ist ein Spielplatz.

Martin und Heike Held leben in Augsburg. Martin arbeitet bei der Sparkasse und Heike arbeitet im Kindergarten. Sie haben eine neue Wohnung gesucht, denn Martin und Heike bekommen ein Baby. Sie ziehen bald um. Die neue Wohnung ist teuer, aber sie hat auch ein Kinderzimmer. Martin muss jetzt lange zur Arbeit fahren, aber in der Straße der neuen Wohnung ist ein Spielplatz.

C 86

4.2 Markieren Sie in 3.2 und 4.1 die Sätze mit *und*, *aber* und *denn* und schreiben Sie eine Tabelle ins Heft.

Hauptsatz I	und/aber/denn	Hauptsatz II
Das ist weit;	aber	sie lebt gerne auf dem Dorf.
Er ist Rentner	und	(er) lebt mit seiner Frau Luise in Berlin ...

Info: *Wenn man zwei Hauptsätze mit* ***und*** *oder* ***aber*** *verbindet und das Subjekt in beiden Hauptsätzen gleich ist, kann man es im zweiten Satz weglassen. (Bsp.: Ich mache gern Sport, aber kann nicht Fußball spielen.)*

4.3 Verbinden Sie die Sätze mit *und*, *denn* oder *aber*.

	und / denn / aber	
1. Frau Müller ist Deutschlehrerin		sie isst gerne Schokolade.
2. Ich mache gerne Sport		ich kann nicht Fußball spielen.
3. Norma und Julian haben „Titanic" nicht gesehen		der DVD-Player hat nicht funktioniert.
4. Frau Hein gefällt es gut in dem Haus		sie hat viel Kontakt.
5. Die Wohnung von Familie Gansen ist 80 m² groß		sie ist viel zu klein für vier Personen.

4.4 Ergänzen Sie die Sätze.

1. ...., denn ich habe kein Geld.
2. ...., denn ich war krank.
3. ...., denn es hat geregnet.
4. ...., denn wir hatten keine Zeit.
5. ...., denn es ist zu spät.
6. ...., denn ich habe viel gelernt.

4.5 **Schreiben Sie je zwei Sätze. Benutzen Sie *und*, *aber*, *denn*.**

4.6 **In 4.1 haben Sie gesehen, wie man aus Sätzen einen Text machen kann. Schreiben Sie nun aus den folgenden Sätzen einen Text ins Heft.**

1. Heike Held ist 28 Jahre alt.
2. Heike Held ist verheiratet.
3. Heike Held zieht nächsten Monat mit ihrem Mann in eine neue Wohnung.
4. Heike Held bekommt ein Baby.
5. Heike Held freut sich auf die neue Wohnung.
6. Die neue Wohnung ist teuer.

4.7 **Beschreiben Sie sich und Ihre Wohnung.**

5 Im Arbeitszimmer

5.1 **Was ist was? Ordnen Sie zu. Welche Wörter kennen Sie schon?**

1. ☐ die Tastatur	3. ☐ die CD	5. ☐ der Lautsprecher	7. ☐ der Drucker
2. ☐ der Bildschirm	4. ☐ der DVD-Brenner	6. ☐ die Maus	8. ☐ der Kopfhörer
			9. ☐ die Kamera

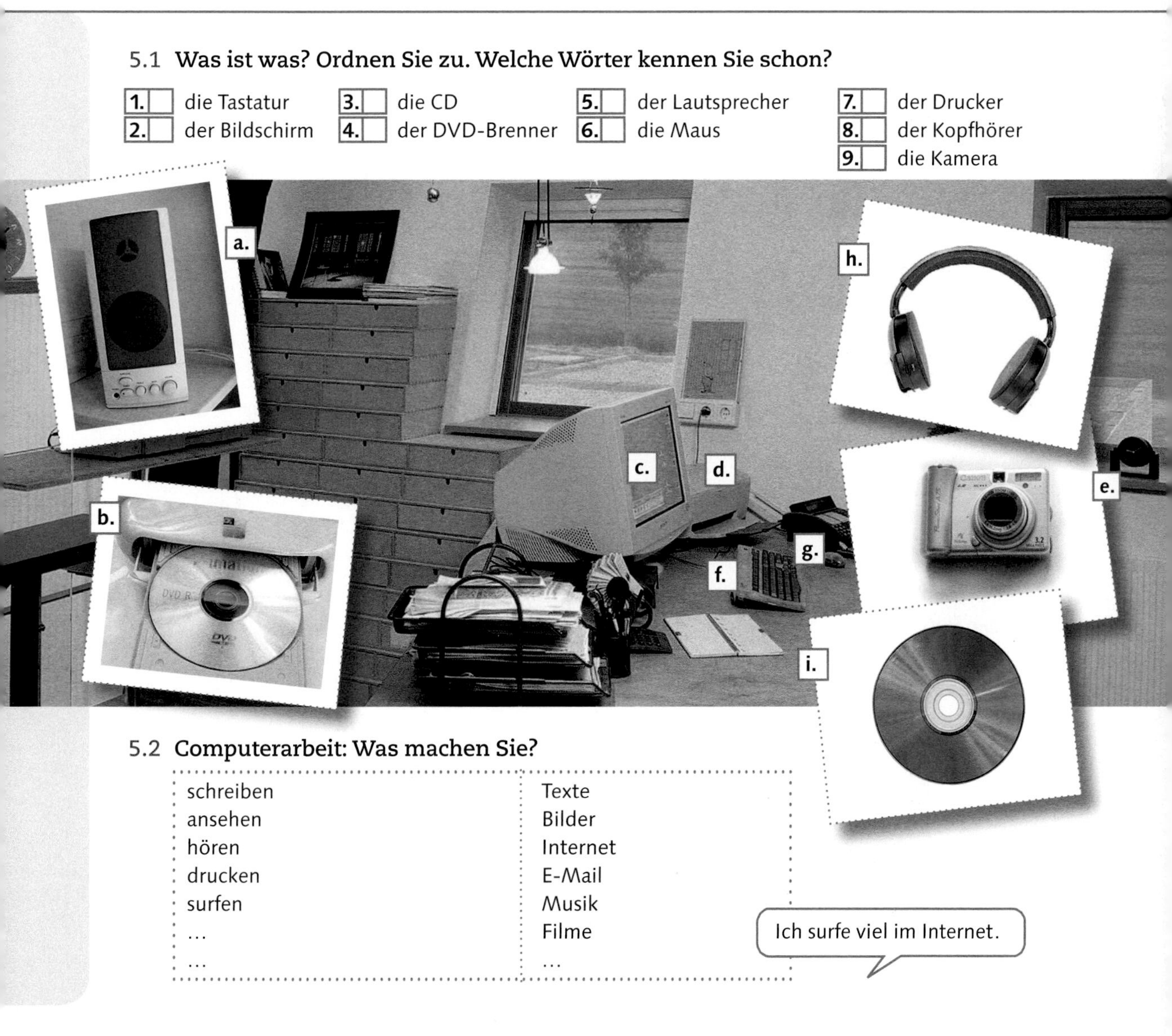

5.2 **Computerarbeit: Was machen Sie?**

schreiben	Texte
ansehen	Bilder
hören	Internet
drucken	E-Mail
surfen	Musik
…	Filme
…	…

Ich surfe viel im Internet.

So geht's

Kommunikation

Wohnungen beschreiben

Wir wohnen in einer Drei-Zimmer-Wohnung in einem Hochhaus. Die Wohnung ist im achten Stock. Im Wohnzimmer haben wir ein Sofa, einen Wohnzimmertisch und einen Wohnzimmerschrank, eine Stehlampe und an der Wand ein Bild von Picasso.

etwas begründen

Ich kann heute nicht kommen, denn ich muss zum Arzt gehen.

Grammatik

***und, aber, denn* (Konjunktionen, die Hauptsätze verbinden)**

Egon kocht gern. Er kauft auch gern ein. Egon kocht gern **und** (er) kauft auch gern ein.

Die Konjunktionen *und*, *aber* und *denn* stehen zwischen zwei Hauptsätzen. Die Wortstellung bleibt in beiden Sätzen gleich.

***zu … / nicht … genug* (Graduierung der Adjektive)**

Unsere Küche ist **zu** klein. Wir können nicht zu zweit kochen. Der Kühlschrank ist **nicht** groß **genug**. Wir müssen jeden zweiten Tag einkaufen gehen.

Sätze und Text

Sätze	Text
Thomas sucht eine neue Wohnung. Thomas braucht ein Arbeitszimmer. Thomas möchte auch einen Garten haben.	Thomas sucht eine neue Wohnung, **denn** er braucht ein Arbeitszimmer **und** (er) möchte auch einen Garten haben.

A 19 **Lernen lernen**

über das eigene Lernen nachdenken

Wann? Wo? Mit wem? Mit welchen Hilfsmitteln? Wie kann man effektiv lernen?

Option 4

- Inhalte der Einheiten 13–16 wiederholen
- ein Gedicht
- Phonetik: Rhythmus (Kontrastakzent), Aussprache (das rollende und das stumme *r*)
- Selbstevaluation: Was kann ich?
- Rückblick: **euro**lingua **Deutsch 1**
- Nachdenken über den Deutschkurs

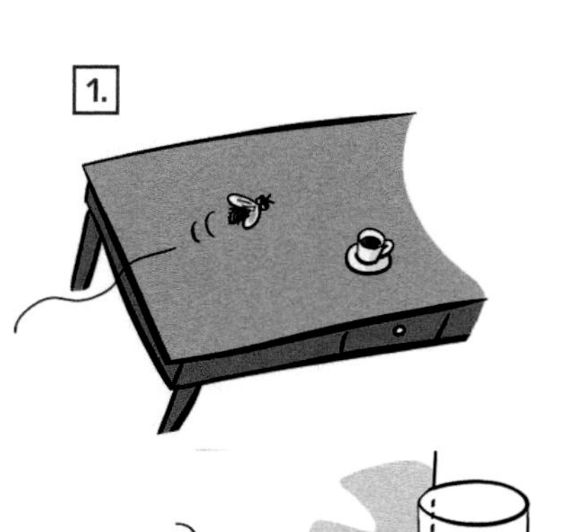

1 Ein Gedicht

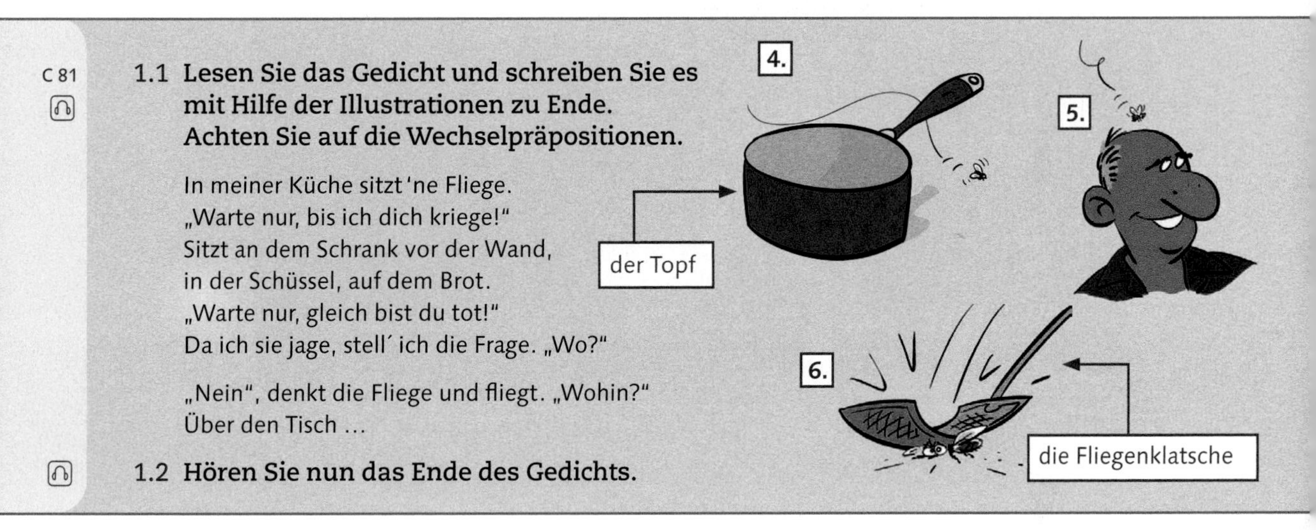

C 81

1.1 Lesen Sie das Gedicht und schreiben Sie es mit Hilfe der Illustrationen zu Ende. Achten Sie auf die Wechselpräpositionen.

In meiner Küche sitzt 'ne Fliege.
„Warte nur, bis ich dich kriege!"
Sitzt an dem Schrank vor der Wand,
in der Schüssel, auf dem Brot.
„Warte nur, gleich bist du tot!"
Da ich sie jage, stell´ ich die Frage. „Wo?"

„Nein", denkt die Fliege und fliegt. „Wohin?"
Über den Tisch …

1.2 Hören Sie nun das Ende des Gedichts.

2 Sebastian fährt zu seiner Schwester

2.1 Hören Sie das Telefonat. Warum fährt Sebastian zu seiner Schwester?

2.2 Wie ist die Reihenfolge der Bilder? Hören Sie zur Kontrolle.

2.3 Schreiben Sie die Geschichte von Sebastian und seiner Schwester in der Vergangenheit. Benutzen sie die Wörter unten.

anrufen > Unfall haben > gleich zum Bahnhof fahren > eine Fahrkarte kaufen > zum Gleis 6 gehen > auf den Zug warten > …

3 An der Straßenbahnhaltestelle

Suchen Sie sich eine der Personen aus, geben Sie ihr einen Namen und schreiben Sie eine „Biografie".

- Alter?
- Beruf?
- Familie?
- Alltag?
- Hobbys?
- …

- Woher kommt die Person gerade?
- Wohin fährt sie?
- Was hat die Person heute gemacht?
- Wie ist ihr Tagesablauf?
- Was macht sie gerne oder nicht gerne?
- …

4 Bildergeschichte

4.1 Schauen Sie die Bildergeschichte an und hören Sie die CD. Ein Bild fehlt. Wie sieht das Bild aus? Beschreiben Sie es oder zeichnen Sie.

4.2 Spielen Sie die Geschichte zu dritt.

5 Fünfzig Wörter

5.1 **Hier sind 50 Wörter in alphabetischer Reihenfolge. Ordnen Sie sie in Gruppen. Wie? Das bestimmen Sie. Es gibt viele Möglichkeiten. Schreiben Sie Ihre Wortfelder auf ein großes Blatt. Vergleichen Sie Ihre Ergebnisse im Kurs.**

arbeiten	Fahrrad	heiraten	laufen	spielen
Arzt	Ferien	heute	leicht	teuer
aufstehen	fernsehen	hören	Liter	Tochter
Bein	Fest	interessant	manchmal	toll
Bleistift	frühstücken	kaufen	Meter	trinken
breit	Fußball	Kino	Musik	umziehen
Computer	gestern	klein	oft	warm
erzählen	Glückwunsch	lachen	regnen	Weihnachten
Euro	groß	Lampe	samstags	Wohnzimmer
fahren	Hand	langsam	scheußlich	Zeitung

5.2 **Können Sie die Wortfelder mit weiteren Wörtern ergänzen?**

5.3 **Sie haben drei Minuten Zeit. Wie viele Nomen aus der Liste können sie mit Artikel und Pluralform nennen?**

5.4 **Markieren Sie alle Verben in der Liste und schreiben Sie zehn Verben mit Partizip II ins Heft.**

6 Phonetik: Rhythmus, Melodie und Aussprache

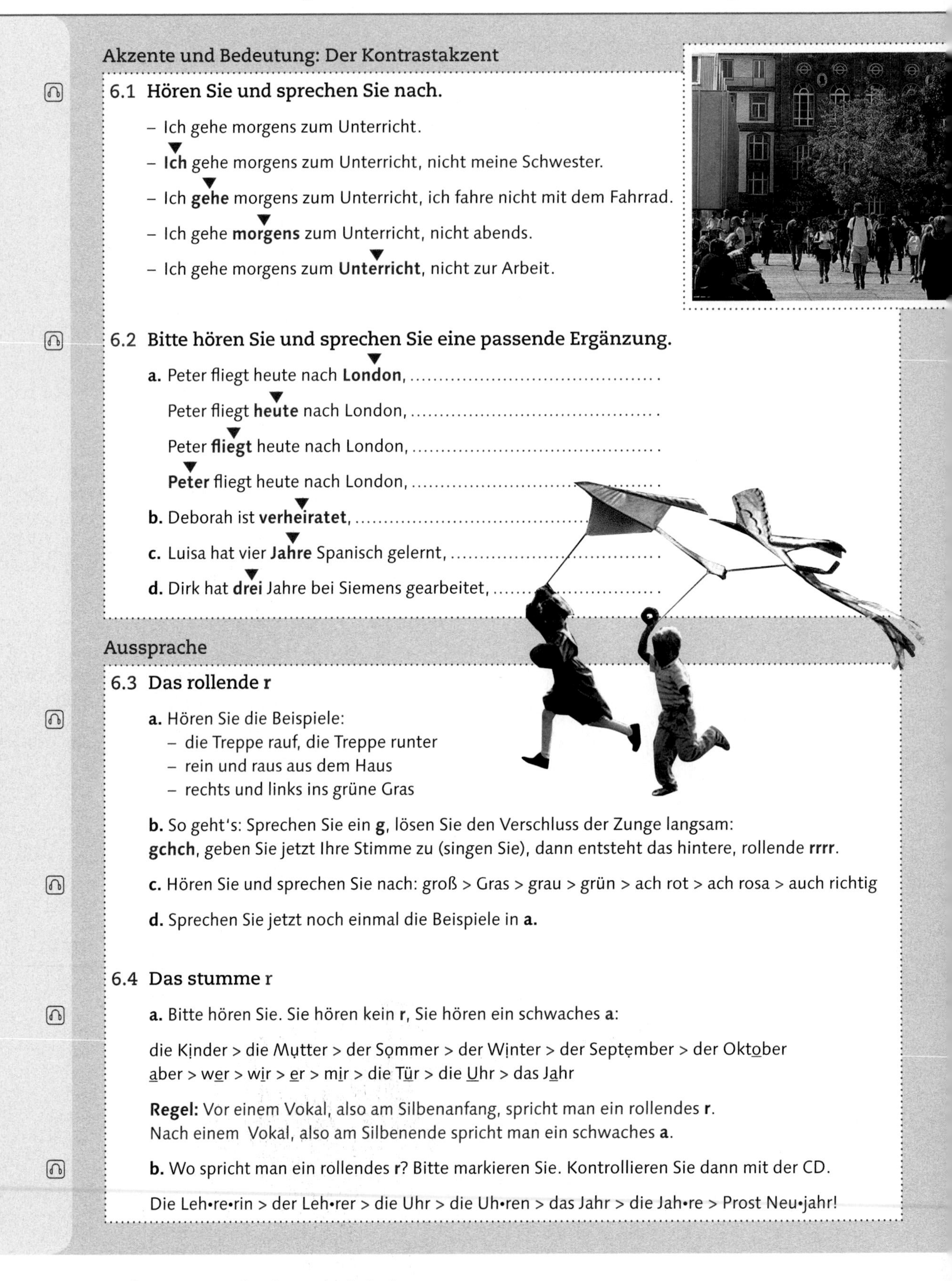

Akzente und Bedeutung: Der Kontrastakzent

6.1 Hören Sie und sprechen Sie nach.

- Ich gehe morgens zum Unterricht.
- **Ich** gehe morgens zum Unterricht, nicht meine Schwester.
- Ich **gehe** morgens zum Unterricht, ich fahre nicht mit dem Fahrrad.
- Ich gehe **morgens** zum Unterricht, nicht abends.
- Ich gehe morgens zum **Unterricht**, nicht zur Arbeit.

6.2 Bitte hören Sie und sprechen Sie eine passende Ergänzung.

a. Peter fliegt heute nach **London**, ...

Peter fliegt **heute** nach London, ...

Peter **fliegt** heute nach London, ...

Peter fliegt heute nach London, ...

b. Deborah ist **verheiratet**, ...

c. Luisa hat vier **Jahre** Spanisch gelernt, ...

d. Dirk hat **drei** Jahre bei Siemens gearbeitet, ...

Aussprache

6.3 Das rollende r

a. Hören Sie die Beispiele:
- die Treppe rauf, die Treppe runter
- rein und raus aus dem Haus
- rechts und links ins grüne Gras

b. So geht's: Sprechen Sie ein **g**, lösen Sie den Verschluss der Zunge langsam:
gchch, geben Sie jetzt Ihre Stimme zu (singen Sie), dann entsteht das hintere, rollende **rrrr**.

c. Hören Sie und sprechen Sie nach: groß > Gras > grau > grün > ach rot > ach rosa > auch richtig

d. Sprechen Sie jetzt noch einmal die Beispiele in **a.**

6.4 Das stumme r

a. Bitte hören Sie. Sie hören kein **r**, Sie hören ein schwaches **a**:

die Kịnder > die Mụtter > der Sọmmer > der Wịnter > der Septẹmber > der Oktober
aber > wer > wir > er > mir > die Tür > die Uhr > das Jahr

Regel: Vor einem Vokal, also am Silbenanfang, spricht man ein rollendes **r**.
Nach einem Vokal, also am Silbenende spricht man ein schwaches **a**.

b. Wo spricht man ein rollendes **r**? Bitte markieren Sie. Kontrollieren Sie dann mit der CD.

Die Leh•re•rin > der Leh•rer > die Uhr > die Uh•ren > das Jahr > die Jah•re > Prost Neu•jahr!

Selbstevaluation

1. Lesen Sie die Aussagen links und bearbeiten Sie dann die Aufgaben rechts.

1. Ich kann sagen, was ich gemacht habe.	Erzählen Sie. Gestern: 7:00 Uhr > 9:00 Uhr > 11:00 Uhr
2. Ich kann über Medien sprechen.	Wo? Wann? Wie lange?
3. Ich kann über das Frühstück sprechen.	Sagen Sie, was sie am Wochenende frühstücken.
4. Ich kann über das Wetter sprechen.	Es …
5. Ich kann Körperteile benennen.	
6. Ich kann fragen, wie es jemandem geht.	**1.** Wie .... es .... ? **2.** .... fehlt .... ? **3.** .... krank?
7. Ich kann sagen, wie es mir geht / welche Krankheit ich habe.	Jemand fragt, wie es Ihnen geht. Sie antworten:
8. Ich kann Wohnungen beschreiben.	Wo ist was? Beschreiben Sie.
9. Ich kann Hauptsätze mit *und / aber* oder *denn* verbinden.	**1.** Ich mag Musik, ... ich kann nicht singen. **2.** Ich gehe ins Bett .... ich lese ein Buch. **3.** Ich habe keine Zeit, ... ich muss arbeiten.

2 Markieren Sie ✓ für *kann ich* und **O** für *kann ich nicht so gut.*

3 Korrigieren Sie mit den Lösungen im Anhang. Wie ist Ihr Ergebnis? Ziehen Sie eine Bilanz.

++	+	–	– –

Das war **eurolingua Deutsch 1**

1 **Sehen Sie sich die Collage an. Was erkennen Sie? Wählen sie einige Bildausschnitte aus und schreiben Sie dazu einen oder zwei Sätze.**

2 **Hören Sie die CD. Erkennen Sie das Thema und die Situation? Welches Bild aus 1 passt zu welchem Hörtext?**

1. ☐ 2. ☐ 3. ☐ 4. ☐ 5. ☐

Nachdenken über den Deutschkurs

1 **Schreiben Sie Aussagen über den Deutschkurs. Die Stichwörter helfen.**

sprechen > hören > schreiben > lesen > verstehen > Spiele > Evaluation > Wortschatz > Dialoge > Grammatik

> können – nicht können > hat viel Spaß gemacht – hat wenig / keinen Spaß gemacht > mag ich – mag ich nicht > Probleme > … war interessant / langweilig. > … müssen wir mehr machen.

2 **Sammeln und ordnen Sie die Aussagen und machen Sie ein Plakat für den Kursraum.**

Das können die meisten von uns: ……………………
Das müssen wir noch üben: ……………………
Das macht vielen Spaß: ……………………
Das macht vielen keinen Spaß: ……………………

3 **Wählen Sie aus der Liste „Das müssen wir noch üben" ein Thema aus und organisieren Sie eine Wiederholung im Kurs.**

Anhang

Modelltest *Start Deutsch 1*

Hören

Teil 1 Kreuzen Sie an: a, b oder c. Sie hören jeden Text **zweimal**.

1. Wo ist die Frau?
a. An der Volkshochschule.
b. Am Rathaus.
c. Am Zoo.

2. Der Mann hat
a. Rückenschmerzen.
b. Kopfschmerzen.
c. Schmerzen an den Armen.

3. Wann gehen Anja und Yvonne ins Kino?
a. Am Freitag.
b. Am Samstag.
c. Am Sonntag.

4. Was bestellt der Mann?
a. Einen Espresso und eine Gemüsesuppe ohne Fleisch.
b. Einen Espresso und eine Gemüsesuppe mit Fleisch.
c. Einen Espresso und eine Fischsuppe.

5. Wo war Frau Groß im Urlaub?
a. In den Bergen.
b. Am Meer.
c. Am Bodensee.

6. Wann fängt der Deutschkurs an?
a. Um 9 Uhr.
b. Um 13 Uhr.
c. Um 18 Uhr.

Teil 2 Kreuzen Sie die richtige Lösung an. Sie hören jeden Text nur **einmal.**

7.	Die Bananen kosten 1,99 Euro.	☐ richtig	☐ falsch
8.	Der Zug fährt in zehn Minuten weiter.	☐ richtig	☐ falsch
9.	Herr und Frau Schmidt müssen in Halle A gehen.	☐ richtig	☐ falsch
10.	Der Zug nach München fährt heute um 14.20.	☐ richtig	☐ falsch

Teil 3 Kreuzen Sie an: a, b oder c. Sie hören jeden Text **zweimal**.

11. Der Mann fährt
a. nach München.
b. nach Hause.
c. in die Firma.

12. Wie lange wartet David noch auf Tom?
a. Eine halbe Stunde.
b. 8 Minuten.
c. Eine Viertelstunde.

13. Die Telefonnummer ist:
   a. 069 48 12 50.
   b. 096 84 12 15.
   c. 069 48 12 15.

14. Wann will die Frau einen Termin haben?
   a. Am Donnerstagvormittag.
   b. Am Donnerstagnachmittag.
   b. Am Freitag.

15. Wann hat das Reisebüro wieder geöffnet?
   a. Am 15. November.
   b. Am 30. November.
   c. Am 1. Dezember.

Lesen

Teil 1 Sind die Sätze 1-5 richtig oder falsch? Kreuzen Sie an.

Hallo Jasmin,
danke für deine Mail. Du, ich habe morgen frei. Ich komme dann schon um 13 Uhr nach Berlin und nicht erst abends spät. Kannst du mich abholen? Ich warte vor dem Bahnhof, neben dem Blumenladen. Sag mir bitte noch schnell Bescheid oder ruf mich an. Bis morgen, ich freue mich.
Erik

1.	Erik will Jasmin noch anrufen.	☐ richtig	☐ falsch
2.	Erik kommt mittags nach Berlin.	☐ richtig	☐ falsch

Von: KarinUndTom.Laurer@web.de
An: Claudia.Martens@t-online.de
Betreff: Party
Gesendet: 25.09.2005

Liebe Claudia, lieber Holger,
wir haben seit zwei Wochen endlich eine neue Wohnung, sehr hell und groß, 85 m^2. Und sie hat einen schönen Balkon (Südseite!).
Am nächsten Samstag wollen wir eine kleine Party machen, so ab 18 Uhr. Viele Leute kommen, auch Leute aus dem Haus. Die Nachbarn hier sind sehr nett.
Habt ihr auch Zeit und Lust? Dann könnt ihr euch die Wohnung ansehen. Wir machen auch ein kleines Essen, wenn ihr wollt, könnt ihr noch etwas zu trinken mitbringen und vielleicht auch Musik, unsere CDs sind nämlich noch in der alten Wohnung.
Könnt ihr kommen? Schreibt uns doch eine kurze Mail.
Ach ja, die Adresse: Sandweg 12, 3. Stock.
Dann hoffentlich bis Samstag,
viele Grüße
Karin + Tom

3.	Karin und Tom sind umgezogen.	☐ richtig	☐ falsch
4.	Sie kennen die Nachbarn noch nicht.	☐ richtig	☐ falsch
5.	Auf der Party gibt es viel Musik.	☐ richtig	☐ falsch

Teil 2 Lesen Sie die Texte und die Aufgaben 6 – 10. Kreuzen Sie an: a oder b.

6. Sie suchen ein neues Sofa. Wo finden Sie Informationen?

www.2-c.de

Ihr Partner für Möbel.
Informationen über
– Schlafzimmer – Wohnzimmer
– Arbeitszimmer – Kinderzimmer

www. arcom.de

Badezimmer-Möbelprogramm
Auf den folgenden Seiten stellen wir Ihnen das Angebot an Badmöbeln vor.

a. ☐ www.2-c.de **b.** ☐ www.arcom.de

7. Sie wollen in Deutschland Urlaub machen und auch weiter Deutsch lernen. Wo finden Sie Informationen?

www.frankfurter-museen.de

Experimentelles Lernen im Museum für Vor- und Frühgeschichte
Frankfurt
Karmelitergasse 1

www.vhs-frankfurt.de

Feriensprachkurse
– im Sommer
– mit kulturellem Angebot
– Alle Stufen

a. ☐ www.frankfurter-museen.de **b.** ☐ www.vhs-frankfurt.de

8. Sie möchten in Deutschland auf dem Rhein eine Schiffsreise machen und auch die Stadt Rüdesheim besuchen. Wo finden Sie Informationen?

www.bahn.de

Tagesfahrten mit dem Zug.
Besuchen Sie Rüdesheim.
49 Euro pro Person,
Wanderung durch die Weinberge und andere Aktivitäten

www.hessen-tourismus.de

Rheinische Party auf dem Wasser.
Abendbuffet, Brunchbuffet,
Besuch der Stadt Rüdesheim,
Abendprogramm

a. ☐ www.bahn.de **b.** ☐ www.hessen-tourismus.de

9. Sie möchten surfen lernen. Sie haben aber nur am Wochenende Zeit. Wo rufen Sie an?

Sportschule Paloma
Ausbildung zum Tauch- und Surflehrer auch am Wochenende
Tel.: 838 32 22

Sportverein Waldsee
Wassersport, auch Tauch- und Surfkurse, variables Kursangebot, auch samstags und sonntags
Tel.: 939 22 77

a. ☐ Tel.: 838 32 22 **b.** ☐ Tel.: 939 22 77

10. Sie möchten mit Freunden am Sonntagmittag Chinesisch essen gehen. Wohin gehen Sie?

ASIA-LAND
Chinesische und indonesische Spezialitäten Montag – Ruhetag
Öffnungszeiten von 11.30 – 22 Uhr
Tel.: 0611 / 56 88 92

CHINA-RESTAURANT
Zum Lotusgarten
täglich von 18-23 Uhr
großer Garten
Tel.: 0611 / 23 55 91

a. ☐ Ins Restaurant **Asia-Land** **b.** ☐ Ins Restaurant **Zum Lotusgarten**

Teil 3 Lesen Sie die Texte und Aufgaben 11-15. Kreuzen Sie an. Richtig oder falsch?

11. An der Tür einer Bäckerei:

WIR SIND UMGEZOGEN
Die Bäckerei Horlemann finden Sie jetzt in der Hanauer Landstraße 120.

Schon heute können Sie in der Hanauer Landstraße frische Brötchen kaufen. ☐ richtig ☐ falsch

12. Im Restaurant:

Essen und Trinken im Garten wochentags bis 22 Uhr, freitags und samstags bis 23 Uhr. Das Restaurant schließt um 24 Uhr.

Am Mittwochabend können Sie bis 23 Uhr im Garten sitzen. ☐ richtig ☐ falsch

13. In einer Kirche:

Fotografieren verboten

Sie dürfen hier keine Fotos machen. ☐ richtig ☐ falsch

14. An einer Haltestelle:

Die Straßenbahn Linie 12 fährt heute nur zum Hauptbahnhof. Zur Weiterfahrt nach Neustadt nehmen Sie bitte die Straßenbahn Linie 15.

Heute fahren die Straßenbahnen nur zum Hauptbahnhof. ☐ richtig ☐ falsch

15. Im Fenster eines Kaufhauses:

Sonderaktion
Ab morgen kostet alles nur die Hälfte.

Ab Morgen können Sie billig einkaufen. ☐ richtig ☐ falsch

Schreiben

Teil 1 Ihr Freund, Juan Rodriguez spricht kein Deutsch. Er möchte einen Deutschkurs an der Volkshochschule machen (Deutschkurs Stufe 1, Anfänger). Im Kursprogramm finden Sie folgenden Kurs für ihn:

Deutsch 1
Kursnummer: 4017-40
Mo + Di + Do + Fr 9.00 – 12.00 Uhr
€ 210,--

Helfen Sie ihm und füllen Sie das Formular aus.

Juan wohnt in München, in der Danklstraße 15. Die Postleitzahl ist 81371. Zu Hause hat er als Taxifahrer gearbeitet.

Familienname:	Vorname:
Straße, Hausnummer:	
Postleitzahl, Wohnort:	
Telefon: 089/2935546	Beruf:
Kursnummer:	Kurs:

Teil 2 Sie haben einen Termin mit Frau Roth von der Firma Lohmann in Düsseldorf. Sie sind krank und können nicht kommen. Schreiben Sie eine E-Mail. Schreiben Sie:

— Entschuldigung
— Warum können Sie nicht kommen?
— Vorschlag: neuer Termin – wann?

Von:	Susanne.Müller@web.de
An:	Renate.Roth@lohmann.de
Betreff:	Termin
Gesendet:	28.09.2005

Liebe Frau Roth,

Mit freundlichen Grüßen

Sprechen

Teil 1 Sich vorstellen: Bitte erzählen Sie etwas über Ihre Person.
Name? Alter? Land? Wohnort? Sprachen? Beruf? Hobby?

Teil 2 Um Informationen bitten und Informationen geben:

Arbeiten Sie in Gruppen von 4 Teilnehmern. Ziehen Sie zu Thema 1 eine Karte und stellen Sie zu dem Wort auf der Karte eine Frage. B antwortet. Dann zieht B eine Karte und fragt. Genauso mit Thema 2. Sie müssen pro Thema eine Frage stellen und eine Antwort geben, also insgesamt *zwei* Fragen und *zwei* Antworten.

Thema 1: *Freizeit*

Beispiel: **A.** Was ist Ihr Hobby?
B. Ich schwimme gern und lese auch gern.
Was ...?

Thema 2: *Einkaufen*

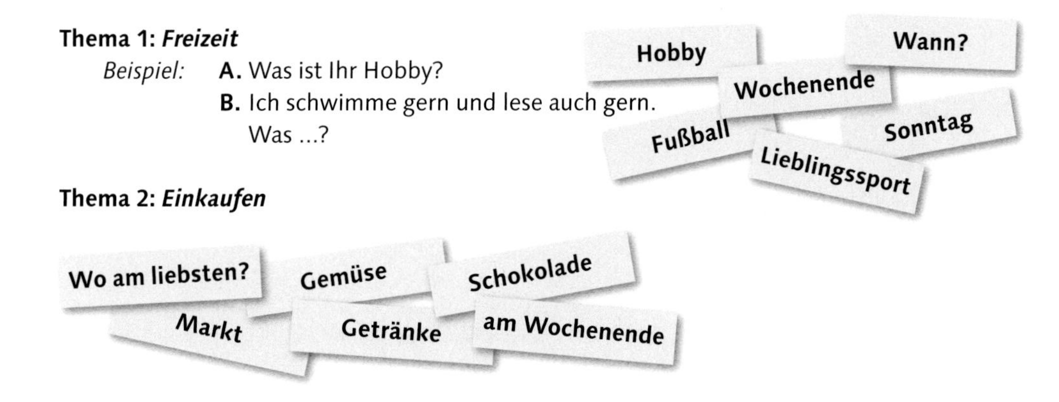

Teil 3 Bitten formulieren und darauf reagieren: Arbeiten Sie in Gruppen (4 Teilnehmer). Wählen Sie zwei Karten aus und formulieren Sie zu den Karten zwei Bitten. Sie müssen *zwei* Bitten formulieren und *zweimal* antworten.

Beispiel: **A.** Ein Glas Wasser bitte. /Können Sie mir/Kannst du mir ein Glas Wasser geben?
B. Ja, natürlich, kein Problem.

Grammatiküberblick

C 10-15

1 Verben

1.1 Verben im Präsens

	regelmäßige Verben: Der Verbstamm ist bei allen Personen gleich.		**unregelmäßige Verben:** Der Verbstamm ist bei manchen Verbformen verschieden. Deshalb muss man bei diesen Verben immer die Stammformen lernen.
	Infinitiv: wohn|en	**Infinitiv:** arbeit|en	**Infinitiv:** sprech|en
ich	wohne	arbeite	spreche
du	wohnst	arbeitest	sprichst
er/es/sie	wohnt	arbeitet	spricht
wir	wohnen	arbeiten	sprechen
ihr	wohnt	arbeitet	sprecht
sie/Sie	wohnen	arbeiten	sprechen

Wohnst du in Frankfurt?

Er arbeitet bei der Telekom Austria.

Sie spricht Englisch und Spanisch.

C 27.1

1.2 Die Verben *sein* und *haben*, Präsens und Präteritum

	Infinitiv: sein		**Infinitiv: haben**	
	Präsens	Präteritum	Präsens	Präteritum
ich	bin	war	habe	hatte
du	bist	warst	hast	hattest
er/es/sie	ist	war	hat	hatte
wir	sind	waren	haben	hatten
ihr	seid	wart	habt	hattet
sie/Sie	sind	waren	haben	hatten

Ich bin Sekretärin und Julian ist Student.

Wir haben Zeit.

Sie hatte gestern keine Lust.

Warst du bei Claudia?

C 25.1

1.3 Trennbare Verben

aus fallen statt finden

Fällt der Unterricht heute aus?
Der Unterricht fällt heute aus.
Wann findet der Unterricht wieder statt?

C 27.2

1.4 Modalverben

1.4.1 *Können, dürfen, müssen* im Präsens

	dürfen	**können**	**müssen**
ich	darf	kann	muss
du	darfst	kannst	musst
er/es/sie	darf	kann	muss
wir	dürfen	können	müssen
ihr	dürft	könnt	müsst
sie/Sie	dürfen	können	müssen

Ich muss zwei Stunden warten.
Er darf mit meinem Auto fahren.
Sie können schon viel verstehen.
Hier kann man gut essen.

C 27.2

1.4.2 *Können, dürfen, müssen*: Verneinung

Ich kann nicht kommen. (Ich habe keine Zeit)
Ich kann nicht schwimmen. (Ich habe es nicht gelernt.)
Sie muss heute nicht arbeiten. (Sie hat frei.)
Sie dürfen hier nicht parken. (Hier ist Parkverbot.)

C 20.5

1.5 Imperativ

Infinitiv	2. Pers. Sing.	2. Pers. Plur.	formell
gehen	geh	geht	gehen Sie
nachschlagen	schlag nach	schlagt nach	schlagen Sie nach
trinken	trink	trinkt	trinken Sie
sein	sei	seid	seien Sie

Gehen Sie die Bahnhofstraße entlang!
Trinkt mehr Milch!
Schlag im Wörterbuch nach!

C 18, C 19.5

1.6 Verben im Perfekt

1.6.1 Perfekt mit *haben* (regelmäßige Verben)

	haben (Hilfsverb)	Partizip II	Infinitiv
ich	habe	gewohnt	(wohnen)
du	hast	gelebt	(leben)
er / es / sie	hat	gearbeitet	(arbeiten)
wir	haben	gemacht	(machen)
ihr	habt	gelernt	(lernen)
sie / Sie	haben	gekauft	(kaufen)

Ich habe in Österreich gewohnt.
Habt ihr gestern die Hausaufgaben gemacht?
Wo hat sie gearbeitet?

1.6.2 Perfekt mit *haben* (unregelmäßige Verben)

Infinitiv	Partizip II
sprechen	gesprochen
ausleihen	ausgeliehen
finden	gefunden

Bei den unregelmäßigen Verben endet das Partizip II oft mit *-en* und der Stamm ist oft unterschiedlich (z.B. *finden – gefunden*). Deshalb muss man bei diesen Verben immer die Partizipien lernen.

Andreas hat die CD ausgeliehen.
Haben Sie mit Herrn Müller gesprochen?
Wo hast du das Geld gefunden?

1.6.3 Perfekt mit Verben auf *-ieren*

Infinitiv	Partizip II
telefonieren	telefoniert
studieren	studiert
funktionieren	funktioniert

Verben auf *-ieren* bilden das Partizip II nur mit dem Stamm und der Endung *-t*.

1.6.4 Perfekt mit *sein*

	sein (Hilfsverb)	**Partizip II**	**Infinitiv**
ich	bin	gefahren	(fahren)
du	bist	geblieben	(bleiben)
er/es/sie	ist	gewesen	(sein)
wir	sind	geflogen	(fliegen)
ihr	seid	aufgestanden	(aufstehen)
sie/Sie	sind	gegangen	(gehen)

Einige Verben bilden das Perfekt mit *sein*. Das sind Verben der Fortbewegung oder der Zustandsveränderung (z. B. *gehen*, *fliegen*, *fahren*, *kommen*, *aufstehen*, *einschlafen*) und die Verben *bleiben*, *sein*, *passieren*.

C 25.2

1.6.5 Verben mit *be-*, *ver-*, *er-*, ...

Diese Verben bilden das Partizip II ohne *ge-*.

besuchen Ich habe meine Freunde besucht.
vergessen Andreas hat den Termin vergessen.
ergänzen Haben Sie die Sätze ergänzt?
gefallen Der Film hat uns gut gefallen.

C 28+38

2 Nomen, Begleiter und Pronomen

C 31–33

2.1 Plural der Nomen

Im Deutschen gibt es verschiedene Pluralendungen, deshalb lernt man Nomen immer mit Pluralform.

> Die häufigsten Pluralendungen sind *-(e)n* und *-n*.
> Die meisten maskulinen Nomen haben im Plural die Endung *-e*.
> Die meisten femininen Nomen haben im Plural die Endung *-(e)n*.

Die fünf wichtigsten Pluralendungen sind:

	Singular	**Plural**
-	der Lehrer	die Lehrer
"-	die Mutter	die Mütter
-e	der Kurs	die Kurse
"-e	die Nacht	die Nächte
-er	das Kind	die Kinder
"-er	das Wort	die Wörter
-(e)n	der Name	die Namen
	die Frau	die Frauen
-s	das Auto	die Autos

C 34+36

2.2 Nomen und Artikel: Nominativ, Akkusativ und Dativ

	Maskulinum		**Neutrum**		**Femininum**	
	Singular	*Plural*	*Singular*	*Plural*	*Singular*	*Plural*
Nominativ	der Mann ein Mann	die Männer - Männer	das Haus ein Haus	die Häuser – Häuser	die Frau eine Frau	die Frauen – Frauen
Akkusativ	de**n** Mann ein**en** Mann	die Männer - Männer	das Haus ein Haus	die Häusern – Häuser	die Frau eine Frau	die Frauen – Frauen
Dativ	de**m** Mann ein**em** Mann	de**n** Männer**n** - Männer**n**	de**m** Haus ein**em** Haus	de**n** Häuser**n** – Häuser**n**	de**r** Frau ein**er** Frau	de**n** Frauen – Frauen

* Den Dativ nach dem unbestimmten Artikel und den Dativ Plural lernen Sie in ***eurolingua Deutsch 2***.

Ich *(N)* hätte gerne **einen** Liter Milch *(A)*, **ein** Kilo Kartoffeln *(A)* und **eine** Flasche Öl *(A)*.
Er *(N)* gibt **der** Lehrerin *(D)* **das** Buch *(A)* zurück.

Kein hat im Nominativ, Akkusativ und Dativ Singular die gleichen Endungen wie ***ein***:

Nominativ: **kein** Mann, **kein** Haus, **keine** Frau
Akkusativ: **keinen** Mann, **kein** Haus, **keine** Frau
Dativ: **keinem** Mann, **keinem** Haus, **keiner** Frau.

Kein im Nominativ und Akkusativ Plural ist ***keine***: **keine** Männer, **keine** Häuser, **keine** Frauen, im Dativ Plural ***keinen***: **keinen** Männern, **keinen** Häusern, **keinen** Frauen.

Wir *(N)* haben leider **keine** Kartoffeln *(A)*.
Ich *(N)* habe an **keinem** Tag *(D)* Zeit *(A)*.

C 55/56

2.3 Possessivbegleiter: Nominativ und Akkusativ

Mit Possessivbegleitern drückt man Besitz oder Zugehörigkeit aus.

	Maskulinum Singular		**Neutrum Singular**	**Femininum Singular**	**Mask., Neutr. + Fem. Plural**
	Nominativ	*Akkusativ*	*Nom. + Akk.*	*Nom. + Akk.*	*Nom. + Akk.*
ich	mein	meinen	mein	meine	meine
du	dein	deinen	dein	deine	deine
er/es/sie	sein/sein/ihr	seinen/seinen/ ihren	sein/sein/ihr	seine/seine/ ihre	seine/seine/ihre
wir	unser	unseren	unser	unsere	unsere
ihr	euer	euren	euer	eure	eure
sie/Sie	ihr/Ihr	ihren/Ihren	ihr/Ihr	ihre/Ihre	ihre/Ihre

Sie ruft **ihren** Bruder an.
Dein Kleid ist schön.
Ich mag **unsere** Lehrerin.
Sind das **Ihre** Schuhe?

C 53

2.4 Personalpronomen: Nominativ und Akkusativ

Nominativ	**Akkusativ**
ich	mich
du	dich
er/es/sie	ihn/es/sie
wir	uns
ihr	euch
sie/Sie	sie/Sie

Ich denke an **ihn**.
Verstehen Sie **mich**?

2.5 *Welch-/dies-* im Nominativ

der/das/die welch**er**/welch**es**/welch**e** dies**er**/dies**es**/dies**e**

C 48

2.6 Die Pronomen *man* und *es*

Man

Das Pronomen ***man*** braucht man, wenn man allgemeine Aussagen formuliert, oder Aussagen ohne konkrete Personen macht.

Das macht **man** nicht!
Man darf hier nicht parken.

C 61

Es

Das Pronomen ***es*** hat oft keine eigene Bedeutung. Man braucht es aber für die Struktur von Sätzen. ***Es*** ersetzt dann das fehlende Subjekt.

Es regnet. / **Es** hat geblitzt. / Heute ist **es** bewölkt.

2.7 Zahlwörter

2.7.1 Die Zahlen 1–1000

1 eins, 2 zwei, 3 drei, 4 vier, 5 fünf, 6 sechs, 7 sieben, 8 acht, 9 neun, 10 zehn, 11 elf, 12 zwölf, 13 dreizehn, 14 vierzehn, 15 fünfzehn, 16 sechzehn, 17 siebzehn, 18 achtzehn, ..., 68 achtundsechzig, ... , 101 (ein)hunderteins ... , 543 fünfhundertdreiundvierzig, ... , 1000 (ein)tausend

C 76

2.7.2 Die Ordinalzahlen

Heute ist der **erste**, zwei**te**, **dritte**, vier**te**, ..., **siebte**, ... , zehn**te**, zwanzig**ste** August.
Wir treffen uns am **ersten**, zwei**ten**, d**ritten**, vier**ten**, ... , elf**ten**, einunddreißig**sten** Mai.

C 75

2.7.3 Datumsangaben

> Wir treffen uns am Samstag, also am 28. November *(am achtundzwanzigsten November).*
> Frau Gonzales ist am 10.04.1999 *(am zehnten April / zehnten Vierten neunzehnhundert-neunundneunzig)* nach Deutschland gekommen.
> Der Kurs geht vom 1. Februar bis zum 31. März *(vom ersten Zweiten bis zum einunddreißigsten Dritten).*
> Ich lebe seit dem 11. Mai 2000 *(seit dem elften Fünften zweitausend)* in Deutschland.

C 81

3 Präpositionen

3.1 Wechselpräpositionen

an auf hinter in neben über unter vor zwischen	+ Dativ *(wo?)* oder + Akkusativ *(wohin?)*

⚠ **in dem ⟶ im**
an dem ⟶ am

⚠ **liegen + stehen** immer mit Dativ *(wo?)*
legen + stellen immer mit Akkusativ *(wohin?)*

Ich habe die Zeitung **auf den** Tisch gelegt. Die Zeitung liegt jetzt **auf dem** Tisch.
Ich habe das Radio **auf den** Tisch gestellt. Das Radio steht jetzt **auf dem** Tisch.

C 80

3.2 *zu*

Die Präposition ***zu*** steht immer mit dem Dativ.

⚠ **zu dem ⟶ zum**
zu der ⟶ zur

> Entschuldigung, wir komme ich **zum** Bahnhof / **zur** Berliner Straße?

C 63

4 Adjektive

C 64

4.1 Prädikative Verwendung

Der Schrank ist **neu**. Die Blume ist **schön**. Das Buch ist **interessant**. Wir haben **gut** gearbeitet.

4.2 Graduierung mit *zu …* und *nicht … genug*

Unsere Küche ist **zu** klein. Wir können nicht zu zweit kochen.
Der Kühlschrank ist **nicht** groß **genug**. Wir müssen jeden Tag einkaufen gehen.

C 94

5 Sätze

5.1 Aussagesatz

Im Aussagesatz steht das Verb auf Position 2.

Ich	gehe.	
Ich	gehe	oft ins Kino.
Morgen	gehe	ich nicht ins Kino.
In der Küche	stehen	vier Stühle.
Vier Stühle	stehen	in der Küche.

5.2 Fragesätze

5.2.1 W-Fragen

Wann	beginnt	der Film?	Um acht.
Wo	wohnst	du?	In Zürich.

C 98

5.2.2 Ja/Nein-Fragen

Bei Ja/Nein-Fragen steht das Verb auf Position 1.

Bist	du aus Wien?	Ja./Nein, aus Salzburg.
Arbeitest	du in Leipzig?	Ja./Nein, in Halle.
Möchten	Sie noch Kaffee?	Ja, gern./Nein, danke.
Möchten	Sie keinen Kaffee mehr?	Doch, bitte./Nein, danke.

C 99

5.3 Imperativsatz

Gehen Sie die Bahnhofstraße entlang!
Sei bitte leise!

C 97

5.4 Satzklammer

Die Verteilung des Verbs auf zwei Positionen im Satz heißt Satzklammer.

C 25.1

5.4.1 Satzklammer bei trennbaren Verben

aus || fallen
statt || finden

	Fällt	der Unterricht heute	aus?
Der Unterricht	fällt	heute	aus.
Wann	findet	der Unterricht wieder	statt?

5.4.2 Satzklammer bei Modalverben

Wir [können] uns morgen [treffen].
[Können] wir uns morgen [treffen]?

5.4.3 Satzklammer beim Perfekt

Position 1	**Position 2**		**Ende**	
Wir	[haben]	viel	[gelernt].	*(Aussagesatz)*
Wann	[bist]	du gestern Abend nach Hause	[gekommen]?	*(W-Frage)*
[Hast]	du	Holger	[gesehen]?	*(Ja/Nein-Frage)*

C 104

5.5 Verneinung im Satz

5.5.1 Verneinung mit *nicht*

Ich bin **nicht** schnell.
Ich habe **nicht** geschlafen.

5.5.2 Verneinung mit *kein*

Ich habe **keinen** Hunger.
Er hat **kein** Geld.
Wir haben **keine** Uhr.

C 100

5.6 Konjunktionen (***und***, ***aber***, ***denn***)

Egon [kocht] gern. Er [kauft] gern [ein].
Egon [kocht] gern **und** er [kauft] gern [ein].

Die Konjunktionen ***und***, ***aber*** und ***denn*** stehen zwischen zwei Hauptsätzen.
Die Wortstellung bleibt in beiden Sätzen gleich.

Ich gehe ins Theater **und** danach fahre ich nach Hause.
Er hat ein Auto, **aber** es ist kaputt.
Die Kinder sind ins Bett gegangen, **denn** sie waren müde.

Bei Sätzen mit ***und*** und ***aber***: Ist das Subjekt in beiden Sätzen gleich, kann man es weglassen.

Egon kocht gern **und** (er) kauft gern ein.
Ich mache gern Sport, **aber** (ich) kann nicht Fußball spielen.

5.7 Sätze mit Zeitangaben

Morgen besuche ich Tante Olga.	*oder*	Ich besuche **morgen** Tante Olga.
Am Nachmittag spielt er Klavier.	*oder*	Er spielt **am Nachmittag** Klavier.
Um 17 Uhr ist die Arbeit zu Ende.	*oder*	Die Arbeit ist **um 17 Uhr** zu Ende.

Liste der unregelmäßigen Verben

Die meisten trennbaren Verben finden Sie unter der Grundform.
Beispiele: abschreiben → schreiben, zurückkommen → kommen.

Infinitiv	**Präsens**	**Perfekt**
abbiegen	er biegt ab	er ist abgebogen
abhängen von	es hängt ab von	es hat abgehangen von
anbieten	er bietet an	er hat angeboten
anfangen	er fängt an	er hat angefangen
anrufen	er ruft an	er hat angerufen
anziehen	er zieht an	er hat angezogen
auffallen	es fällt auf	es ist aufgefallen
aufschlagen	er schlägt auf	er hat aufgeschlagen
aufstehen	er steht auf	er ist aufgestanden
ausfallen	Der Kurs fällt aus	Der Kurs ist ausgefallen
ausgehen	er geht aus	er ist ausgegangen
aufwachsen	er wächst auf	er ist aufgewachsen
ausleihen	er leiht aus	er hat ausgeliehen
ausschlafen	er schläft aus	er ist ausgeschlafen
aussehen	er sieht aus	er hat ausgesehen
aussteigen	er steigt aus	er ist ausgestiegen
backen	er bäckt	er hat gebacken
beginnen	er beginnt	er hat begonnen
behalten	er behält	er hat behalten
bekommen	er bekommt	er hat bekommen
beschreiben	er beschreibt	er hat beschrieben
bitten	er bittet	er hat gebeten
bleiben	er bleibt	er ist geblieben
brechen	er bricht	er hat gebrochen
bringen	er bringt	er hat gebracht
dürfen	ich darf du darfst er, sie, es darf wir dürfen ihr dürft sie dürfen	er hat gedurft
einladen	er lädt ein	er hat eingeladen
einschlafen	er schläft ein	er ist eingeschlafen
eintragen	er trägt ein	er hat eingetragen
entscheiden	er entscheidet	er hat entschieden
erfinden	er erfindet	er hat erfunden
essen	er isst	er hat gegessen
fahren	er fährt	er ist gefahren
fallen	er fällt	er ist gefallen
fangen	er fängt	er hat gefangen
fernsehen	er sieht fern	er hat ferngesehen
finden	er findet	er hat gefunden
fliegen	er fliegt	er ist geflogen
geben	er gibt	er hat gegeben
gefallen	ihm gefällt	ihm hat gefallen
gehen	er geht	er ist gegangen
gewinnen	er gewinnt	er hat gewonnen

Infinitiv	Präsens	Perfekt
haben	ich habe du hast er, sie, es hat wir haben ihr habt sie haben	er hat gehabt
halten	er hält	er hat gehalten
hängen	es hängt	es hat gehangen
heißen	er heißt	er hat geheißen
helfen	er hilft	er hat geholfen
kennen	er kennt	er hat gekannt
kommen	er kommt	er ist gekommen
können	ich kann du kannst er, sie, es kann wir können ihr könnt sie können	er hat gekonnt
lassen	er lässt	er hat gelassen
laufen	er läuft	er ist gelaufen
lesen	er liest	er hat gelesen
liegen	er liegt	er hat gelegen
lügen	er lügt	er hat gelogen
mögen	ich mag/möchte du magst/möchtest er, sie, es mag/möchte wir mögen/möchten ihr mögt/möchtet sie mögen/möchten	er hat gemocht
müssen	ich muss du musst er, sie, es muss wir müssen ihr müsst sie müssen	er hat gemusst
nachschlagen	er schlägt nach	er hat nachgeschlagen
nehmen	er nimmt	er hat genommen
nennen	er nennt	er hat genannt
raten	er rät	er hat geraten
reiten	er reitet	er ist geritten
riechen	er riecht	er hat gerochen
scheinen	die Sonne scheint	die Sonne hat geschienen
schießen	er schießt	er hat geschossen
schlafen	er schläft	er hat geschlafen
schließen	er schließt	er hat geschlossen
schneiden	er schneidet	er hat geschnitten
schreiben	er schreibt	er hat geschrieben

Infinitiv	Präsens	Perfekt
schwimmen	er schwimmt	er ist geschwommen
sehen	er sieht	er hat gesehen
sein	ich bin du bist er, sie, es ist wir sind ihr seid sie sind	er ist gewesen
sinken	die Preise sinken	die Preise sind gesunken
sitzen	er sitzt	er hat gesessen
sprechen	er spricht	er hat gesprochen
springen	er springt	er ist gesprungen
stattfinden	es findet statt	es hat stattgefunden
stehen	er steht	er hat gestanden
tragen	er trägt	er hat getragen
treffen	er trifft	er hat getroffen
trinken	er trinkt	er hat getrunken
tun	er tut	er hat getan
umziehen	er zieht um	er ist umgezogen
unterhalten (+ sich)	er unterhält sich	er hat sich unterhalten
unterschreiben	er unterschreibt	er hat unterschrieben
unterstreichen	er unterstreicht	er hat unterstrichen
verbieten	er verbietet	er hat verboten
verbinden	er verbindet	er hat verbunden
vergessen	er vergisst	er hat vergessen
vergleichen	er vergleicht	er hat verglichen
verlassen	er verlässt	er hat verlassen
verschreiben	er verschreibt	er hat verschrieben
verstehen	er versteht	er hat verstanden
waschen	er wäscht	er hat gewaschen
wehtun	es tut weh	es hat wehgetan
werden	ich werde du wirst er, sie, es wird wir werden ihr werdet sie werden	er ist geworden
werfen	er wirft	er hat geworfen
wissen	er weiß	er hat gewusst
wollen	ich will du willst er, sie, es will wir wollen ihr wollt sie wollen	er hat gewollt
ziehen	er zieht	er hat gezogen

Buchstaben und Laute im Deutschen

Buchstaben	Laute	Beispiele
a | aa | ah	[aː]	Abend | Staat | fahren
a	[a]	wann, Bank
ä | äh	[ɛː]	spät, Käse | zählen
ä	[ɛ]	Städte
ai	[ai̯]	M**ai**
au	[au̯]	k**au**fen, H**au**s
äu	[ɔy̯]	H**äu**ser
b | bb	[b]	**b**lei**b**en, Urlau**b**er | Ho**bb**y
-b	[p]	Urlau**b**
ch	[ç]	i**ch**, mö**ch**te, Bü**ch**er
	[x]	au**ch**, Bu**ch**, ko**ch**en
chs	[ks]	se**chs**, we**chs**eln
d	[d]	**d**anke, En**d**e, Län**d**er
-d | -dt	[t]	Lan**d** | Sta**dt**
e | ee | eh	[eː]	leben | T**ee** | se**h**r
e	[ɛ]	gern, wenn
-e	[ə]	bitt**e**, hör**e**n
ei	[ai̯]	kl**ei**n, fr**ei**
eu	[ɔy̯]	n**eu**, h**eu**te
f | ff	[f]	**f**ahren, kau**f**en | tre**ff**en
g | gg	[g]	**G**eld, Ta**g**e | jo**gg**en
-g	[k]	Ta**g**
-ig	[ɪç]	fert**ig**, wicht**ig**
h	[h]	**h**eute, **H**aus
-h	–	Ruhe [ˈruːə], sehen [ˈzeːən]
i | ie | ieh	[iː]	Kino | l**ie**ben | sie s**ie**ht
i	[ɪ]	Kind
j	[j]	**j**a
k | ck	[k]	**K**affee | di**ck**
l | ll	[l]	**l**esen | beste**ll**en
m | mm	[m]	**M**usik, Na**m**e | ko**mm**en
n | nn	[n]	**n**eu, ma**n** | kö**nn**en
ng	[ŋ]	Wohnu**ng**, si**ng**en
nk	[ŋk]	Ba**nk**
o | oo | oh	[oː]	schon | Z**oo** | So**h**n
o	[ɔ]	Sonne

Buchstaben	Laute	Beispiele
ö | öh	[ø]	schön | fröhlich
ö	[œ]	möchte
p | pp	[p]	**P**ause, Su**pp**e, Ti**pp**
ph	[f]	Al**ph**abet
qu	[kv]	**Qu**alität
r | rr | rh	[r]	**r**ichtig | ko**rr**ekt | **Rh**ythmus
-er	[ɐ]	Butt**er**
s	[z]	**s**ehr, **S**onne, rei**s**en
s | ss | ß	[s]	Rei**s** | e**ss**en | wei**ß**
sch	[ʃ]	Schule, zwischen
sp-	[ʃp]	Sport, mit·spielen
st-	[ʃt]	Stadt, ver·stehen
t | tt | th	[t]	**T**isch | Kasse**tt**e | **Th**ea**t**er
-tion	[tsi̯oːn]	Informa**tion**, funk**tion**ieren
u | uh	[uː]	g**u**t | **U**hr
u	[ʊ]	Bus
ü | üh	[yː]	S**ü**den | ber**ü**hmt
ü	[y]	Gl**ü**ck
v	[f]	**v**iel, **v**ergessen, **v**erliebt
v	[v]	Akti**v**ität
-v	[f]	akti**v**
w	[v]	**w**ichtig
x	[ks]	bo**x**en
y	[yː]	t**y**pisch
y	[y]	Rh**y**thmus
-y	[i]	Hobb**y**
z | tz	[ts]	**Z**eitung, tan**z**en | Pla**tz**

Hörtexte Hier finden Sie alle Hörtexte, die nicht oder nicht komplett im Buch abgedruckt sind.

Einheit 1: *Der Kurs beginnt*

8 Kommunikation im Unterricht

8.2
a. Wiederholen Sie das bitte.
b. Sprechen Sie bitte langsamer.
c. Ich verstehe das nicht.
d. Lesen Sie bitte den Dialog zu zweit.
e. Ergänzen Sie bitte die Sätze.
f. Lesen Sie bitte den Text.
g. Was heißt ‚cuaderno' auf Deutsch?
h. Machen Sie bitte eine Tabelle im Heft.

Einheit 2: *Erste Kontakte*

Auftaktseite

1
Volker Schmidt: Entschuldigung, ist das der Flug aus Bombay?
Passagier: Wie bitte?
Volker Schmidt: Flug LH 757 aus Bombay?
Passagier: Nein, wir kommen aus Rio.
Volker Schmidt: Aha, Danke.
...
Anirvan Dalal: Hallo.
Volker Schmidt: Guten Tag, sind Sie Herr Anirvan Dalal?
Anirvan Dalal: Ja, genau. Guten Tag.
Volker Schmidt: Hallo, Volker Schmidt vom Goethe-Institut Frankfurt. Wie geht's?
Anirvan Dalal: Danke, Herr Schmidt, ganz gut. Ich bin ein bisschen müde.
Volker Schmidt: Na, Herr Dalal, dann fahren wir gleich ins Institut, okay?
Anirvan Dalal: Ja, gerne.

1 Das Alphabet und die Buchstaben

1.2
a. z-a-w-a-d-z-k-a **b.** h-ö-r-e-n **c.** h-e-i-ß-e-n **d.** n-y-s-t-r-ö-m
e. s-p-r-e-c-h-e-n **f.** d-a-l-a-l **g.** c-h-a-p-t-a-l **h.** w-o-h-n-e-n

2 Zahlen

2.2 1, 2, 3, 4, 5, 6, 7, 8, 9, 10, 11, 12, 13, 14, 15, 16, 17, 18, 19, 20, 21, 22

2.3 **a.** 22, **b.** 20, **c.** 27, **d.** 26, **e.** 24, **f.** 21, **g.** 23, **h.** 30, **i.** 29, **j.** 28

2.6 30, 31, 32, 40, 43, 50, 60, 70, 78, 80, 90, 99, 100, 101, 200, 213, 316, 417, 521, 600, 708, 853, 999, 1000

3 Am Telefon

3.1

a. Die Notrufnummer der Feuerwehr ist eins eins zwei.

b. Die Vorwahl von Dortmund ist null zwei drei eins. Ich wiederhole:
Die Vorwahl von Dortmund ist null zwei drei eins.

c. **A** Meine Telefonnummer ist fünfhundert-siebenundvierzigsechsunddreißig-neunundsiebzig.
B Fünf vier sieben, drei sechs, sieben neun?
A Genau.

d. **A** Wie ist deine Nummer?
B Neunundachtzig einundsiebzig vierundsechzig null
A Also acht neun, sieben eins, sechs vier null?
B Ja.

e. **A:** Die Nummer von Thorsten?
B: Ja, die hab' ich. Moment …
Null vier null für Hamburg.
A: Wie?
B: Die Vorwahl ist null vier null.
A: O.k.
B: Und dann sieben null, acht sieben, fünf vier, drei acht.
A: Sieben null acht sieben, fünf vier drei acht. Danke. Tschüss.

f. **A:** Die wohnen jetzt in der Nähe von München.
B: Hast du die neue Telefonnummer?
A: Ja. Die Vorwahl ist null acht eins drei vier.
B: Null acht eins zwei vier?
A: Nein. Null acht eins, drei vier.
B: O.K.
A: Und die Nummer ist neun drei, fünf acht, sechs drei.
B: Neun drei, fünf acht, sechs drei.
A: Richtig.

3.2

A: Kaiser, Goethe-Institut.
B: Guten Tag Frau Kaiser, hier ist Müller.
A: Hallo Frau Müller, was gibt's?
B: Ich brauche vier Telefonnummern.
A: Ach, Frau Müller … ! Moment, ich hole die Liste … Okay.
B: Wie ist die Telefonnummer von Tom Miller, bitte?
A: Vier null zwei, fünf neun sieben, hier in Frankfurt.
B: Moment. Die Vorwahl von Frankfurt ist null sechs neun. Und dann vier null zwei fünf neun sieben. Ist das richtig: null sechs neun, vier null zwei fünf neun sieben?
A: Ja genau. Und dann?
B: Claudine und Bertrand Chaptal.
A: Die wohnen auch in Frankfurt. Die Telefonnummer ist drei vier fünf sechs acht sieben neun.
B: Drei vier fünf sechs acht sieben neun.
A: Ja.
B: Dann Frau Mariotta.
A: Eleonora Mariotta. Die wohnt in Offenbach. Offenbach hat die gleiche Vorwahl wie Frankfurt, null sechs neun.
B: Null sechs neun, ja?
A: Die Nummer ist sechs fünf sechs fünf zwei drei.
B: Hab' ich. Und dann noch der Neue. Herr Dalal.
A: Herr Anirvan Dalal wohnt in Rüsselsheim. Die Vorwahl ist null sechs eins vier zwei. Und die Nummer zwei eins neun drei sieben vier.
B: Zwei eins neun zwei sieben vier?
A: Nein, die Nummer ist zwei eins neun drei sieben vier.
B: Alles klar, vielen Dank. Tschüss.
A: Auf Wiederhören, Frau Müller.

3.3

A: Kaiser, Goethe-Institut.
B: Guten Tag, mein Name ist Anirvan Dalal.
A: Ach hallo, Herr Dalal.
B: Ich bin neu im Deutschkurs. Ich brauche die Telefonnummer von Frau Müller.
A: Frau Müller. Einen Moment … die Nummer ist 77 58 29.
B: 77 58 29?
A: Ja, genau.
B: Vielen Dank. Auf Wiederhören.
A: Tschüss. …

5 Verneinung mit *nicht*

5.1 **Der Ja-Sager**
Ja, ich heiße Meier, ich komme aus Deutschland, ich bin 33, ich spreche Deutsch und Französisch, ich bin verheiratet, ich arbeite gern und lerne auch gern.

Der Nein-Sager
Nein, ich heiße nicht Meier, und ich komme nicht aus Deutschland. Ich bin nicht 33. Ich spreche nicht Französisch und auch nicht Englisch. Ich bin nicht verheiratet und ich arbeite nicht gern.

Einheit 3: *Im Café*

5 Norma und Julian

5.2 **Julian:** Julian Meister.
Norma: Hallo Julian, hier ist Norma. Wie geht's?
Julian: Hallo Norma. Danke, gut. Was machst du morgen Abend?
Norma: Noch nichts.
Julian: Ich gehe ins Kino. Da kommt ein Film von Wolfgang Petersen. Hast du Zeit?
Norma: Ja. Ich habe Zeit.
Julian: Gehen wir zusammen ins Kino?
Norma: Ja, gerne.
Julian: Ich komme um neun zu dir, okay?
Norma: Ja, super. Bis morgen.

Einheit 4: *Unterwegs in Europa*

Auftaktseite

Quizmaster: Guten Abend liebe Zuschauerinnen und Zuschauer, meine Damen und Herren, herzlich Willkommen zu ***Wer wird Millionär?***. Als Kandidatin darf ich heute Frau Elke Schulz begrüßen. ... Frau Schulz, woher kommen Sie?
Kandidatin: Aus Hamburg.
Quizmaster: Was machen Sie beruflich?
Kandidatin: Ich bin Sekretärin. Ich arbeite bei einer Pharma-Firma.
Quizmaster: Gefällt Ihnen die Arbeit?
Kandidatin: Ja, die Arbeit macht mir Spaß.
Quizmaster: Das ist schön. Wir fangen jetzt an. Hier ist Frage Nummer eins: Wie heißt die Hauptstadt von Ungarn? **A** Bratislava, **B** Ljubljana, **C** Budapest oder **D** Amsterdam?
Kandidatin: Das weiß ich. Das ist Budapest.
Quizmaster: Sie nehmen also **C** Budapest?
Kandidatin: Ja. **C**.
Quizmaster: Und das ist richtig. Budapest ist die Hauptstadt von Ungarn. ... Weiter geht es mit Frage zwei: In Rom steht **A** der Buckingham Palast, **B** der Petersdom, **C** der Eiffelturm oder **D** das Brandenburger Tor?
Kandidatin: Also, der Buckingham Palast ist in London, der Eiffelturm steht natürlich in Paris und das Brandenburger Tor ist in Berlin. Also ist der Petersdom in Rom. **B**.
Quizmaster: Gut. Und wieder richtig. Der Petersdom steht natürlich in Rom. ... Gut. Hier kommt Frage drei: Die Landessprache von Liechtenstein – Frau Schulz – ist **A** Französisch, **B** Niederländisch, **C** Italienisch oder **D** Deutsch?
Kandidatin: Liechtenstein, das ist das kleine Land zwischen Österreich und der Schweiz und da spricht man – glaube ich – Deutsch. Ja, ich nehme **D** Deutsch.
Quizmaster: O.k. Frau Schulz, ... Französisch ist nicht die Landessprache von Liechtenstein. Italienisch ist auch nicht die Landessprache von Liechtenstein, Niederländisch ... ebenfalls nicht. Die richtige Antwort ist Deutsch. Und damit kommen wir zu Frage Nummer vier: Lissabon ist die Hauptstadt von **A** Malta, **B** Zypern, **C** Portugal oder **D** Irland?
Kandidatin: Das ist leicht. Lissabon ist die Hauptstadt von Portugal, **C**.
Quizmaster: Wieder richtig. Frau Schulz, Lissabon ist die Hauptstadt von Portugal. Sie machen das wirklich gut. Ja, trinken Sie erst mal Mineralwasser. So. Frage fünf: Wo steht das Atomium? **A** In Athen, **B** In Brüssel, **C** In Prag oder **D** In Wien?
Kandidatin: Das Atomium – das ist doch so ein komisches Ding, runde Kugeln mit Stäben dazwischen, das müsste in Prag ... im Prater, nee, ach das war ja in Wien. Also der Prater steht in Wien. Das Atomium steht in – Moment – nicht

in Wien. Ich kenne das aus einem Buch. In Prag? Athen? Brüssel? In Prag. In Prag? Prag. Ich nehme **C** Prag.
Quizmaster: Sind Sie sicher, Frau Schulz? Vielleicht hilft ein Joker?
Kandidatin: Also, Wien ist es nicht. Das weiß ich. Hm. Ich nehme den Fünfzig-fünfzig-Joker.
Quizmaster: Hier kommt er. Es bleiben die Antworten **B** In Brüssel und **D** In Wien.
Kandidatin: Dann ist es **B** In Brüssel. Ja.
Quizmaster: Gut. Brüssel ist richtig. In Brüssel steht das Atomium. ... Frau Schulz, hier ist Frage sechs: Wo ist die Europäische Zentralbank? **A** In London, **B** In Brüssel, **C** in Zürich oder **D** In Frankfurt?
Kandidatin: Die Europäische Zentralbank? Die Banken sind doch alle in der Schweiz – England hat noch keinen Euro – Frankfurt? Nee. Das muss **C** Zürich sein. Ja, **C**. Ich nehme **C**.
Quizmaster: **C** Zürich. Die Europäische Zentralbank, Frau Schulz, ist nicht in London. Sie ist nicht in Brüssel. Sie ist auch nicht in ... Zürich. Sie ist in Frankfurt! Frau Schulz! Schade!
Quizmaster: Es geht weiter mit dem nächsten Kandidaten nach der Werbung.

Option 1

2 Lotto, 6 aus 49

Ziehung 1: 8, 18, 27, 36, 43, 47, Zusatzzahl 9
Ziehung 2: 5, 9, 13, 17, 23, 31, Zusatzzahl 43
Ziehung 3: 7, 13, 19, 25, 37, 43, Zusatzzahl 31
Ziehung 4: 22, 25, 28, 34, 46, 48, Zusatzzahl 4

4 Diktat

4.1 Ich heiße Bernd Kampmann. Ich komme aus Dortmund. Das liegt im Westen von Deutschland. Ich wohne jetzt im Süden von Deutschland. Die Stadt liegt etwa 150 Kilometer südöstlich von Frankfurt. Das Rathaus ist sehr bekannt. Es ist ein Brückenrathaus. Die Stadt liegt nördlich von Nürnberg. Wie heißt die Stadt?

8 Phonetik: Rhythmus, Melodie und Aussprache

8.5 **b.** der Osten, östlich | der Norden, nördlich | zählen, zahlen | zurück | natürlich | schon, schön

Einheit 5: *Lebensmittel einkaufen*

Auftaktseite

1 Meine Damen und Herren, sehr geehrte Kunden! Heute im Angebot: Oliven aus Spanien – 100 Gramm-Dose -,79 Cent; Champignons – 300 ml. Glas -,49 Cent; Marmelade, diverse Sorten: Erdbeere, Kirsche oder Orange – 450 Gramm-Glas -,99 Cent; Vino Bianco, Wein aus Italien – die Flasche 2 Euro 99 Cent; und 1 kg Birnen für nur -,99 Cent! Sensationelle Preise und super Qualität, wie immer bei ...

2 Einkaufen

2.1 **Frau Müller:** Guten Tag.
Verkäufer: Guten Tag. Sie wünschen?
Frau Müller: Ich hätte gern zwei Liter Milch.
Verkäufer: Ja. Noch etwas?
Frau Müller: Und ein Kilogramm Kartoffeln.
Verkäufer: Tut mir Leid, heute haben wir leider keine Kartoffeln.
Frau Müller: Hm, ja, geben Sie mir ein Kilo Broccoli.
Verkäufer: Gut. Noch etwas?
Frau Müller: Ja, ich brauche noch Öl.
Verkäufer: Wie viel?
Frau Müller: Ach, geben Sie mir gleich zwei Flaschen.
Verkäufer: Olivenöl oder Sonnenblumenöl?
Frau Müller: Olivenöl, bitte. Und sechs Eier.
Verkäufer: Gut. Ist das alles?
Frau Müller: Nein, ich brauche noch drei Tafeln Schokolade. Das ist sehr wichtig.
Verkäufer: Ah ja. Welche Marke?

Frau Müller: „Milka". Ach ja, und noch ein Pfund Kaffee.
Verkäufer: Gerne.
Frau Müller: Das ist alles. Nein, Entschuldigung, bitte noch zwei Beutel Chips. Dann habe ich wirklich alles.
Verkäufer: So,das macht dann 18, 40.
Frau Müller: Bitte.
Verkäufer: Danke. Das sind 20 Euro – und 1, 60 zurück. Danke schön, auf Wiedersehen, schönes Wochenende.
Frau Müller: Danke auch. Auf Wiedersehen.

4 Akkusativ

4.4 **Kunde:** Ich hätt' gern ein' Liter Rotwein.
Frau Müller: Das heißt: einen Liter! … Ähm … drei Tafeln Schokolade … Akkusativ!
Verkäuferin: … nicht Milka?

Einheit 6: *Freizeitaktivitäten*

1 Uhrzeiten

1.3 **Dialog 1:**
A: Kommt jemand mit ins Kino?
B: Was läuft denn heute Abend?
A: Moment mal … im Autokino läuft „Das Dorf", im CinemaXX läuft „Riddick" und „Gegen die Wand", und im Turm läuft „7 Zwerge".
C: Wann beginnen denn die Filme?
A: „7 Zwerge" beginnt um Punkt acht, „Das Dorf" und „Riddick" beginnen um Viertel nach acht, und „Gegen die Wand" beginnt um halb neun.
B: Gut. Gehen wir in „7 Zwerge"?
A: Einverstanden.
C: O.k.

Dialog 2:
A: Kommt jemand mit ins „Las Tapas"?
B: Las Tapas? Was ist denn das?
A: Das ist ein spanisches Restaurant. Man isst dort super!
C: Gute Idee. Ich komme mit.
B: Aber ist das Restaurant heute offen?
A: Ja, es ist von 17 Uhr bis 24 Uhr geöffnet.
B: Prima.

Dialog 3:
A: Was läuft denn heute Abend im Fernsehen?
B: Mal sehen … ja, um Viertel nach acht läuft „Ein Fall für zwei".
A: Der ist sicher spannend. Aber wann ist der Film zu Ende?
B: Um Viertel nach neun.
A: Gut, das geht. Ich stehe nämlich um halb sechs schon wieder auf.

1.6 **2.**
A: Guten Tag. Entschuldigung, wie viel Uhr ist es? Ich komme gerade aus Athen und ich habe noch die griechische Zeit.
B: Hallo. Moment. Es ist genau einundzwanzig Uhr zwanzig – ach nein, Entschuldigung. Ich komme gerade aus Australien. Da ist es zwanzig nach neun. Hier in Frankfurt ist es – Moment ... Ja, zwölf Uhr fünfzig, zehn vor eins ist es hier in Frankfurt.
A: Ja, das kann sein. In Athen ist es jetzt dreizehn Uhr fünfzig, minus eine Stunde, ja klar, zehn vor eins. Vielen Dank! Auf Wiedersehen!

3. 14 Uhr 11, SDR 3, Radiodienst. Meldungen über Verkehrsstörungen liegen uns nicht vor.

2.1 **Dialog 1**
Herr Bilgin: Guten Abend.
Wie spät ist es denn?
Frau Chaptal: Genau halb sieben.

Dialog 2
A: Wann beginnen denn die Filme?
B: „7 Zwerge“ beginnt um Punkt acht,
„Das Dorf“ und „Riddick“
beginnen um Viertel nach acht.

Dialog 3
A: Mal sehen ..., ja, um Viertel nach acht läuft
„Ein Fall für zwei“.
B: Der ist sicher spannend. Aber wann ist der
Film zu Ende?
A: Um Viertel nach neun.
B: Gut, das geht. Ich stehe nämlich um
halb sechs schon wieder auf ...

Dialog 4
A: Aber ist das Restaurant heute offen?
B: Ja, es ist von 17 Uhr bis 24 Uhr geöffnet.

Dialog 5
A: Wann rufst du an?
B: Um Viertel vor zwölf.

4 Die Woche

4.1 **Mann:** Mein Hobby ist Sport. Ich mache jeden Tag Sport. Meistens abends. Jeden Tag eine andere Sportart. Meine Woche sieht so aus: Am Montag Abend spiele ich Volleyball. Von sieben bis neun. Am Dienstag Morgen spiele ich Tennis – mit meinem Chef, von 7.00 bis 8.00 Uhr. Wir spielen vor der Arbeit. Am Mittwoch spiele ich Basketball und am Donnerstag Ping Pong – Tischtennis. Mittwoch und Donnerstag fange ich abends um sechs mit dem Sport an. Meistens spiele ich bis um acht. Am Freitag spiele ich Fußball mit meinen Arbeitskollegen. Nach der Arbeit, so um halb sechs. Und am Samstag spiele ich Eishockey. Samstag Nachmittag, so von drei bis etwa um fünf. Nur am Sonntag mache ich keinen Sport – am Sonntag sehe ich Sport im Fernsehen. Ach ja, und von Montag bis Freitag arbeite ich auch noch. ... Aber nur bis 17 Uhr.

6 Personalpronomen Akkusativ

6.1 **a.** **Daniela:** Daniela Herrmann.
Christiane: Hallo Daniela. Hier ist Christiane. Siehst du Britta und Thorsten heute noch?
Daniela: Ja, ich treffe sie um sechs im Café.
Christiane: Das ist prima. Sie sind nicht zu Hause. Sag doch bitte Britta, ich rufe sie morgen an.
Daniela: Ja, o.k.
Christiane: Danke. Und tschüss!

b. **Daniela:** Daniela Herrmann.
Kerstin: Hallo Danni, Kerstin hier.
Daniela: Hallo Kerstin. Wie geht's?
Kerstin: Gut, danke. Und selbst?
Daniela: Es geht.
Kerstin: Was ist denn? Ist alles in Ordnung?
Daniela: Ach, weißt du, Frank und ich ... Wir sehen uns nicht mehr.
Kerstin: Warum seht ihr euch nicht mehr? Liebt Frank dich nicht mehr?
Daniela: Er liebt mich noch. Aber ich liebe ihn nicht mehr. Und er versteht es nicht.
Kerstin: Oje. Und warum liebst du ihn nicht mehr?
Daniela: Tja, du kennst doch Professor ...

Einheit 7: *Familie und Verwandtschaft*

Auftaktseite

1 **1.** Wir sind die Familie Feuerstein. Meine Frau Wilma, unsere Tochter Pebbles und ich. Ich fahre mit meinem Freund Barney jeden Tag zur Arbeit. Und am Abend freue ich mich schon auf zu Hause. Wilma kocht für uns alle und Pebbles und ich spielen mit unserem Dinosaurier.

2. Auf dem Foto sieht man unsere Familie. Wir sitzen im Wohnzimmer. Ganz links ist mein Vater, rechts meine Mutter mit mir und meinem Bruder Peter. Ich sehe zum Fotografen. Der fotografiert den Politiker Willy Brandt privat mit Familie. Und Willy Brandt, das ist mein Vater ...

3. Wir sind eine Familie mit vielen Musikern und Komponisten. Mein Großvater ist schon sehr bekannt, aber fast alle kennen meinen Vater. Er heißt Johann Sebastian Bach. Mein Vater hat viele Kinder. Ich stehe ganz rechts und in der Mitte stehen zwei Brüder von mir. Wenn Sie genau schauen, sehen Sie unsere Instrumente. Ich habe z.B. eine Violine.

4. Das bin ich mit meiner Familie. Ich sitze rechts. Links sitzen meine Mutter, mein Vater und meine Schwester Erika. Wir alle zusammen sind die Familie von dem Schriftsteller Thomas Mann, meinem Vater. Er ist der Autor von „Buddenbrooks“ und „Der Zauberberg“. Das Foto ist von 1942.

1 Meine Familie

1.2 **Jorge:** Das ist also deine Familie?
Susanne: Ja, genau. Das ist meine Familie bei uns zu Hause. Das ist unser Garten. Mein Vater Walter hat da Geburtstag. Er ist jetzt 65 Jahre alt. Er sitzt vorne in der Mitte. Rechts neben Papa sitzt meine Mutter Ulla. Sie ist 58 Jahre alt. Das Kind vor Ulla ist meine Tochter Katharina. Sie ist immer gerne bei den Großeltern. Ihre Oma und ihr Opa sind die Besten. Links neben Papa sitzt meine Schwester. Sie heißt Regina, ist 36 Jahre alt und arbeitet als Sekretärin in Heidelberg. Ihre Tochter ist nicht da.
Jorge: Und ihr Mann?
Susanne: Ihr Mann Bernd lebt jetzt in Norddeutschland. Sie sind geschieden. Hinter Regina steht mein Bruder Markus. Er ist nicht verheiratet, aber er hat eine Freundin. Sie heißt Conny. Markus und seine Freundin haben zwei Söhne. Conny und die Söhne sind nicht auf dem Foto. Neben Markus stehe ich mit Florian. Das ist mein Sohn, er ist jetzt 2 Jahre alt. Dann kommt mein Cousin Stefan und sein Vater Thomas, mein Onkel. Das ist der kleine Bruder von Papa. Er ist 54 Jahre alt. Seine Tochter, also meine Cousine Petra sitzt ganz vorne rechts. Die Mutter von Stefan und Petra ist nicht auf dem Foto. Ihre Eltern sind schon lange geschieden und ihre Mutter lebt jetzt in Frankreich.
Jorge: Hast du noch mehr Verwandte, Susanne?
Susanne: Oh ja, wir sind eine große Familie. Meine Mutter hat zwei Brüder und eine Schwester und die haben wieder viele Kinder. Ich habe viele Cousins und Cousinen. Also unsere Feste sind immer mit vielen Personen, so ca. dreißig Verwandte kommen immer.
Jorge: In Deutschland ist das eine große Familie?
Susanne: Ja, warum fragst du?
Jorge: Ja, weißt du, bei uns ist das eine kleine Familie. Unsere Familien sind groß. Ich zeige dir mal ein Foto, da siehst du dann fast 100 Personen. Alles Verwandte.

Einheit 8: *Kleider machen Leute*

3 Gespräche im Kaufhaus

3.1 **1. Kunde**: Entschuldigung, wo sind die Umkleidekabinen?
Verkäufer: Hinten links bei den Mänteln.

2. Kunde: Haben Sie die Hose auch in 52?
Verkäufer: 52 bis 58 finden Sie da vorne.

3. Kundin: Meinen Sie, das Kleid sieht gut aus?
Verkäufer: Das sieht wirklich sehr gut aus.

4. Kunde: Die Jacke ist in L aber viel zu klein!
Verkäufer: Möchten Sie die Jacke in XL probieren?

5. Kundin: Gibt es den auch in Blau?
Verkäufer: Tut mir Leid, ich habe diesen Pullover nur noch in Grün.

6. Kundin: Das Top ist in Größe 40 zu groß.
Verkäufer: Moment, ich habe es auch in 38.

3.4 **Herr Chaptal:** Guten Tag, ich suche einen Anzug.
Verkäufer: Gerne, welche Größe?
Herr Chaptal: Größe 52.
Verkäufer: Und welche Farbe?
Herr Chaptal: In Blau. Dunkelblau.
Verkäufer: Probieren Sie diesen Anzug. Die Umkleidekabinen sind hier links.
Herr Chaptal: Danke.
Verkäufer: Und? Passt der Anzug?
Herr Chaptal: Ja, ich glaube schon.
Verkäufer: Ja natürlich, der sieht sehr gut aus.
Herr Chaptal: Ja, ich finde ihn auch schön. Was kostet der Anzug?
Verkäufer: 198 Euro. Er ist aus 100 Prozent Wolle.
Herr Chaptal: Gut. Dann nehme ich den Anzug.
Verkäufer: Gerne. Vorne links ist die Kasse.

Einheit 9: *Orientierung*

Auftaktseite

2 **A:** Entschuldigung, ist das hier ...?
B: Keine Ahnung.
A: Wie bitte?
B: Ich weiß es nicht!
A: Danke, sehr freundlich.
A: Verzeihung, ist das hier die Paulskirche?
C: Nein, das ist der Dom.
A: Der Dom? Und wie komme ich bitte zur Paulskirche?
C: Hm, Moment, also, ...

2 Wohin? Wo? Akkusativ oder Dativ?

2.1 **A:** Anna, wohin gehst du?
B: In den Deutschkurs. Das ist doch klar.
A: Hallo Ludmilla, wo bist du?
B: Im Deutschkurs natürlich!

Einheit 10: *Von morgens bis abends*

2 Tagesabläufe

2.2 **Interviewer:** Herr Simoneit. Sie sind 53 Jahre alt und von Beruf Bäcker.
Herr Simoneit: Ja, genau.
Interviewer: Wie sieht der Tag von einem Bäcker aus?
Herr Simoneit: Ach, naja. Auf jeden Fall fängt der Tag früh an. Ich stehe immer um 4.00 Uhr auf.
Interviewer: Um 4 Uhr?
Herr Simoneit: Natürlich. Um 5 Uhr fange ich an. Ich fahre jeden Morgen mit dem Fahrrad zur Bäckerei. Um 5 fange ich mit Brot und Brötchen an. Das kaufen die Leute zuerst. Das geht so bis 8 Uhr.
Interviewer: Und dann?
Herr Simoneit: Dann mache ich erst einmal Pause. Dann habe ich schon drei Stunden gearbeitet.
Interviewer: Und danach?
Herr Simoneit: Dann muss ich Kuchen und Torten machen. Die Leute wollen ja etwas für die Kaffeezeit haben. Das geht dann so von 9 bis 12 Uhr 30.
Interviewer: Jeden Tag?
Herr Simoneit: Naja, in der Woche kaufen die Leute nicht so viel Kuchen, aber Freitag und Samstag verkaufen wir viel.
Interviewer: Und um halb eins haben Sie Feierabend?
Herr Simoneit: Neenee. Dann mache ich erst einmal die Backstube sauber. Das ist ganz wichtig. Und am Nachmittag arbeite ich noch in der Bäckerei mit und verkaufe. Die Leute wollen ja auch mal den Bäcker sehen.
Interviewer: Und was macht der Bäcker Simoneit in seiner Freizeit?
Herr Simoneit: Tja, naja ich spiele gerne Karten. Besonders Skat. Aber das geht nur am Wochenende. Ich habe abends sonst keine Zeit.
Interviewer: Aha?
Herr Simoneit: Ich gehe ja immer schon sehr früh schlafen.
Interviewer: Na klar. Um 4.00 Uhr klingelt ja wieder der Wecker.
Herr Simoneit: So ist es.

Interviewer: Frau Peters, vielen Dank, dass Sie uns ein Interview geben.
Frau Peters: Bitte.
Interviewer: Sie sind Pilotin und reisen um die ganze Welt.
Frau Peters: Ja, so sehen das viele Leute. Aber

ich habe meistens einen ganz normalen Tag.
Interviewer: Was heißt das?
Frau Peters: Ich stehe früh auf, so gegen 6.00 Uhr, frühstücke und fahre dann so um halb sieben zum Flughafen.
Interviewer: Aha.
Frau Peters: Und dann müssen wir erst einmal die Route besprechen. Das Wetter ist auch wichtig. Und dann arbeiten wir im Flugzeug weiter und machen einen technischen Check.
Interviewer: Was ist das?
Frau Peters: Wir kontrollieren die Funktionen und Instrumente. Wir kontrollieren das Gewicht usw.
Interviewer: Das ist sehr wichtig.
Frau Peters: Natürlich, manchmal gibt es ein Problem mit der Technik. Und wir müssen den Fehler finden.
Interviewer: Und wann fliegen Sie?
Frau Peters: Um 10.00 Uhr geht es dann los. Dann starten wir.
Interviewer: Wohin fliegen Sie heute?
Frau Peters: Heute fliegen wir nach Lissabon. Wir kommen um 12.30 an.
Interviewer: Und dann sehen Sie sich Lissabon an?
Frau Peters: Ja, ich sehe mir den Flughafen an und mache eine halbe Stunde Pause. Nein, die Stadt sehen wir nur aus der Luft. Nach der Pause, so gegen eins, machen wir wieder einen Check und die ganze Vorbereitung auf den Rückflug. Und dann fliegen wir wieder zurück.
Interviewer: Und am Nachmittag?
Frau Peters: Ich steige dann aus dem Flugzeug und gehe noch einmal in unser Büro und gegen 17.00 Uhr fahre ich nach Hause.
Interviewer: Und in der Freizeit?
Frau Peters: Ich freue mich auf meinen Mann. Wir sehen uns abends. Aber er ist auch oft nicht zu Hause. Manchmal gehen wir zusammen ins Restaurant. Ich koche nicht so gerne.
Interviewer: Arbeiten Sie auch am Wochenende oder nachts?
Frau Peters: Klar. Am Wochenende muss ich oft auch arbeiten. Aber nachts nicht. Da dürfen wir in München nicht starten.

Einheit 11: ... *einmal durch das Jahr*

3 Geburtstage feiern

3.2 **Lied 1:**
Zum Geburtstag viel Glück
Zum Geburtstag viel Glück
Zum Geburtstag, liebe Petra,
Zum Geburtstag viel Glück

Lied 2:
Viel Glück und viel Segen
Auf all deinen Wegen
Gesundheit und Wohlstand
Sei auch mit dabei.

4 Einladung annehmen / ablehnen

4.3 **Dialog 1:**
Tom: Hallo Silvia.
Silvia: Hallo Tom. Wie geht´s?
Tom: Danke, gut.
Silvia: Ich habe am Samstag Geburtstag und mache eine Party. Kannst du kommen?
Tom: Ja, gern. Wann fängt die Party an?
Silvia: Um 21.00 Uhr.
Tom: Ich komme gern. Dann bis Samstag.

Dialog 2:
Herr Schmidt: Schmidt.
Frau Rot: Hallo Herr Schmidt, hier ist Maria Rot.
Herr Schmidt: Guten Abend, Frau Rot.
Frau Rot: Wir machen ein Gartenfest und möchten Sie und Ihre Frau einladen.
Herr Schmidt: Das ist sehr nett. Wann ist denn die Feier?
Frau Rot: Am 15. August, das ist ein Samstag.
Herr Schmidt: Das tut mir aber Leid. Wir können leider nicht kommen. Wir sind nicht da.
Frau Rot: Das ist aber schade.

Dialog 3:
Robert: Hallo, Norma, hallo Julian.
Norma: Hallo Robert.
Robert: Gut, dass ich euch treffe. Ich möchte euch zum Essen einladen.
Julian: Kochst du selbst?
Robert: Ja, natürlich. Könnt ihr Freitagabend?
Norma: Jaaa!
Julian: Freitag? Vielleicht. Ich muss erst im Kalender nachsehen.
Robert: Mach das. Ich ruf dich morgen an.
Julian: Ja, okay. Tschüss.
...
Norma: Was ist denn?
Julian: Robert kocht schrecklich. Sein Essen ist immer furchtbar.

Wir möchten Sie zu unserem Fest anlässlich des Firmenjubiläums einladen. Wir wären sehr erfreut, wenn Sie am Samstag, den 17. Juni ab 15.00 Uhr bei unserem Empfang mit Sekt und Imbiss dabei sein könnten. Bitte rufen Sie mich kurz zurück und bestätigen Sie den Termin.

Einheit 12: *Lebensläufe*

Auftaktseite

2 **1.** Er hat von 1889 bis 1977 gelebt. Er kommt aus London und hat viele Jahre in Amerika gelebt und in Los Angeles gearbeitet. Er hat zweimal geheiratet. Er war klein. Die Leute haben viel über seine Filme gelacht. Später hatte er ein Haus in der Schweiz am Genfer See. Er hat dort viele Jahre gewohnt. Seine Tochter hat auch viele Filme in Europa und Amerika gemacht. Wie heißt der Mann?

2. Er war Deutscher. Er hat von 1844 bis 1929 gelebt. In Mannheim hat er gearbeitet. Er hat Maschinenbau studiert und war Ingenieur. Er hat das erste Auto gebaut. Er hatte mit dem Ingenieur Gottlieb Daimler zusammen eine Firma. Die Firma produziert heute noch Autos in Stuttgart. Kennen Sie die Autos? Wie heißt der Mann?

3. Er war Österreicher. Er hat von 1756 bis 1791 gelebt. Seine Eltern haben in Salzburg gelebt. Seine Familie hat sich sehr für Musik interessiert. Mit sechs Jahren hat er schon komponiert und Klavier gespielt. Er hat die meiste Zeit in Wien gearbeitet und viele Opern geschrieben, zum Beispiel „Don Giovanni" und „Die Hochzeit des Figaro". Sinfonien hat er auch komponiert. Auch dieses Stück ist von ihm. Wie heißt er?

Einheit 13: *Medien im Alltag*

Auftaktseite

2 **1. Claudia:** Claudia Poth.
Karin: Hallo Claudia, hier ist Karin. Ich muss dir unbedingt etwas erzählen.
Claudia: Karin, ich bin gerade mitten in der Arbeit. Aber ich habe um halb eins Mittagspause. Kann ich dich dann zurückrufen?
Karin: Ja, okay, bis dann.

2. „Deutschlandfunk. Sieben Uhr. Nachrichten. Zunächst der Überblick. In ... gelang es der ..."

3. PC: Sie haben Post.
Claudia: Mist, schon halb acht. Ich muss los.

4. „Guten Abend meine Damen und Herren. Es ist zwanzig Uhr. Hier ist das erste deutsche Fernsehen mit der Tagesschau."

5. Karin: Was liest du da?
Claudia: „Tintenherz". Das ist ein Roman von Cornelia Funke. Der ist sehr spannend. Ich habe gestern Abend damit angefangen. Heute Abend lese ich weiter.

6. Karin: Hast du heute Morgen schon die Zeitung gelesen?
Claudia: Ja, habe ich. Warum?

1 Gestern bei Julian

1.2 Gestern Nachmittag hat Julian mich angerufen. Er hat einen DVD-Player gekauft und er hat mich zu einem Film eingeladen. Er hat mich am Telefon gefragt, welchen Film ich sehen möchte. Ich habe gesagt: „Titanic. Ich habe ihn schon zehn mal gesehen. Der Film ist Klasse." Am Nachmittag hat er den Film in einer Videothek ausgeliehen. Dann haben wir noch einmal telefoniert. Julian hat gesagt: Komm doch heute Abend um acht Uhr vorbei. Wir haben uns dann um acht Uhr bei Julian getroffen. Es war richtig gemütlich. Wir haben ein bisschen geredet und dabei schon ein Glas Wein getrunken. Dann hat Julian den Fernseher angemacht und ich habe mich schon auf einen romantischen Film gefreut. Und was passiert? Nichts! Warum? Naja, der DVD-Player hat nicht funktioniert.

2 Musik

2.2 **Claudia:** Ich mag Musik sehr. Ich höre oft Musik. Wenn ich Zeit habe, den ganzen Tag. Meistens höre ich aber morgens im Bett Musik. Dann fängt der Tag gut an. Und auf dem Weg zur Arbeit, da habe ich immer meinen MP3-Player dabei und höre, was mir gerade gefällt. Ich mag zum Beispiel gerne Rockmusik. Aber eigentlich mag ich ganz verschiedene Musikstile. Manchmal höre ich eben auch Pop oder Jazz. Nur Heavy Metal mag ich nicht.

Einheit 14: *Über den Tellerrand*

2 Frühstück international

2.2 **Interviewer:** Seht euch doch bitte mal das Foto hier an. Auf dem Bild seht ihr, was man hier alles so zum Frühstück isst. Zum Beispiel Joghurt, Obst, Käse, Milch und so weiter. Was esst ihr eigentlich in euren Ländern zum Frühstück?
Beatrice: Ja, also bei uns in Frankreich wird im Allgemeinen Zwieback mit Marmelade gegessen und dazu eine Tasse Kaffee oder Tee, es kommt darauf an und manchmal - aber nicht so oft – Schokolade. Ich persönlich esse Schokolade mit Müsli, aber das ist mein Geschmack. Sonst kann man auch ein Ei am Sonntag essen und ein bisschen Käse, aber das ist nicht sehr üblich.
Interviewer: Ja, danke. Bojie, wie ist das bei euch in China?
Bojie: Bei uns ist es ganz anders. Käse kennen wir nicht und Margarine und Butter kennen wir auch nicht. Dafür essen wir Nudeln, Reissuppe – mit Wasser und Reis gekocht.
Interviewer: Zum Frühstück esst ihr Suppe?
Bojie: Reissuppe. Und Eier essen wir auch. In der Stadt trinkt man auch Milch, aber auf dem Land, glaube ich, nicht. Oder was meinst du?
Li: Ja, auf dem Land isst man beim Frühstück normalerweise Reisbrei mit Sauerkraut. Und in Städten isst man heute beim Frühstück Nudeln, wie Bojie gesagt hat, und man trinkt auch Milch, isst Eier dazu. Und in manchen Familien, die doch Wohlstand haben oder … dann essen sie auch Müsli.
Interviewer: Danke. Rowan. England ist ja berühmt für das ausführliche Frühstück. Wie ist das, was isst du zu Hause zum Frühstück?
Rowan: Manche Leute essen ja Eier und Schinken, aber ich glaube, die Mehrheit isst nur ein bisschen Toast mit Marmelade oder so was. Oder vielleicht auch zuerst Cereals.
Interviewer: Cereals, was ist das?
Rowan: Cornflakes zum Beispiel, oder so was. Aber Käse essen wir kaum zum Frühstück.
Interviewer: Nitsa?
Nitsa: Bei uns trinkt man eine Tasse Kaffee, im Winter den griechischen Kaffee, einen warmen Kaffee, und im Sommer den kalten Frappe, Nescafé. Das Ganze wird mit einer bis fünf Zigaretten begleitet, wenn man Raucher ist.
Interviewer: Und, ja, was esst ihr eigentlich dazu?
Nitsa: Die Erwachsenen essen eigentlich nichts, die kleinen Kinder Marmelade, Butter und ein Ei mit Milch.
Interviewer: Habt ihr auch so etwas wie Brötchen oder Brot?
Nitsa: Brot, Brötchen nicht. Es ist nicht üblich.

3 Camping am Bodensee

3.3 **Anne:** Guten Morgen! Hast du gut geschlafen?
Thorsten: Ja, danke, du auch?
Anne: Ja. Kannst du gleich den Kaffee aus dem Zelt mitbringen?
Thorsten: Ja, klar. Äh, Moment – wo liegt er denn?
Anne: Na, neben meinem Schlafsack.
Thorsten: Ich sehe ihn nicht. Hier liegen nur dein Pullover, dein Bikini und ein Handtuch.
Anne: Und unter dem Handtuch?
Thorsten: Da ist er auch nicht. Unter dem Handtuch liegen zwei Packungen Nudeln und dein Tagebuch, aber kein Kaffee.
Anne: Oh, Mist, dann haben wir ihn wohl vergessen.

3.4 **Frau Stegmaier:** Hallo! Guten Morgen! Entschuldigen Sie. Sie haben Ihren Kaffee vergessen? Kommen Sie doch zu uns zum Frühstück.
Anne: Das ist ja nett. Gern. Ich sage es nur schnell meinem Freund.
Thorsten!
Thorsten: Mhm.
Anne: Wir brauchen keinen Kaffee mehr. Unsere Nachbarn haben uns zum Frühstück eingeladen.
Thorsten: Können wir nicht alleine frühstücken? Ich muss noch duschen.
Anne: Jetzt habe ich schon gesagt, wir kommen. Die sind echt nett!
Thorsten: Na gut,Geh schon hin, ich komme gleich.
Anne: Gut. Bis gleich.

4 Das Wetter

4.2 **Wetterbericht A:** ...böiger Wind aus Nordost. Gegen Abend Regen und Gewitter mit Temperaturen um 15 Grad. Es ist jetzt 14 Uhr sechs.

Wetterbericht B: Das Wetter. In den Morgenstunden noch leicht bewölkt, jedoch trocken. 15 bis 18 Grad. Mittags dann sonnig mit Temperaturen um 28 Grad. Das waren die Nachrichten. Sie hören nun in der Reihe „Solo am Morgen" Ludwig Güttler mit dem ...

Wetterbericht C: Wettervorhersage für morgen, Donnerstag, den 15. Januar: Im Westen morgens neblig mit Sichtweiten teilweise unter 30 Metern. Im Tagesverlauf klart es jedoch auf. Am Nachmittag teils sonnig teils bewölkt und gegen Abend Regen im Osten und Südosten des Landes. In den Mittelgebirgen und der Alpenregion Schnee. Die Schneefallgrenze liegt bei etwa sechshundert Metern. Die Temperaturen liegen bei null Grad im Norden ...

6 Ja, nein, doch?

6.2
1. Lernen Sie nicht Deutsch?
2. Leben Sie in der Schweiz?
3. Möchten Sie nicht mit einem Zeppelin fliegen?
4. Sind Sie nie müde?
5. Mögen Sie Campingurlaub?
6. Lernen Sie täglich etwas Deutsch?
7. Haben Sie kein Handy?
8. Können Sie reiten?
9. Haben Sie kein Fahrrad?
10. Essen Sie nicht gern Brötchen zum Frühstück?

Einheit 15: *Wie geht es dir?*

1 Der Körper

1.1 der Hals > die Schulter > der Rücken > der Po
die Brust > der Bauch
das Bein > das Knie > der Fuß > die Zehe
der Kopf > das Gesicht
der Arm > die Hand > der Finger
die Haare > die Stirn > das Auge > das Ohr > die Nase > der Mund > der Zahn > das Kinn

1.3 der Kopf > ein Haar > die Haare > das Gesicht > das linke Auge > das rechte Auge > die Augen > das linke Ohr > das rechte Ohr > die Ohren > die Nase > der Mund > ein Zahn > die Zähne > das Kinn > der Hals > die Schulter > der Rücken > der Bauch > der linke Arm > der rechte Arm > die Arme > die linke Hand > die rechte Hand > die Hände > ein Finger > die Finger > das linke Bein > das rechte Bein > die Beine > das linke Knie > das rechte Knie > die Knie > der linke Fuß > der rechte Fuß > die Füße > eine Zehe? Die Zehen sind im Schuh!

der Kopf > der rechte Arm > die Haare > die Beine > der rechte Fuß > die Zähne > die Ohren > das linke Auge > der Hals > der Rücken > das Gesicht > die rechte Hand > das linke Ohr > die Füße > der Bauch > der linke Arm > die Hände > das rechte Auge > die Finger > das linke Bein > das rechte Bein > das linke Knie > die Augen > das rechte Ohr > die Nase > der Mund > das rechte Knie > das Kinn > die Schulter > die Knie > der linke Fuß > die Arme > die linke Hand

3 Über Krankheiten sprechen

3.1 **Monika:** Monika Brahms.
Fabian: Hallo Monika. Was hast du denn? Bist du krank?
Monika: Hallo Fabian. Mir geht es nicht so gut. Ich habe Fieber ...
Fabian: Hast du auch Halsschmerzen?
Monika: Ja, und mein Kopf tut weh.
Fabian: Du musst ins Bett! Kann ich etwas für dich tun? Vielleicht in der Apotheke etwas holen?
Monika: Ja, danke. Ich war heute Morgen schon beim Arzt. Ich habe ein Rezept für Tabletten und Nasentropfen.
Fabian: Ich komme gleich.
Monika: Danke, das ist lieb! Bis gleich.

Option 4

1 Ein Gedicht

In meiner Küche sitzt ´ne Fliege.
„Warte nur, bis ich dich kriege!"
Sitzt an dem Schrank vor der Wand,
in der Schüssel, auf dem Brot.
„Warte nur, gleich bist du tot!"
Da ich sie jage, stell´ ich die Frage.
„Wo?"
„Nein", denkt die Fliege und fliegt. „Wohin?"
Über den Tisch und neben die Tasche,
krabbelt zwischen Glas und Flasche.
Fliegt hinter den Topf, auf meinen Kopf
und unter meine Fliegenklatsche – Patsch! –
Äh!"

2 Sebastian fährt zu seiner Schwester

2.1 **Sebastian:** Sebastian Dellwig.
Annette: Hallo Sebastian. Annette hier.
Sebastian: Hallo Annette. Wie geht´s?
Annette: Leider nicht so gut. Ich hatte gestern einen Unfall. Mein Arm ist gebrochen.
Sebastian: Au Mann. Wie ist das denn passiert? Tut der Arm weh?
Annette: Ja, er tut sehr weh. Kannst du kommen?
Sebastian: Wann?
Annette: Kannst du sofort kommen?
Sebastian: Ja, ich fahre gleich zum Bahnhof und nehme den Zug. In zwei Stunden bin ich da.
Annette: Super, danke Sebastian.

2.2

1. **Sebastian:** Guten Tag.
   Taxifahrer: Guten Tag. Wohin?
   Sebastian: Zum Bahnhof, bitte.
   Taxifahrer: Ja, gerne.
2. **Taxifahrer:** So, da sind wir. Das sind acht Euro und sechzig.
   Sebastian: Hier sind zehn.
   Taxifahrer: Danke. Und eins vierzig zurück.
   Sebastian: Auf Wiedersehen!
   Taxifahrer: Auf Wiedersehen!
3. **Mann am Schalter:** Das Ticket kostet 18 Euro dreißig.
   Sebastian: Gut. wann fährt der nächste Zug?
   Mann am Schalter: Um 17 Uhr 22. Sie haben noch eine halbe Stunde Zeit.
   Sebastian: Danke.
4. Achtung an Gleis 6. Es fährt ein: Der Regionalexpress nach Aachen, planmäßige Abfahrt 17 Uhr 22. Vorsicht bei der Einfahrt.

4 Bildergeschichte

4.1 **Arzt:** Maria, kannst du dem Onkel Doktor deine Zunge zeigen?
Maria: Nein, ich möchte nicht!
Arzt: Komm, Maria, zeig mir doch mal deine Zunge. Guck mal, so: Bah!
Maria: Ich will aber nicht.
Mutter: Aber Maria, es ist doch ganz einfach. Schau mal. Mama macht´s vor, so: Bäh!
Arzt: Sie will nicht. Hm, da kann man nichts machen. Man darf das Kind nicht zwingen.
Mutter: Naja, sie will heute einfach nicht. Ach, das ist mir peinlich. Können wir vielleicht an einem anderen Tag wiederkommen?
Arzt: Na gut, dann … am Montag, um 3 Uhr.
Mutter: Ja gerne, Herr Doktor. Auf Wiedersehen und vielen Dank und entschuldigen Sie bitte! Auf Wiedersehen!
Maria: Bäh!

Lösungen

Einheit 1: *Der Kurs beginnt*

2.3 Wie heißen Sie? (Ich heiße Ludmilla) Böspflug.
Woher kommen Sie? (Ich komme) aus Russland.
Wo wohnen Sie? (Ich wohne) in Frankfurt.

2.4 **1. A:** Woher kommmen Sie?
2. A: Wie heißen Sie?
3. A: Wo wohnen Sie?
4. A: Wie heißen Sie?
5. A: Woher kommen Sie?

3.2 beginn|en heiß|en schau|en schreib|en hör|en sprech|en les|en frag|en antwort|en begrüß|en versteh|en

3.3 ich heiße; wir heißen; Wie heißen Sie?

3.4 **1.** komme **2.** heißen; heiße **3.** wohnen **4.** heißen **5.** ist; wohne **6.** komme

5.2 woh-nen; Va-ter; kom-men; ver-ste-hen; ant-wor-ten; Deutsch-kurs; Dia-log; Leh-re-rin; lang-sam

5.4 wo > wie > jetzt > Entschuldigung > verstehen > nicht > Deutschkurs > gut > willkommen > wohnen > Abend > wiederholen > beginnen

6.1 — informieren; attraktiv; Programm;
— manipulieren; -medien;
— Kalkulation; Finanzminister;
— Reform;
— Produktion; Mikrochips; stagnieren;

6.3

Nomen	Verben	Adjektive
Produktion	produzieren	produktiv
Programm	programmieren	
Manipulation	manupulieren	manipulativ
Kalkulation	kalkulieren	
Reform	reformieren	
Stagnation	stagnieren	

6.4 Alle Nomen schreibt man groß.
Adjektive schreibt man klein.
Internationale Nomen auf Deutsch enden oft auf –ion.
Internationale Adjektive enden oft auf –iv.

6.5 dekorativ = Adjektiv; Kommunikation = Nomen;
explosiv = Adjektiv; musizieren = Verb; Sensation = Nomen

7.2 **das** Radio > **der** Stuhl > **das** Auto > **das** Foto > **die** Kommunikation > **die** Sensation

7.3 — der Dialog > die CD > der Name > das Radio > die Zeitung
— *5 Bilder fehlen zu:* der Kurs > die Frage > das Verb > das Heft > das Auto

8.1 lesen > schreiben > fragen und antworten > ergänzen > hören > markieren

8.2 **1.** K **2.** K **3.** K **4.** L **5.** L **6.** L **7.** K **8.** L

Einheit 2: *Erste Kontakte*

A1 **1.** Nein **2.** Aus Rio. **3.** Ja **4.** Danke, ganz gut.

1.2 **1.** Zawadzka **2.** hören **3.** heißen **4.** Nyström **5.** sprechen **6.** Dalal **7.** Chaptal **8.** wohnen

2.1 1 *eins* | 2 *zwei* | 3 *drei* | 4 *vier* | 5 *fünf* | 6 *sechs* | 7 *sieben* | 8 *acht* | 9 *neun* | 10 *zehn* | 11 *elf* | 12 *zwölf* | 13 *dreizehn* | 14 *vierzehn* | 15 *fünfzehn* | 16 *sechzehn* | 17 *siebzehn* | 18 *achtzehn* | 19 *neunzehn* | 20 *zwanzig* | 21 *einundzwanzig* | 22 *zweiundzwanzig*

2.3 **c.** 27 *siebenundzwanzig* **d.** 26 *sechsundzwanzig* **e.** 24 *vierundzwanzig* **f.** 21 *einundzwanzig* **g.** 23 *dreiundzwanzig* **h.** 30 *dreißig* **i.** 29 *neunundzwanzig* **j.** 28 *achtundzwanzig*

2.6 31 *einunddreißig* | 32 *zweiunddreißig* | 43 *dreiundvierzig* | 50 *fünfzig* | 78 *achtundsiebzig* | 80 *achtzig* | 90 *neunzig* | 99 *neunundneunzig* | 200 *zweihundert* | 213 *zweihundertdreizehn* | 316 *dreihundertsechzehn* | 417 *vierhundertsiebzehn* | 521 *fünfhunderteinundzwanzig* | 600 *sechshundert* | 708 *siebenhundertacht* | 853 *achthundertdreiundfünfzig* | 999 *neunhundertneunundneunzig*

3.1 **a.** 112 **b.** 0231 **c.** 547 36 79 **d.** 89 71 64 0 **e.** 040 / 70 87 54 38 **f.** 08134 / 93 58 63

3.2 **1.** 069 / 40 25 97 **2.** 069 / 3 45 68 79 **3.** 069 / 65 65 23 **4.** 06142 / 21 93 74

4.1 **2.** komme **3.** wohne **4.** heißen **5.** Kommen **6.** spreche **7.** Sprechen **8.** wohnen **9.** Heißen **10.** sprechen **11.** Hören **12.** Kennen **13.** markieren **14.** kommen

4.2 *Aussagesatz:* Nr. 1, 2, 3, 6, 10, 13
W-Frage: Nr. 4, 8, 14
Ja/Nein-Frage: Nr. 5, 7, 9, 11, 12

4.3 Im Aussagesatz steht das Verb immer auf Position 2.
In der W-Frage steht das Verb immer auf Position 2.
In der Ja/Nein-Frage steht das Verb immer auf Position 1.

4.6 **Beispiel**
1. Wo wohnen Sie?
2. Lernen Sie Deutsch?
3. Wie heißen Sie?
4. Sprechen Sie Englisch?
5. Sind Sie Herr Müller?
6. Woher kommen Sie?
7. Wie ist die Telefonnummer?
8. Kommen Sie aus Frankfurt?
9. Wohnen Sie in Berlin?

5.1 Nein, ich heiße nicht Meier und ich komme nicht aus Deutschland. Ich bin nicht 33. Ich spreche nicht Französisch und auch nicht Englisch. Ich bin nicht verheiratet und ich arbeite nicht gern.

5.3 **1.** Ich heiße nicht Meier.
2. Sie kommen nicht aus Berlin.
3. Wir wohnen nicht in Wien.
4. Frau Buarque fährt nicht nach Dänemark.
5. Ich spreche nicht Englisch.
6. Svetlana heißt nicht Miller.
7. Ich arbeite nicht bei Siemens.

A2 Kaffee, Mineralwasser, Apfelsaft, Orangensaft, Cola

1.1 C – A – B

1.2
a. **A:** Was nimmst du?
B: Kaffee. Du auch?
A: Nein. Ich nehme Tee.

b. **A:** Guten Tag. Was möchten Sie trinken?
B: Guten Tag. Ich möchte Espresso, bitte.
A: Espresso, gern. Möchten Sie auch etwas essen?
B: Ja, Pizza, bitte.

b. **A:** Zahlen, bitte.
B: Kakao und Mineralwasser. Das macht zwei Euro neunzig.
A: Hier sind drei Euro.
B: Und zehn Cent zurück.
A: Danke. Und das ist für Sie.
B: Danke sehr. Auf Wiedersehen.

2.1 der Tee, der apfelsaft, das Bier, der Orangensaft, das Sandwich, der Rotwein, die Cola, der Espresso, die Pizza, der Kaffee, der Salat

2.2
Nomen: -r Salat | -s Café | -e Pizza | -r Apfelsaft | -r Euro | -e Cola | -r Kakao | -r Orangensaft | -s Sandwich | -r Kaffee | -e Speise | -s Mineralwasser | -s Bier | -e Kellnerin | -s Getränk | -r Espresso | -r Kellner | -r Wein

Verben: du nimmst (nehmen), ich trinke (trinken), ich mag (mögen), ich nehme (nehmen), ich esse (essen), ich zahle (zahlen)

andere Wörter: zurück, auch, bitte, neunzig, nein, vierzig, eins, was, danke, ja, drei, sieben, sechzig

3.3
2. Das ist ein Roman.
3. Das ist eine Telefonnummer.
4. Das ist ein Wort.
5. Das ist eine Stadt.
6. Das ist ein Verb.
7. Das ist ein Buch.
8. Das ist eine Sekretärin.

h. Der Roman heißt „Der Vorleser".
f. Die Telefonnummer ist 38 27 82.
b. Das Wort hat zehn Buchstaben.
a. Die Stadt liegt in Österreich.
c. Das Verb heißt „lesen".
e. Das Buch ist ein Wörterbuch.
d. Die Sekretärin heißt Frau Kaiser.

3.5
1. Das ist kein Anfängerkurs.
2. Das ist kein Roman.
3. Das ist keine Telefonnummer.
4. Das ist kein Wort.
5. Das ist keine Stadt.
6. Das ist kein Verb.
7. Das ist kein Buch.
8. Das ist keine Sekretärin.

3.6
bestätigen
Ja, das ist der Flug aus Bombay.
Ja, das ist ein Buch.

verneinen
Nein, das ist nicht der Flug aus Bombay.
Nein, das ist kein Buch.

4.1 Wie heißt ihr? | Wie heißen Sie?

4.2
1. **A:** Woher kommst du? **B:** Angola. Und woher kommst du?
2. **A:** Was mögen Sie? **B:** Ich mag Apfelsaft. Und was mögen Sie?
3. **A:** Wo wohnt ihr? **B:** Wir wohnen in Frankfurt. Und wo wohnst du?
4. **A:** Kommen Sie aus China? **B:** Ja. Aus Peking. Und woher kommen Sie?
5. **A:** Was machst du heute? **B:** Ich gehe in die Disco. Was macht ihr?
6. **A:** Kommt ihr heute auch ins Café? **B:** Ja. Wir kommen. Um wie viel Uhr kommt ihr?

4.3 **Sie:** Kollegen, im Kurs, Fremde, auf der Straße **du:** Familie, Kollegen, im Kurs, Kinder, Freunde

5.1 machst | Arbeitest | gehe | Kommst | ist

5.2 Wie | gut | morgen | Kino | Film | Zeit | Kino | super | morgen

5.4 **1.** Los Angeles **2.** Filmregisseur **3.** ein Kriegsdrama **4.** „Geliebter Feind"

6.2 ich wohne – wir wohnen
ich trinke – du trinkst – sie/Sie trinken
ich arbeite – du arbeitest – er/es/sie arbeitet – wir arbeiten – ihr arbeitet
du sprichst – er/es/sie spricht – wir sprechen – sie/Sie sprechen
ich nehme – wir nehmen – ihr nehmt – sie/Sie nehmen

ich habe – du hast – wir haben – ihr habt
ich bin – er/es/sie ist – wir sind – ihr seid – sie/Sie sind

6.3 **1.** kommen **2.** spricht **3.** trinke **4.** Heißen **5.** Bist **6.** wohnen **7.** Habt **8.** arbeitet

6.4 Hallo Julian, ich arbeite heute bis 18 Uhr. Ich gehe wieder ins Kino.
Da kommt eine neue Komödie. Hast du Zeit? Norma

Hallo Norma, ich arbeite bis 18.30 Uhr. Ich komme dann ins Café. O.k.?
Wie heißt die Komödie? Wer ist der Regisseur? Julian

Hallo Saskia, Julian und ich gehen um 19.30 Uhr ins Kino.
Hat Robert Zeit? Kommt ihr auch? Norma

Einheit 4: *Unterwegs in Europa*

A1 1c – 2b – 3d – 4c – 5b – 6d

1.1

Name	Sprachen	Arbeit	Hobby
Herr und Frau Engel	Frau Engel: Deutsch, Englisch, etwas Italienisch; Herr Engel: Deutsch, Englisch	Herr Engel: bei Mercedes Benz / Frau Engel: Lehrerin	Kino
Renate Nieber	nur Deutsch	Programmiererin bei Opel	Skifahren
Giuseppe Roca	Deutsch, Italienisch er versteht Spanisch, Französisch	Elektrotechniker bei der Telekom Austria	lesen

1.3 Die Deutschen mögen Entspannung/Zeit/Ruhe/gutes Wetter im Urlaub.
Sie fahren/reisen am liebsten ans Meer. Sie fahren/reisen nicht so oft in die Berge.
Deutsche machen Urlaub in Deutschland und fahren oft nach Spanien.

2.1

Land	Sprache	Hauptstadt
Dänemark	Dänisch	Kopenhagen
England	Englisch	London
Deutschland	Deutsch	Berlin
Österreich	Deutsch	Wien
die Schweiz	Deutsch, Französisch, Italienisch, Rätoromanisch	Bern
die Niederlande	Niederländisch	Amsterdam
Tschechische Republik	Tschechisch	Prag

Italien	Italienisch	Rom
Slowenien	Slowenisch	Ljubljana
Polen	Polnisch	Warschau
Luxemburg	Luxemburgisch, Französisch, Deutsch	Luxemburg
Frankreich	Französisch	Paris
Ungarn	Ungarisch	Budapest
Slowakei	Slowakisch	Bratislava

2.4 **Innsbruck:** südlich von München | **Mainz:** südwestlich von Frankfurt | **Graz:** nordöstlich von Klagenfurt | **Weimar:** östlich von Erfurt | **Bern:** südlich von Basel | **Köln:** nördlich von Bonn | **Lübeck:** nordwestlich von Schwerin | **Lausanne:** nordöstlich von Genf | **Leipzig:** westlich von Dresden

4.1 **1.** Sprechen – spreche – spricht **2.** Fährst – fahre – fahren – hat **3.** wohnt – ist – kommt – fährt – haben **4.** heißen – heißen – heiße – heißt **5.** reisen – fahren/reisen – machen

5.1 3 – 1 – 2

Option 1

4.2 Bamberg

5
1. Nein, das ist Frau Böspflug.
2. Nein, das ist eine Notrufnummer aus Deutschland.
3. Nein, aus Bombay.
4. Nein, das ist kein Espresso, das ist ein Kaffee.
5. Nein, das ist Herr Grossmann.

8.5 der Osten > östlich > der Norden > nördlich > zählen > zahlen > zurück > natürlich > schon > schön

S1 Selbstevaluation

1. Beispiel: Guten Tag. Ich heiße Bärbel Müller. Wie heißen Sie?
2. Woher kommen Sie? Und wo wohnen Sie?
3. Beispiel: Ich komme aus Deutschland. Ich wohne in Berlin.
4. Entschuldigung, wie ist die Telefonnummer von Frau Chaptal?
5. neunzehn = 19, sechshundertneunundfünfzig = 659, achtundzwanzig = 28
6. Wir nehmen Orangensaft. Ich möchte gern Bier.
7. Ich mag Cola. Ich trinke gern Kaffee. – Ich trinke nicht gern Wein.
8. Er spricht Deutsch. – Petra fährt nach Berlin. – Er arbeitet in Stuttgart. – Wir wohnen in Wien.

S2 Bei welchen Aufgaben haben Sie „kann ich nicht so gut" markiert? Wiederholen Sie …

zu **Aufgabe 1:** Einheit 1, 1.2
zu **Aufgabe 2:** Einheit 1, 4.1
zu **Aufgabe 3:** Einheit 1, 4.1
zu **Aufgabe 4:** Einheit 2, 3.2 und 3.3
zu **Aufgabe 5:** Einheit 2, 2.1 bis 2.6
zu **Aufgabe 6:** Einheit 3, 1.1 und 1.2
zu **Aufgabe 7:** Einheit 3, Auftaktseite Nr.3
zu **Aufgabe 8:** Einheit 4, 1.1 und 1.2

Einheit 5: *Lebensmittel einkaufen*

A1 Oliven, Birnen, Marmelade, Wein, Champignons

A2 Oliven: 0,79 Euro | Birnen: 0,99 Euro | Marmelade: 0,99 Euro | Wein: 2,99 Euro | Champignons: 0,49 Euro

1.2

Produkt	Mengenangabe	Preis
Butter	Packung (250g)	0,98
Karotten	Beutel (2,3 Kg)	1,25
Kaffee	Packung (500g)	3,49
Hipp Bio-Früchte	Glas	0,74
Frz. Baguette Salami	100g	1,24
Zwiebeln	Netz (2,5 Kg)	1,74
Erdnuss-Locken / Chips	Beutel (250g)	0,98
Salatgurken	Stück	0,59
Hinterschinken	100g	1,49
Fruchtjoghurt Becher	(250g)	0,59
Mango	Stück	1,74
Trauben	1,1 Kg	1,49
Bohnen / Erbsen / Möhren	Dose (580 ml)	0,49
Schnittkäse	100g	0,74
Weißbier	Kasten (20 Flaschen á 0,5 Liter)	14,80
Mineralwasser	Kasten (12 Flaschen á 0,7 Liter)	7,08
Orangensaft	Kasten (6 Flaschen á 1 Liter)	7,24

1.3 **Beispiel:**

eine Packung: Kaffee | drei Tafeln: Schokolade | eine Flasche: Apfelsaft, Mineralwasser | einen Beutel: Zwiebeln, Karotten | ein Glas: Marmelade | eine Dose: Erbsen, Bohnen, Bier | einen Becher: Joghurt | einen Liter: Milch, Apfelsaft, Mineralwasser | ein Kilo: Zwiebeln, Karotten, Kartoffeln | ein Pfund: Zwiebeln, Karotten, Kaffee | 100 Gramm: Salami, Käse | eine Tüte: Chips | einen Kasten: Mineralwasser, Bier, Apfelsaft

2.1 Frau Müller kauft Milch, Schokolade, Öl, Broccoli, Eier, Kaffee und Chips.

2.2 gern > Kilogramm > keine > geben > Flaschen > bitte > Tafeln > Pfund > das macht dann > Wiedersehen > Wochenende

3.1 Der bestimmte Artikel heißt im Plural immer „die".

4.1
1. Ich möchte ein Bier.
2. Geben Sie mir bitte einen Liter Milch.
3. Ich hätte gern eine Tafel Schokolade.

4.3
2. Herr Koenig (N) schreibt (V) einen Brief (A).
3. Verstehst (V) du (N) das Problem (A)?
4. Ihr (N) hört (V) den Dialog (A).
5. Verstehen (V) Sie (N) die Aufgabe (A)?
6. Wir (N) brauchen (V) eine Pause (A).

5.2 der bestimmte Artikel: **den** > der unbestimmte Artikel: **einen**

5.3
2. der Liter > Geben Sie mir bitte einen Liter Milch.
3. der Text > Wann liest du den Text?
4. die Regel > Ergänzen Sie bitte die Regel.
5. das Brot > Wir brauchen noch ein Brot.
6. das Heft > Ich habe das Heft vergessen.
7. die Banane > Tom isst keine Bananen.
8. der Kaffee > Ich bestelle einen Kaffee.
9. die Tomatensuppe >
Bringen sie mir bitte die Tomatensuppe.
10. der Wein > Möchtest du keinen Wein?

6.1 **1** Hähnchen | **2** Nudeln | **3** Schweineschnitzel | **4** Sauerkraut | **5** Gummibärchen | **6** Bohnen | **7** Kartoffeln | **8** Früchte / Obst | **9** Knoblauch | **10** Schokolade | **11** Reis | **12** Rindersteak | **13** Brezel | **14** Fisch | **15** Suppe | **16** Pilze | **17** Gemüse | **18** Pommes frites

A1 1/b > 2/l > 3/a > 4/j > 5/c > 6/i > 7/g > 8/d > 9/f > 10/h > 11/k > 12/e

A2 **a.** Fußball spielen
b. Saxofon spielen
c. boxen
e. Basketball spielen
g. im Internet surfen / Computerspiele
h. Yoga machen
i. lesen
k. Volleyball spielen – singen / Karaoke

1.1 **Richtig:** **2.** Heute ist kein Unterricht **3.** Morgen ist Unterricht

1.3 **c.** Dialog Nr.1 **b.** Dialog Nr.2 **a.** Dialog Nr.3

1.4 **Beispiel**

nach der Uhrzeit fragen	**die Uhrzeit nennen**	
	Umgangssprache	*offiziell*
Wann treffen wir uns?	Um sechs.	Um 18.00Uhr.
Wann fängt der Film an?	Um Viertel nach sieben.	Um 19.15Uhr.
Wann ist der Kurs zu Ende?	Um halb zehn.	Um 21.30Uhr.

1.6 **1.** 7 Uhr oder 19 Uhr **2.** 12.50 Uhr **3.** 14.11 Uhr

2.1 **1.** wie – halb **2.** Wann – um –nach **3.** Viertel – wann – nach – um **4.** von – bis **5.** Wann - Viertel

2.2 **Beispiel**

A: Hallo Doris, ich gehe heute Abend aus. Kommst du mit?
B: Wohin denn?
A: Zum Beispiel ins Kino.
B: Was läuft denn?
A: „Das Dorf" im Autokino um 21Uhr.
B: O.K, also bis später.

A: Hallo Doris, ich gehe heute Abend aus. Kommst du mit?
B: Ja, gerne. Wann denn?
A: Um elf.
B: Das ist zu spät.
A: Und um zehn?
B: O.k., also bis später.

A: Hallo Doris, ich gehe heute Abend aus. Kommst du mit?
B: Hm, um wie viel Uhr?
A: Um acht.
B: Geht es auch etwas später?
A: Ja, um halb neun.
B: Prima, ich komme vorbei.

A: Hallo Doris, ich gehe heute Abend aus. Kommst du mit?
B: Heute, das geht leider nicht.
A: Und morgen?
B: Morgen ist o.k.
A: Gut, dann bis morgen.
B: Alles klar. Tschüss!
A: Gut, dann bis bald.

2.4 **a.** Es ist kurz nach zwölf.
b. Es ist kurz vor halb eins.
c. Es ist gleich zwölf.
d. Es ist Punkt zwölf / Es ist genau zwölf.

2.5 Es ist fünf vor sieben. > Es ist fünf nach sieben. > Es ist fünf vor halb drei. > Es ist Viertel vor elf. > Es ist elf (Uhr). > Es ist Viertel nach zwölf. > Es ist fünf nach eins. > Es ist fünf vor halb drei.

3.1 **2.** Sehen Sie sich die Texte an. **3.** Kreuzen Sie bitte an. **4.** Heute fällt der Unterricht aus. **5.** Kommt ihr mit? **6.** Wir hören um 20.15 Uhr auf.

3.3 **Beispiel**
Ich lade die Kursleiterin ein. Mutter bringt Kuchen mit. Der Kurs fängt morgen an.
Sie rufen heute Abend an. Herr Greiner kommt heute mit. Petra kommt morgen zurück.
Wir fahren am Wochenende weg. Wir lesen das Buch vor.

4.1

Montag	**Dienstag**	**Mittwoch**	**Donnerstag**	**Freitag**	**Samstag**
Volleyball	Tennis	Basketball	Tischtennis	Fußball	Eishockey
19.00-21.00	7.00-8.00	18.00-20.00	18.00-20.00	17.30	15.00-17.00

4.2 Am Sonntag sieht der Mann Sport im Fernsehen.

4.3 Nachmittags – vormittags – Abend – Vormittag – Nachmittag – abends – Nacht

5.1 **a.** **(Ball-) Sport:** Yoga machen, joggen, Motorboot fahren, Judo machen, Aerobic machen, Fahrrad fahren, Motorrad fahren, Rugby spielen, Polo spielen, tanzen, Karate machen, Ski fahren > **Instrument:** Cello spielen, Gitarre spielen > **Sonstiges:** ins Theater gehen, Münzen sammeln, Telefonkarten sammeln, basteln, in den Zirkus gehen, Briefmarken sammeln, ins Museum gehen, Poker spielen, nähen, in die Disco gehen

b. Rugby / Polo / Cello / Poker / Gitarre spielen > Motorboot / Fahrrad / Motorrad fahren > Yoga / Judo / Aerobic / Karate machen > ins Theater / in den Zirkus / ins Museum / in die Disco gehen > Münzen / Telefonkarten / Briefmarken sammeln > joggen / basteln / tanzen / nähen

6.1 **A:** sie – sie **B:** uns – euch – dich – mich – ihn – es

Person	Nominativ	Akkusativ
1. Person Singular	ich	mich
2. Person Singular	du	dich
3. Person Singular	er sie es	ihn sie es

Person	Nominativ	Akkusativ
1. Person Plural	wir	uns
2. Person Plural	ihr	euch
3. Person Plural	Sie sie	Sie sie

6.2 dich – mich – mich – ihn – mich – dich – uns – uns – euch – es – mich – dich – mich

Einheit 7: *Familie und Verwandtschaft*

A1 Fred Feuerstein: *Bild b* | Lars Brandt: *Bild d* |
Wilhelm Friedemann Bach: *Bild c* | Monika Mann: *Bild a*

1.1 Mutter + Vater, Tante + Onkel, Tochter + Sohn,
Schwiegertochter + Schwiegersohn, Nichte + Neffe

1.2 hinten links: *Markus* | hinten in der Mitte: *Susanne mit Florian, Stefan* | hinten rechts: *Thomas* |
vorne links: *Regina* | vorne in der Mitte: *Walter, Ulla mit Katharina* | vorne rechts: *Petra*

1.4 Walter = Vater, Ulla = Mutter, Regina = Schwester, Klaus = Ehemann, Florian = Sohn, Katharina = Tochter

1.5 Walter = Ehemann, Bernd = Schwiegersohn, Regina = Tochter, Klaus = Schwiegersohn

2.5 **1.** meine **2.** Meine / Thomas **3.** Unsere / Florian und Katharina **4.** eure / Kerstin, Florian und Katharina **5.** Ihre / Regina **6.** Ihr / Ulla **7.** Seine / Stefan **8.** unser / Susanne und Regina **9.** Ihr, ihr / Petra

4.4 **1.** meinen **2.** deinen **3.** ihren **4.** seinen **5.** seinen **6.** unsere/unseren **7.** eure **8.** ihre

4.5 Im Akkusativ haben sie die Endung „en".

5.4 **1.** 37% **2.** 31% **3.** Hälfte **4.** 90% **5.** 19% **6.** 50%, 66%

5.5

Zahlen	**Datum**	**Zahlwörter**	**Tendenzen**
25	1965	zwei Drittel	schwieriger
54	1989	die Hälfte	abnehmend
82	2002	... Prozent	halbiert
71			weniger
19			
31			
1,36			
90			

Einheit 8: *Kleider machen Leute*

A2 der Hut, "-e | die Bluse, -n | der Mantel, "- | die Jacke, -n | der Anzug, "-e | das Kleid, -er | das Hemd, -en | die Mütze, -n | der Schal, -s | das T-Shirt, -s | der Rock, "-e | das Top, -s | die Hose, -n | der Schuh, -e

1.1 die Jacke: *schwarz* | die Schuhe: *schwarz* | der Mantel: *braun* | die Strumpfhose: *grau / beige* | der Slip: *grau* | der Schal: *grau* | der BH: *weiß / schwarz* | der Pullover: *rot*

1.2
— Ihr T-Shirt ist beige. Ihre Hose ist blau.
— Ihre Mütze ist weiß. Ihre Hose ist grau.
— Ihr Mantel ist grau.
— Sein Hemd ist blau.
— Sein Jackett ist grau.

2.2
— der Turm links: *Berliner Fernsehturm* (rechts: Eiffelturm in Paris)
— das Bier rechts (links: das Kölsch)
— das Haus links: *Hundertwasserhaus* (rechts: Weißes Haus in Washington)
— der Komponist links: *Mozart* (rechts: Beethoven)
— die Münze rechts: *Schweizer Franken*
— die Sängerin links: *Nena* (rechts: Madonna)

2.3

der Pullover	das Heft	die Hose	Plural: die Schuhe
Welcher Pullover?	Welches Heft?	Welche Hose?	Welche Schuhe?
Dieser Pullover.	Dieses Heft.	Diese Hose.	Diese Schuhe.

3.2 1e > 2b > 3c > 4d > 5f > 6a

3.4 **1.** Einen Anzug **2.** Blau / Dunkelblau **3.** Größe 52 **4.** 198 Euro

3.5 h. 1 > c. 2 > f. 3 > b. 4 > d. 5 > e. g. 6 > a. 7

3.7 **Beispiel**

nach einem Kleidungsstück fragen
Gibt es diese Jacke auch in Blau / in Größe 164? Ich hätte gern einen Pullover aus Seide / Wolle.

fragen, ob ein Kleidungsstück gefällt / passt / …	*sagen, dass ein Kleidungsstück (nicht) gefällt / passt / …*
Wie findest du diese Jacke? Wie finden Sie das Kleid? Passt das Kleid?	Der / das / die ist prima. Er / es / sie ist ein bisschen zu groß / zu eng / zu lang / zu weit / zu teuer. Ja, Sie sehen super aus! Diese Jacke mag ich nicht. Einen Pullover aus Seide / Wolle mag ich nicht.

4.1 **Beispiel:** Süßigkeiten, Elektrogeräte, Möbel, Zoohandlung, Imbiss, Kino, Kinderparadies …

4.4 1c > 2e > 3a > 4f > 5b > 6d

4.5
— der > dem / das > dem / die > der
— in + dem = im
— Die Präpositionen „hinter", „in", „vor" funktionieren wie „neben".

5.1 von links nach rechts: c – a – b – f – g – d – h – e

5.3
1. in der Umkleidekabine
2. an der Kasse
3. unter dem normalen Preis
4. neben der Rolltreppe
5. im Mantel
6. hinter den Musik-CDs

5.4
— Frau Mariotta steht zwischen dem Tisch und dem Stuhl.
— Das Heft liegt auf dem Tisch.
— Das Wörterbuch liegt unter dem Tisch.
— Die Tache ist vor dem Tisch.
— Die Jacke hängt auf dem Stuhl.
— Das Poster hängt an der Wand.
— Das Regal steht neben dem Poster.
— Die Bücher sind / stehen im Regal.

6.1 **3.** blau wie das Meer **6.** rot wie die Liebe **10.** weiß wie Schnee
4. schwarz wie die Nacht **7.** grün wie Gras **8.** grün vor Neid **9.** rot vor Zorn
2. Er sieht alles rosa **1.** Sie sieht alles schwarz **5.** Er ist blau
Die Sätze „Er fährt schwarz." und „Sie macht blau." kommen nicht im Bild vor.

1.2 Jacken – Hemden – Stück – Kasse – Sport – klein

4. Richtig: 1. und 3.

5.1 **a.** im Internet surfen > Yoga machen > ins Theater gehen > Fahrrad fahren > Münzen sammeln
c. ins Kino gehen > Briefmarken sammeln > Gitarre spielen > Skat spielen > Ski fahren >
Ich spiele gern Volleyball > Ich gehe gern in die Disco > Ich sammle Münzen.

5.2 **a.** Hinten in der Mitte → das ist mein Onkel Klaus. ↘ | Vorne in der Mitte → steht meine Großmutter. ↘ > Der rote Pullover da vorne → das bin ich. ↘ | Von Montag bis Freitag → mache ich einen Sprachkurs. ↘ | Am Wochenende → gehe ich gerne in die Disko. ↘

5.3 **b.** kosten > Woche > ohne > Sonntag > rot > der Pullover >
boxen und joggen > der Rock und die Hose > noch > modisch

5.4 der Schnee > schnell > der Chef > nehmen > sechs > elf > er > es >
lesen > wenig > wenn > die Lehrerin

5.5 **a.** der Neffe > geöffnet > mehr > möglich > die Größe >
der Frisör > die Idee > sehr > schön > schwer

5.6 **a.** wichtig > lieben > über > fünf > vier > für >
sieben > üben > Bier > Bücher > mit > Mütze > Termin > Kostüm

S1 **Selbstevaluation**

1. hätte – Kilo – Flasche
2. Tafel – Dose – Gramm – macht – teuer
3. Viertel vor zwölf – acht Uhr – fünf vor halb sechs
4. Beispiel: Saxofon spielen, tanzen, Briefmarken sammeln
5. Beispiel: Meine Eltern heißen Johann und Marlies. Mein Vater ist 54 Jahre alt.
Er ist Architekt. Meine Mutter ist 50 Jahre alt und arbeitet als Sekretärin.
Ich habe einen Bruder. Er ist 23 Jahre alt und studiert Medizin. Ich habe keine Kinder.
6. schön – ich nicht – super aus
7. Die Tasche steht hinter der Tür. | Das Buch liegt auf dem Tisch. |
Der Mantel hängt im Schrank.
8. Beispiel: Entschuldigung, wo ist die Toilette? | Entschuldigung, haben Sie Lebensmittel? | Bitte, wo ist das Restaurant?
9. Beispiel: Die Toilette ist im zweiten Stock. | Lebensmittel finden Sie im Untergeschoss hinten links. | Das Restaurant ist hinter der Parfümerie.

S2 *Bei welchen Aufgaben haben Sie „kann ich nicht so gut" markiert? Wiederholen Sie …*
zu Aufgabe 1: Einheit 5, 2.2
zu Aufgabe 2: Einheit 5, 1.3
zu Aufgabe 3: Einheit 6, 1.4 bis 1.6
zu Aufgabe 4: Einheit 6, 5.1 bis 5.3
zu Aufgabe 5: Einheit 7, 1.7
zu Aufgabe 6: Einheit 8, 3.7 bis 3.8
zu Aufgabe 7: Einheit 8, 5.1 bis 5.4
zu Aufgabe 8: Einheit 8, 4.2 bis 4.5
zu Aufgabe 9: Einheit 8, 4.2 bis 4.5

A2 am Dom / zur Paulskirche

2.1 A: Hallo Ludmilla, wo bist du?
B: Im Deutschkurs natürlich!

2.2 Frage: **wohin?** + Akkusativ / **Frage: wo?** + Dativ

2.3 **Wohin gehen Sie?**
Ich gehe in den Park. / ins Büro. / in die Schule. / in die Museen.

Wo sind Sie?
Ich bin im Park. / im Büro. / in der Schule. / in den Museen.

2.4 **1.** Im **2.** ins **3.** Im **4.** im, in der, in die **5.** Im **6.** Ins **7.** im **8.** in die

3.1
b. Der Affe hängt über dem Direktor.
c. Der Direktor steht zwischen dem Tiger und dem Panther.
d. Der Direktor steht vor der Giraffe.
e. Der Löwe liegt neben dem Direktor.
f. Der Direktor liegt unter den Elefanten.
g. Der Direktor steht hinter den Zebras.
h. Der Direktor ist im Nilpferd.

3.2
b. Der Tiger springt über die Mauer.
c. Der Elefant läuft hinter den Baum.
d. Der Direktor geht unter die Giraffe.
e. Der Bär wirft den Ball an die Wand.
f. Der Affe springt auf das Zebra.
g. Der Direktor stellt die Tasche vor / unter / neben den Tisch.
h. Der Direktor legt die Banane vor die Affen /vor zwei Affen.

4.1 **a** .3 **b**. 6 **c**. 1 **d**. 5 **e**. 4 **f**. 2

4.3 Im Imperativsatz steht das Verb auf Position 1.

4.4 **L** 1 2 3 4 8 10 13
K 5 6 7 9 11 12
(Es gibt mehrere Möglichkeiten)

4.5 **1**. b **2**. e **3**. k **4**. g **5**. h **6**. j **7**. f **8**. a **9**. i **10**. c **11**. d

4.6

machen	du machst	Mach
sein	du bist	Sei
essen	du isst	Iss
fragen	du fragst	Frag
lernen	du lernst	Lern
schlafen	du schläfst	Schlaf
markieren	du markierst	Markier
nehmen	du nimmst	Nimm
trinken	du trinkst	Trink

4.7 Seid /Kommt / kauft / Macht / Esst

4.8

gehen	ihr geht	Geht
nachschlagen	ihr schlagt nach	Schlagt nach
trinken	ihr trinkt	Trinkt
spielen	ihr spielt	Spielt
essen	ihr esst	Esst
aufhören	ihr hört auf	Hört auf
mitkommen	ihr kommt mit	Kommt mit
vorlesen	ihr lest vor	Lest vor
nehmen	ihr nehmt	Nehmt
sein	ihr seid	Seid

Einheit 10: *Von morgens bis abends*

1.1 **a**. 15, **b**. 14, **c**. 5, **d**. 1, **e**. 12, **f**. 10, **g**. 4, **h**. 7, **i**. 11, **j**. 3, **k**. 9, **l**. 8, **m**. 6, **n**. 2, **o**. 13

1.4 **Beispiele:**
Ein Tischler arbeitet mit Holz. Er baut Möbel. Er arbeitet in der Werkstatt.
Eine Hotelangestellte arbeitet an der Rezeption. Sie muss immer freundlich sein.
Sie spricht mit den Gästen. Sie arbeitet auch mit dem Computer.
Ein Müllmann holt den Müll ab. Er muss früh aufstehen.
Eine Taxifahrerin kennt alle Wege in der Stadt. Sie fährt die Leute durch die Stadt.
Sie arbeitet im Auto.

2.3 Herr Simoneit
1. f **2.** r **3.** r **4.** r **5.** f **6.** f **7.** f **8.** f **9.** r **10.** f

Frau Peters
1. r **2.** r **3.** r **4.** f **5.** f **6.** f **7.** r **8.** f **9.** f **10.** f

2.4 um 5.00 Uhr / Am Morgen / früh / bis 8.00 Uhr / Von 9.00 bis 12.00 Uhr / Am Mittag / Am Nachmittag / Bis 15 Uhr / Am Wochenende / um 23.00 Uhr /

um 6.30 Uhr / Am Morgen / Vormittags / Mittags / Bis 14.00 Uhr / Am Nachmittag / Um 17.00 Uhr / Abends / nachts

2.5 Die Zeitangabe kann vor oder hinter dem Verb stehen. Das Verb steht auf Position 2.

3.1
1. Hier muss man lange warten.
2. Hier kann man billig einkaufen.
3. Ich kann schon Zeitungen auf Deutsch lesen.
4. Darf ich dein Auto haben?

3.2 dürfen / können / müssen

3.4 **1**. darf/kann **2**. muss **3**. kannst **4**. Müsst **5**. dürfen **6**. kann/darf

3.6 Ich arbeite im Büro. Ich muss jeden Morgen um fünf Uhr aufstehen. Ich darf nicht zu spät kommen. Ich muss Briefe schreiben, ich muss telefonieren und muss mit Kunden sprechen. Ich kann gut mit dem Computer arbeiten. Das macht Spaß.
Um 16 Uhr kann ich nach Hause gehen.

Ich arbeite nicht im Büro. Ich muss nicht jeden Morgen um fünf Uhr aufstehen. Ich darf zu spät kommen. Ich muss keine Briefe schreiben, ich muss nicht telefonieren und muss nicht mit Kunden sprechen. Ich kann nicht mit dem Computer arbeiten.
Das macht keinen Spaß. Um 16 Uhr kann ich nicht nach Hause gehen.

3.7 dürfen / können / müssen

3.9 *(von links nach rechts)*
Hier darf man Fahrrad fahren.
Hier muss man sehr langsam fahren. / Hier darf man nicht schnell fahren.
Hier darf man nicht anhalten.
Hier kann man auf die Toilette gehen.
Hier muss man anhalten.
Hier darf man parken.
Hier darf man nur 30 fahren.
Hier muss man rechts abbiegen. Hier darf man nicht links abbiegen / geradeaus fahren.
Hier darf man nicht links abbiegen.
Hier darf man nicht rauchen.
Hier muss man geradeaus fahren. Hier darf man nicht links / rechts abbiegen.

3.10 ich darf / du darfst / er, sie, es darf / wir dürfen / ihr dürft / sie, Sie dürfen
ich kann / du kannst / er, sie, es kann / wir können / ihr könnt / sie, Sie können
ich muss / du musst / er, sie, es muss / wir müssen / ihr müsst / sie, Sie müssen

3.11 **1. A:** Kannst, **B:** kann **2. A:** muss, Kannst, **B:** kann, musst **3. A:** Darf, **B:** musst
4. muss, kann **5. A:** könnt, müsst, **B:** können **6. A:** Können, **B:** müsst

4.1

1.		Kannst	du mir Tinas Telefonnummer	geben?
2.	Ich	kann	nicht	schwimmen.
3.	Sven	kann	heute Abend zu uns	kommen.
4.	Heute Abend	kann	Sven zu uns	kommen.
5.	Ein Taxifahrer	muss	auch nachts	arbeiten.
6.	Ihr	müsst	mit der Rolltreppe in den zweiten Stock	fahren.
7.	Du	darfst	nicht Auto	fahren.
8.	Du	musst	mit dem Taxi	fahren.

4.2
1. Kann ich Ihnen helfen?
2. Du musst zum Arzt gehen.
3. Man kann an der Kasse im ersten Stock bezahlen.
4. Du darfst heute bis 21 Uhr fernsehen. / Heute darfst du bis 21 Uhr fernsehen.
5. Wir müssen die Geschenke morgen einkaufen. / Morgen müssen wir die Geschenke einkaufen
6. Darf ich dich heute anrufen?

Einheit 11: *... einmal durch das Jahr*

A1 **a.** 2, **b.** 1, **c.** 3, **d.** 2, **e.** 1, **f.** 6, **g.** 4, **h.** 10, **i.** 5

1.2 Januar, März, Mai, Juli, August, Oktober, Dezember haben 31 Tage.
Der Februar hat 28/29 Tage.
Im April.
April, Juni, September, November haben 30 Tage.
Januar, Februar, September, Oktober, November, Dezember.

2.1 der erste Januar, der zweite Februar, der dritte März, der vierte April , der fünfte Mai, der sechste Juni, der siebte Juli, der achte August, der neunte September, der zehnte Oktober, der zwanzigste November, der einunddreißigste Dezember

am ersten Januar, am zweiten Februar, am dritten März, am vierten April, am fünften Mai, am sechsten Juni, am siebten Juli, am achten August, am neunten September, am zehnten Oktober, am zwanzigsten November, am einunddreißigsten Dezember

2.2 **1**. e, **2**. g, **3**. b, **4**. c, **5**. a, **6**. i, **7**. h, **8**. d, **9**. f

4.1 Lieber Dimitri,
ich habe am 25. Juni Geburtstag. Ich werde 30 Jahre alt und möchte eine Geburtstagsfeier machen. Die Feier findet am Samstag, den 26. Juni statt. Sie fängt um 18.00 Uhr an. Ich feiere in unserem Garten, in der Kohlenstraße 25. Bei gutem Wetter wollen wir grillen, es gibt Steaks, Würstchen und Salat.

Ich möchte dich und deine Freundin einladen. Könnt ihr kommen? Sag mir bitte bis zum 20. Juni Bescheid. Meine Telefonnummer ist: 089-55664321.

Liebe Grüße
Stefanie

4.3

	wer?	**wen?**	**kommt nicht**
Dialog 1	Silvia	Tom	
Dialog 2	Frau Rot	Herrn und Frau Schmidt	Herr und Frau Schmidt
Dialog 3	Robert	Norma, Julian	Julian

4.4 Dialog 2 **B:** Maria Rot / Guten Abend / wann / 15. August

Einheit 12: *Lebensläufe*

A1
3. Das Ende der DDR
10. Die Mondlandung
6. Die Französische Revolution
8. Die Entdeckung von Amerika
9. Der Zweite Weltkrieg
4. Sigmund Freud
5. Charlie Chaplin
7. Wolfgang Amadeus Mozart
2. Günter Grass
1. Carl Benz

8. 1492 **6.** 1789 **9.** 1939–1945 **10.** 1969 **3.** 1989

A2
1. Charlie Chaplin, 1889–1977 / von 1889 bis 1977
2. Carl Benz, 1844–1929 / von 1844 bis 1929

3. Wolfgang Amadeus Mozart, 1756–1791 / von 1756 bis 1791

1.1
1. Mehmet und Nurtin haben 1982 geheiratet.
2. Mehmet ist aus Sorgun.
3. Sie haben zwei Kinder.
4. Sie haben von 1983 bis 1990 in Izmir gewohnt.
5. Sie leben seit 1991 in Deutschland.
6. Mehmet hat vier Jahre bei VW gearbeitet.
7. Familie Güler hat 2002 ein Haus gekauft.
8. Melahat und Esat sprechen gut Deutsch.
9. Melahat studiert Kunst.
10. Esat arbeitet bei Bosch in Stuttgart.

1.2

Perfekt	Präteritum
Ich habe … gelebt. Wir haben … geheiratet Wir haben … gewohnt Ich habe … gearbeitet. Meine Frau hat … gemacht. Beide haben … gelernt. Wir haben … gekauft.	Mein Vater war Bauer. Zu Hause waren wir fünf Kinder. Meine Frau war zu Hause.

2.1

habe gelebt	leben
haben geheiratet	heiraten
haben gewohnt	wohnen
habe gearbeitet	arbeiten
hat gemacht	machen
haben gelernt	lernen
haben gekauft	kaufen

2.2 Regelmäßige Verben bilden das Partizip II meistens so: *ge* + Verbstamm + *t* .

2.3 kaufen – gekauft, antworten – geantwortet, tanzen – getanzt, fragen – gefragt, frühstücken – gefrühstückt, warten – gewartet, spielen – gespielt, kosten – gekostet, arbeiten – gearbeitet, haben – gehabt, suchen – gesucht, meinen – gemeint, feiern – gefeiert, sagen – gesagt, hören – gehört, lernen – gelernt, kochen – gekocht, duschen – geduscht, leben – gelebt, passen – gepasst

2.4 Bei trennbaren Verben steht *-ge-* immer vor dem Verbstamm.

2.6

1. Ich habe in Österreich gelebt.
2. Sie haben 1982 in Sorgun geheiratet.
3. Seine Frau hat den Haushalt gemacht.
4. Ihre Kinder haben Deutsch gelernt.

2.7

leben	Ich	habe	in Italien	gelebt.
wohnen	Du	hast	in Zürich	gewohnt.
arbeiten	Peter	hat	bei Hoechst	gearbeitet.
kaufen	Frau Müller	hat	Schokolade	gekauft.
kosten	Es	hat	nichts	gekostet.
lernen	Wir	haben	Deutsch	gelernt.
spielen	Ihr	habt	Fußball	gespielt.
machen	Maria und Josef	haben	Urlaub	gemacht.

2.9

Er hat ein Haus in Ratingen gekauft.
Früher hat sie in Hamburg gewohnt/gelebt.
Sie hat dort bei IBM gearbeitet.
Ich habe gestern mit ihr Tennis gespielt.
Du weißt, letztes Jahr habe ich keinen Urlaub emacht

3.1

	sein		haben	
	Präsens	**Präteritum**	**Präsens**	**Präteritum**
ich	*bin*	*war*	*habe*	*hatte*
du	*bist*	*warst*	*hast*	*hattest*
er/sie/es	*ist*	*war*	*hat*	*hatte*
wir	*sind*	*waren*	*haben*	*hatten*
ihr	*seid*	*wart*	*habt*	*hattet*
sie/Sie	*sind*	*waren*	*haben*	*hatten*

3.2 **1.** Gestern war ich im Konzert. Wart Ihr auch da?
2. Du bist aus Deutschland? Da waren wir 1999.
3. Meine Großeltern hatten sieben Kinder. Wir waren zu zweit zu Hause, nur meine Schwester und ich. Ich habe noch keine Kinder.
4. **A:** Sie sehen sehr gut aus, Frau Schneider. Waren Sie in Italien?
B: Nein, ich war in den Alpen.
5. **A:** Sind Sie Herr Meier? **B:** Nein, ich bin Herr Ernst.
6. **A:** Sind Sie verheiratet? **B:** Nein, aber ich war verheiratet.
7. **A:** Wir haben keinen Apfelsaft mehr! **B:** Nein? Gestern hatten wir noch fünf Flaschen.
8. Ein Jahr lang hatte ich keine Arbeit. Es war scheußlich! Jetzt habe ich Arbeit bei Audi.
9. Wir haben jetzt Ferien, aber du bist immer müde.

4.4 **Beispiele:**
2. Was haben Sie gelernt?
3. Wann waren Sie in Zürich / haben Sie in Zürich gewohnt?
4. Wo haben Sie gelebt?
5. Was haben Sie von 1996 bis 1998 gemacht?
6. Wo haben Sie von 1989 bis 1993 gelebt?
7. Was haben Sie 2002 gemacht?
8. Wie lange waren Sie in Südamerika?
9. Wie lange haben Sie bei Opel gearbeitet?
10. Wo haben Sie gearbeitet?

4.6 Name
Adresse
Telefon
Geburtsdatum
Geburtsort
Staatsangehörigkeit
Schulbildung
Studium / Berufsausbildung
Auslandsaufenthalte
Fremdsprachen
Berufstätigkeit

5.2 **1.** Albert Einstein war Physiker.
2. Marlene Dietrich war Schauspielerin.
3. Bertolt Brecht war Schriftsteller.

Option 3

2 die Bilder den Gedichten zuordnen: **a.** 5 **b.** 2 **c.** 1 **d.** 3 **e.** 4

3.1 **1.** e **2.** h **3.** c **4.** b **5.** a **6.** d **7.** g **8.** f **9.** i

4 Phonetik

1a > **Bahn**hof > **Stra**ße > **Bahnhof**straße > **Pauls**kirche > **Römer**platz > **Volks**hochschule > **Messe**hallen > **Deutsch**kurs

1b In Komposita ist der Wortakzent (fast) immer auf dem ersten Wort.

2a Lesen Sie den Text.
Trinken Sie einen Kaffee?
Lernen Sie die neuen Wörter.
Arbeiten Sie zu zweit.
Hören Sie den Dialog.
Spielen Sie Lotto?

5 Nach den dunklen Vokalen *a*, *o*, *u*, *au* spricht man (fast) immer den Ach-Laut.

Selbstevaluation:

1. komme, ist
2. Gehen, den
3. A: Wo bist du? B: Ich bin im Deutschkurs.
   A: Wohin gehst du? B: Ich gehe ins Café.
4. Trink / Trinken Sie, Frag / Fragen Sie
5. muss, darf, darf / kann
6. **2)** Morgens fährt er mit Klara in die Firma. **3)** Er fährt mit Klara morgens in die Firma.
7. erste, einundzwanzigsten
8. A: Hast du Zeit/Möchtest du kommen?
   B: Ja, ich komme gerne./Nein, ich kann leider nicht kommen.
9. war, habe … gemacht

Bei welchen Aufgaben haben Sie „kann nicht so gut" markiert? Wiederholen Sie …

… zu Aufgabe 1: Einheit 9, 1 und 5
… zu Aufgabe 2: Einheit 9, 1 und 5
… zu Aufgabe 3: Einheit 9, 2 und 3
… zu Aufgabe 4: Einheit 9, 4
… zu Aufgabe 5: Einheit 10, 3 und 4
… zu Aufgabe 6: Einheit 10, 2
… zu Aufgabe 7: Einheit 11, 2
… zu Aufgabe 8: Einheit 11, 4
… zu Aufgabe 9: Einheit 12, 2 und 3

Einheit 13: *Medien im Alltag*

A2 *morgens:* Radio hören, am Computer sitzen: E-Mails bekommen / lesen, Zeitung lesen
mittags: telefonieren,
abends: fernsehen, lesen

1.1 Julian kauft einen DVD-Player. Er telefoniert mit Norma. Er lädt Norma zu einem Film ein.
Julian geht in die Videothek. Er leiht eine DVD aus.
Er packt den DVD-Player aus. Er macht den Fernseher an. Der DVD-Player funktioniert nicht.

1.2
1. Gestern Nachmittag
2. Titanic
3. Der DVD-Player hat nicht funktioniert.

1.3 angerufen, gekauft, eingeladen
gefragt, gesagt, gesehen, ausgeliehen
telefoniert, gesagt
getroffen, geredet, getrunken, angemacht, gefreut, funktioniert

1.4

Infinitiv	ge-........-t	Infinitiv	...-ge-.......-t	Infinitiv	.............-t
kaufen	gekauft	auspacken	ausgepackt	telefonieren	telefoniert
fragen	gefragt	abholen	abgeholt	diskutieren	diskutiert
antworten	geantwortet	anmachen	angemacht	funktionieren	funktioniert
sagen	gesagt	…		…	
reden	geredet				
hören	gehört				
freuen	gefreut				
warten	gewartet				
arbeiten	gearbeitet				
…					

Infinitiv	ge-.........-en	Infinitiv	...-ge-........-en
finden	gefunden	anrufen	angerufen
sehen	gesehen	einladen	eingeladen
schreiben	geschrieben	mitnehmen	mitgenommen
treffen	getroffen	ausleihen	ausgeliehen
trinken	getrunken		
essen	gegessen		
geben	gegeben		

1.5 bezahlen – bezahlt, vergessen – vergessen, erzählen – erzählt

1.7
1. Saskia hat mit Norma diskutiert.
2. Wir haben viel ferngesehen.
3. Der DVD-Player hat nicht funktioniert.
4. Ich habe meine Schwester zum Film eingeladen.
5. Du hast das Radio angemacht.
6. Herr Askari hat seinen Computer repariert.
7. Julian hat ein Handy gekauft.
8. Ihr habt einen Brief geschrieben.
9. Eva hat die DVD nicht gefunden.
10. Sie haben ein Glas Wein getrunken.

2.2 ***Richtig:***
Sie hört oft Musik. Sie hört gerne morgens Musik.
Sie hört auf dem Weg zur Arbeit Musik. Sie hört gern Musik im Bett.

2.3 **1.** Volksmusik **2.** Klassik **3.** Jazz **4.** Pop **5.** Heavy Metal **6.** Reggae

3.3
Frau Braun: Ja, und dann ist es passiert!
Frau Sommer: Was denn?
Frau Braun: Na, der Unfall. Also, der Skilehrer und Frau Frank sind abends in eine Disco gegangen und haben getanzt.
Frau Sommer: Nein, so was!
Frau Braun: Aber ja doch! Man sagt, sie hat nur Augen für den Skilehrer gehabt. Sie hat eine Stufe nicht gesehen und bums, hat sie sich das Bein gebrochen.
Frau Sommer: Nein, wirklich? Das Bein?
Frau Braun: Ja, genauso ist es gewesen. Drei Tage ist sie noch im Hotel geblieben und ihr Skilehrer hat sie jeden Tag besucht, mit Blumen!
Frau Sommer: Und was hat ihr Mann gesagt?
Frau Braun: Ach, der! Der weiß doch nichts. Frau Frank ist gestern zurückgekommen und hat erzählt, dass es ein Skiunfall war.
Frau Sommer: Unglaublich!
Frau Braun: Aber wahr!

4.1

Infinitiv	sein + Partizip II
passieren	ist passiert
fahren	ist gefahren
fliegen	ist geflogen
aufstehen	ist aufgestanden
gehen	sind gegangen
sein	ist gewesen
bleiben	ist geblieben
zurückkommen	ist zurückgekommen

4.2
1. Herr und Frau Frank sind mit dem Auto in den Urlaub gefahren.
2. Sie haben in einer Pension gewohnt.
3. Sie haben zusammen im Bett gefrühstückt. Sie sind um 8 Uhr aufgestanden.
4. Sie sind zusammen Ski gefahren. Frau Frank ist gestürzt. Sie hat sich ein Bein gebrochen.
5. Sie ist einen Tag im Krankenhaus geblieben.
6. Sie sind (mit dem Auto) nach Hause gefahren.

4.3
1. Der Computer ist kaputt gewesen.
2. Anton ist noch nicht aufgestanden.
3. Claudia ist eingeschlafen.
4. Wir sind in die Videothek gegangen.
5. Herr und Frau Chaptal sind ins Konzert gefahren.
6. Die Post ist heute nicht gekommen.
7. Du bist im Bett geblieben.
8. Ich bin noch zehn Minuten hier geblieben.
9. Seid ihr nach Zürich geflogen?
10. Was ist dann passiert?

4.4

haben	sein		haben	sein	
☐	X	um 7 Uhr aufgestanden.	☐	X	zu Hause geblieben.
X	☐	gekocht.	X	☐	einen Toast gegessen.
X	☐	die Zeitung gelesen.	X	☐	gearbeitet.
X	☐	„Monopoly" gespielt.	☐	X	mit dem Fahrrad gefahren.
X	☐	Freunde getroffen.	☐	X	in einer Kneipe gewesen.
☐	X	ins Kino gegangen.	X	☐	eine E-Mail geschrieben.

5.1
1. Er hat den Film nicht gefunden.
2. Wer hat heute Morgen Nachrichten gehört?
3. Hat Norma Julian einen Kuss gegeben?
4. Ist Frau Frank am Montag in die Ferien gefahren?
5. Was hat Frau Müller vergessen?
6. Der Unterricht hat nicht stattgefunden.

6.1 aufgestanden – angemacht – bekommen – gefrühstückt – gegangen – gewesen – gefragt

7.1
1. Etwa um 1650.
2. Die Nachrichten sind mit der Post gekommen, mit Pferden.
3. Man hat erst im 19. Jahrhundert Überschriften geschrieben.
4. Man braucht keine technischen Geräte. / Man kann verschiedene Themen lesen. / Man kann Artikel mehrmals lesen. / Man kann Pausen machen.

Einheit 14: *Über den Tellerrand*

das	**5** Brot **8** Sauerkraut	**3** Ei **22** Handy	**21** Radio **20** Croissant	**23** Brötchen **29** Mineral(wasser)	**6** Müsli
die	**24** Butter **9** Margarine	**26** Wurst **10** Banane	**2** Salami **25** Milch	**18** Spaghetti **17** Zeitung	**11** Marmelade **19** Bohnen
der	**27** Tee **1** Orangensaft	**12** Fisch **7** Honig	**13** Käse **15** Toast	**14** Reis **4** Kaffee	**16** Joghurt **28** Sekt

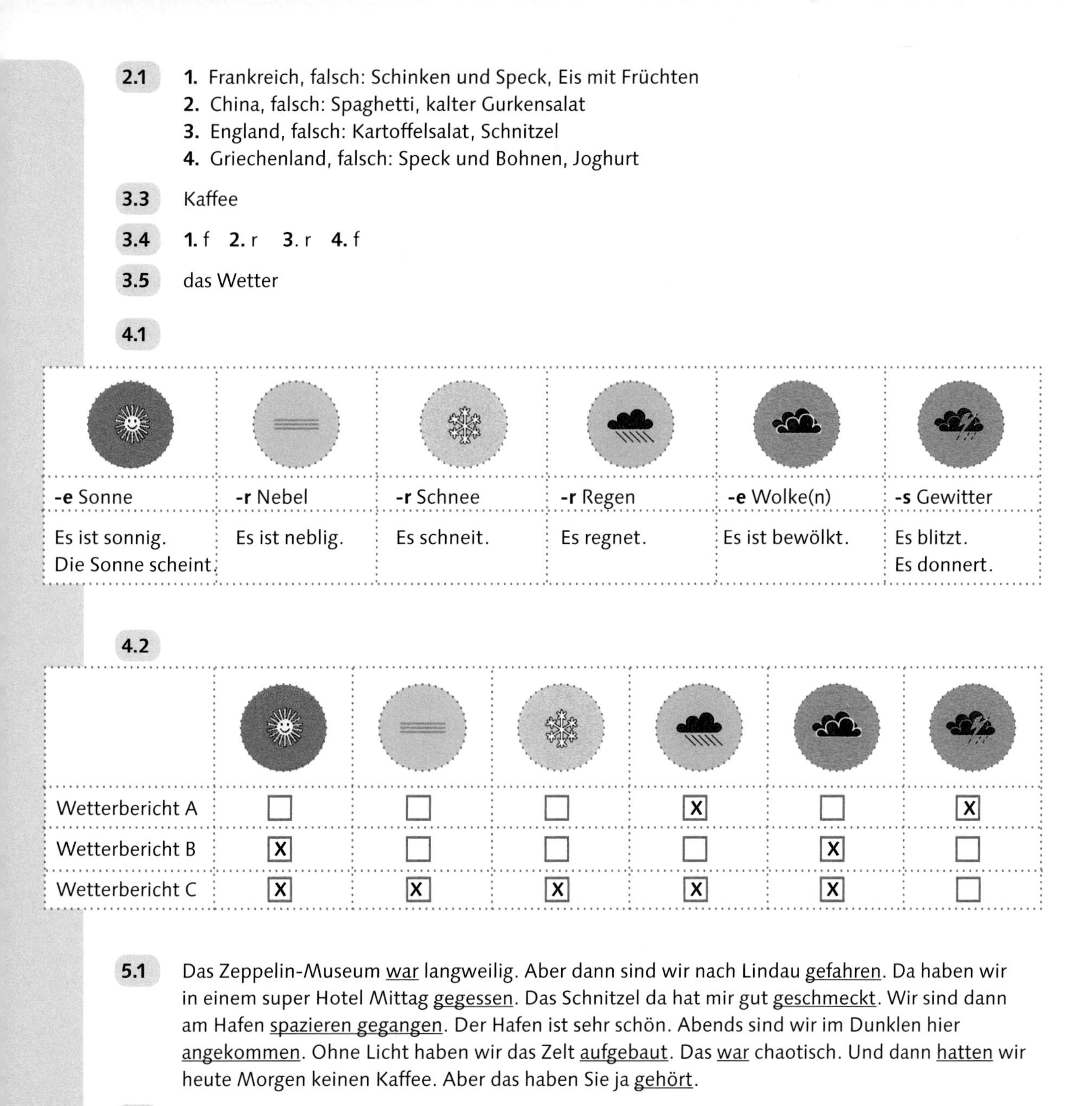

2.1 **1.** Frankreich, falsch: Schinken und Speck, Eis mit Früchten
2. China, falsch: Spaghetti, kalter Gurkensalat
3. England, falsch: Kartoffelsalat, Schnitzel
4. Griechenland, falsch: Speck und Bohnen, Joghurt

3.3 Kaffee

3.4 **1.** f **2.** r **3.** r **4.** f

3.5 das Wetter

4.1

-e Sonne	-r Nebel	-r Schnee	-r Regen	-e Wolke(n)	-s Gewitter
Es ist sonnig. Die Sonne scheint.	Es ist neblig.	Es schneit.	Es regnet.	Es ist bewölkt.	Es blitzt. Es donnert.

4.2

	Sonne	Nebel	Schnee	Regen	Wolken	Gewitter
Wetterbericht A	☐	☐	☐	☒	☐	☒
Wetterbericht B	☒	☐	☐	☐	☒	☐
Wetterbericht C	☒	☒	☒	☒	☒	☐

5.1 Das Zeppelin-Museum war langweilig. Aber dann sind wir nach Lindau gefahren. Da haben wir in einem super Hotel Mittag gegessen. Das Schnitzel da hat mir gut geschmeckt. Wir sind dann am Hafen spazieren gegangen. Der Hafen ist sehr schön. Abends sind wir im Dunklen hier angekommen. Ohne Licht haben wir das Zelt aufgebaut. Das war chaotisch. Und dann hatten wir heute Morgen keinen Kaffee. Aber das haben Sie ja gehört.

5.2 Hallo Bernd,
wir sind auf dem Camping-Platz „Seeblick" am Bodensee. Das Wetter ist super. Man kann hier auf dem See segeln, im See schwimmen und tauchen oder mit dem Schiff über den See fahren. Man kann hier auch in die Oper gehen. Anne ist schon in den Bergen gewandert. Ich habe noch nichts gemacht. Gestern waren wir am Hafen von Lindau. Vielleicht gehen wir heute an den Strand. Da kann man Beach-Volleyball spielen. Morgen fahren wir weiter in die Schweiz.

6.1 *Fragen ohne Verneinung:* **Ja** *Fragen mit Verneinung:* **Doch**

6.2 **ja:** 2, 5, 6, 8
nein: 2, 3, 4, 5, 6, 7, 8, 9, 10
doch: 1, 3, 4, 7, 9, 10

7.1 **a.** im Süden **b.** im Norden **c.** im Osten **d.** im Westen **e.** in der Mitte

7.2 **1.** b **2.** a **3.** c **4.** a

A1 im Garten arbeiten (**4**), nicht rauchen (**8**), zum Arzt gehen (**1**), oft lachen (**3**), oft joggen (**5**), oft spazieren gehen (**7**), Obst und Gemüse essen (**6**), Zähne putzen (**2**) , im Park/Wald spazieren gehen (**7**), joggen (**5**), einen Mittagsschlaf machen (**9**)

1.1 *(links von oben nach unten)*
der Hals, die Schulter, der Arm, der Rücken, der Po, das Bein, das Knie, der Fuß, die Zehe

(Mitte von oben nach unten)
der Kopf, Gesicht, die Brust, der Finger, die Hand, der Bauch

(rechts von oben nach unten)
die Haare, Stirn, das Auge, die Nase, der Zahn, der Mund, das Kinn

1.2 der Arm – die Arme, der Bauch – die Bäuche, das Bein – die Beine, der Finger – die Finger, der Fuß – die Füße, das Gesicht – die Gesichter, der Hals – die Hälse, die Hand – die Hände, das Knie – die Knie, der Kopf – die Köpfe, die Nase – die Nasen, das Ohr – die Ohren, der Zahn – die Zähne, die Zehe – die Zehen

1.4
1. essen: Mund, Zähne, (Hände, Finger)
2. küssen: Mund
3. Rad fahren: Beine, Füße, Arme
4. riechen: Nase
5. SMS schreiben: Hand, Finger
6. schwimmen: Arme, Beine, (Hände, Füße)
7. spazieren gehen: Beine, (Knie, Füße)
8. diskutieren: Mund, (Gesicht, Augen, Hände)
9. Klavier spielen: Hände, Finger, (Füße)
10. Zelt aufbauen: Arme, Hände

2.1
Bild 1 – 4. Sagen Sie mal „A". Haben Sie Halsschmerzen?
Bild 2 – 3. Haben Sie Kopfschmerzen?
Bild 3 – 6. Haben Sie Rückenschmerzen?
Bild 4 – 5. Haben Sie Bauchschmerzen?
Bild 5 – 1. Tut der Arm weh?
Bild 6 – 2. Gut, dann nehmen Sie diese Tropfen dreimal täglich.

2.4 **Richtig:** 2, 3, 6, 8, 10

2.6 **Beispiel:**
Ein Mann ist spazieren gegangen und hat Zeitung gelesen.
Dann / Plötzlich ist er auf einer Bananenschale ausgerutscht.
Seine Hose war kaputt. Er ist in ein Kleidergeschäft gegangen
und hat eine neue Hose gekauft …

3.2
1. Monika Brahms.
2. Hallo Monika. Was hast du denn? Bist du krank?
3. Hallo Fabian. Mir geht es nicht so gut. Ich habe Fieber …
4. Hast du auch Halsschmerzen?
5. Ja, und mein Kopf tut weh.
6. Du musst ins Bett! Kann ich etwas für dich tun? Vielleicht in der Apotheke etwas holen?
7. Ja, danke. Ich war heute Morgen schon beim Arzt.
Ich habe ein Rezept für Tabletten und Nasentropfen.
8. Ich komme gleich.
9. Danke, das ist lieb! Bis gleich.

3.3 **Beispiele:**

1.
A: Wie geht es dir?
B: Nicht so gut.
A: Kann ich dir helfen?
B: Ja, das ist lieb. Kannst du in die Apotheke gehen und Tabletten kaufen?
A: Ja, kein Problem. Ich komme in einer Stunde.
B: Danke, das ist lieb.

2.
A: Wie geht es dir?
B: Nicht gut. Ich habe Kopfschmerzen.
A: Kann ich dir helfen?
B: Nein danke, ich habe schon Tabletten genommen.
A: Dann gute Besserung!
B: Danke.

Einheit 16: *Meine vier Wände*

A1 **a.** Küche **b.** Schlafzimmer **c.** Arbeitszimmer **d.** Wohnzimmer

1.1 **1.** das Fenster / die Fenster **2.** der Balkon / die Balkone/Balkons
3. der Fußboden / die Fußböden **4.** die Hi-Fi-Anlage / die Hi-Fi- Anlagen
5. der Vorhang / die Vorhänge **6.** die Tapete / die Tapeten
7. der Teppich / die Teppiche **8.** die Lampe / die Lampen **9.** das Sofa / die Sofas
10. die Vase / die Vasen **11.** das Regal / die Regale **12.** die Wand / die Wände
13. der Computer / die Computer **14.** das Bett / die Betten **15.** der Stuhl / die Stühle
16. der Tisch / die Tische **17.** die Tür / die Türen **18.** das Bild / die Bilder

1.5 **2.** Kühlschrank – Küche
3. Computer – Arbeitszimmer
4. Spüle – Küche
5. Kinder / spielen – Kinderzimmer
6. Tür – Flur

2.2 **1.** b **2.** c **3.** a

3.3

Text	Bild	Grund
1.	C	Ashley Wood wohnt in einem Reihenhaus. Das Haus hat zwei Stockwerke.
2.	A	Die Heins wohnen in einer Altbauwohnung.
3.	E	Anke und Sandra wohnen in einer Drei-Zimmer-Wohnung.
4.	D	Familie Gansen wohnt in einem Hochhaus.

Zu Bild B (Bauernhof) gibt es keinen Text.

4.1 Martin und Heike Held leben in Augsburg. Martin arbeitet bei der Sparkasse **und** Heike arbeitet im Kindergarten. **Sie** haben eine neue Wohnung gesucht, **denn** Martin und Heike bekommen ein Baby. **Sie** ziehen bald um. Die neue Wohnung ist teuer, **aber sie** hat auch ein Kinderzimmer. Martin muss jetzt länger zur Arbeit fahren, **aber** in der Straße der neuen Wohnung ist ein Spielplatz.

4.2

Hauptsatz I	*und / aber / denn*	Hauptsatz II
Das ist weit,	aber	sie lebt gerne auf dem Dorf.
Er ist Rentner	und	(er) lebt mit seiner Frau Luise in Berlin.
Die Heins müssen zu Fuß in den vierten Stock,	denn	das Haus hat keinen Aufzug.
Und im Winter kann man die Wohnung schlecht heizen,	denn	die Zimmer sind sehr hoch.
Anke hat ein Zimmer	und	Sandra hat auch ein Zimmer.
Jetzt kann sie gut lernen,	denn	die Wohnung ist ruhig.
Das ist klein für vier Personen,	aber	die Gansens können keine große Wohnung bezahlen.
Herr Gansen ist Maurer	und	seine Frau arbeitet halbtags als Verkäuferin.
Die Schule für die Kinder ist in der Nähe,	aber	es gibt keinen Spielplatz.

4.3
1. Frau Müller ist Deutschlehrerin und sie isst gerne Schokolade.
2. Ich mache gern Sport, aber ich kann nicht Fußball spielen.
3. Norma und Julian haben „Titanic" nicht gesehen, denn der DVD-Player hat nicht funktioniert.
4. Frau Hein gefällt es gut in dem Haus, denn sie hat viel Kontakt.
5. Die Wohnung von Familie Gansen ist 80 qm groß, aber sie ist zu klein für 4 Personen.

4.6 **Beispiel:**
Heike Held ist 28 Jahre alt und verheiratet. Sie zieht nächsten Monat mit ihrem Mann in eine neue Wohnung, denn sie bekommt ein Baby. Heike freut sich auf die neue Wohnung, aber sie ist teuer.

5.1 **1.** f **2.** c **3.** i **4.** b **5.** a **6.** g **7.** d **8.** h **9.** e

Option 4

2.1 Sebastian fährt zu seiner Schwester, denn sie hatte einen Unfall.

2.2 **a.** 3 **b.** 1 **c.** 4 **d.** 2

4.1 Das letzte Bild fehlt: Maria zeigt dem Arzt ihre Zunge.

Selbstevaluation:

Beispiele:

1. Gestern bin ich um sieben Uhr aufgestanden. / Ich bin (gestern) um sieben Uhr aufgestanden. Um neun Uhr habe ich die Zeitung gelesen. / Ich habe um neun Uhr die Zeitung gelesen. Um elf Uhr habe ich gekocht. / Ich habe um elf Uhr gekocht.
2. Ich sehe im Schlafzimmer fern. Meistens abends etwa drei Stunden lang.
3. Am Wochenende frühstücke ich viel. Ich esse zwei Brötchen; ein Brötchen mit Wurst und ein Brötchen mit Käse. Gern esse ich auch ein Ei. Ich trinke zwei Tassen Kaffee und dann esse ich noch eine Banane.
4. Die Sonne scheint. / Es ist sonnig. Es schneit. Es regnet. Es ist bewölkt.
5. Haare, Augen, Nase, Mund
6. **1)** Wie geht es dir / Ihnen? **2)** Was fehlt dir / Ihnen? **3)** Bist du / Sind Sie krank?
7. Mir geht es nicht gut. Ich habe Kopfschmerzen und Fieber.
8. An der Wand steht ein Bett. Vor dem Bett liegt ein Teppich. Die Tür zum Balkon ist offen. Auf dem Balkon steht ein Stuhl.
9. **1)** Ich mag Musik, aber ich kann nicht singen. **2)** Ich gehe ins Bett und ich lese ein Buch. **3)** Ich habe keine Zeit, denn ich muss arbeiten.

Bei welchen Aufgaben haben Sie „kann nicht so gut" markiert? Wiederholen Sie ...

... zu Aufgabe 1:	Einheit 12, 2 und 3 Einheit 13, 1, 4 bis 6	***... zu Aufgabe 5:***	Einheit 15, 1
		... zu Aufgabe 6:	Einheit 15, 3
... zu Aufgabe 2:	Einheit 13, 1 und 2	***... zu Aufgabe 7:***	Einheit 15, 3
... zu Aufgabe 3:	Einheit 14, 1 und 2	***... zu Aufgabe 8:***	Einheit 16, 1
... zu Aufgabe 4:	Einheit 14, 4	***... zu Aufgabe 9:***	Einheit 16, 4

Das war eurolingua Deutsch 1:

2.
1. Hörtext aus Einheit 2/5.1 – Bild 1
2. Text aus Einheit 12/1.1 – Bild 8
3. Hörtext aus Einheit 14/4.2 – Bild 2
4. Hörtext aus Einheit 15/1.5 – Bild 9
5. Lied aus Option 2/1.1 – Bild 7

Lösungen Modelltest:

Hören: **1.** b, **2.** a, **3.** c, **4.** a, **5.** a, **6.** a, **7.** falsch, **8.** falsch, **9.** richtig, **10.** richtig **11.** b, **12.** c, **13.** c, **14.** a, **15.** c

Lesen: **1.** falsch, **2.** richtig, **3.** richtig, **4.** falsch, **5.** falsch, **6.** a, **7.** b, **8.** b, **9.** b, **10.** a, **11.** richtig, **12.** falsch, **13.** richtig, **14.** falsch, **15.** richtig

Schreiben: Teil 1

Familienname:	Rodriguez	**Beruf:**	Taxifahrer
Vorname:	Juan	**Kursnummer:**	4017-40
Straße, Hausnummer:	Danklstraße 15	**Kurs:**	Deutsch 1
Postleitzahl, Wohnort:	81371 München		

Sprache im Kurs

abschreiben ... 4/So geht's
Adjektiv, das, -e ... 1/6.4
Akkusativ, der, -e ... 5/A
Akkusativergänzung, die, -en ... 5/A
Alphabet, das, -e ... 2/1
Angabe, die, -n ... 4/A
ankreuzen ... 3/A
Arbeitsanweisung, die, -en ... 1/8.1
Artikel, der, - ... 1/A
Artikelgymnastik, die, * ... Opt.2/3
Aufgabe, die, -n ... 4/2.5
Ausdruck, der, "-e ... 7/So geht's
ausfüllen ... 7/4.4
Aussage, die, -n ... 2/A
Aussagesatz, der, "-e ... 2/A
Aussprache, die, -n ... 1/A
auswendig lernen ... 13/4.1
Beispielsatz, der, "-e ... 2/4.2
benennen ... A 4
bestimmte Artikel, der ... 1/A
betonen ... 2/4.1
Betonung, die, -en ... Opt.1
Bilanz ziehen ... Opt.2/ SE
Bildcollage, die, -n ... 11/A
bilden, Hypothesen bilden ... Opt.2/4
Buchstabe, der, -n ... 3/3.3
buchstabieren ... 2/A
Dativ, der, -e ... 8/A
Deutschbuch, das, „-er ... Opt.1/5
Deutschkurs, der, -e ... 1/1.1
Dialog, der, -e ... 1/A
Dialogbaukasten, der, "- ... 1/1.2
Dialogelement, das, -e ... 6/2.2
Dialoggrafik, die, -en ... 1/A
Dialogpuzzle, das, -s ... 3/1.2
Diktat, das, -e ... Opt.1/4
Einheit, die, -en ... 1/A
Einkaufsdialog, der, -e ... 5/2.3
einordnen ... 1/6.5
eintragen ... 6/4.1
Endung, die, -en ... 1/3.1
entwickeln, (hier:)
ein Lernplakat entwickeln ... 10/1.5
ergänzen ... 1/3.4
Ereigniskarte, die, -n ... Opt.3/1
Ereignisfeld, das, -er ... Opt.3/1
Erlaubnis, die, -se ... 10/3.3
erschließen, einen Text erschließen ... 4/A
Fähigkeit, die, -en ... 10/3.3
Femininum, das, * ... 7/So geht's
Fortbewegung, die, -en ... 13/So geht's
Fragewort, das, -"er ... 2/A
Gesprächspartner/in,
der/die, -/-nen ... 3/4.3
Geste, die, -n ... 15/So geht's
Gestik, die, * ... 13/3.4
Graduierung, die, -en ... 16/A
Grammatik, die, -en ... 1/So geht's
Grammatikfeld, das, -er ... Opt.3/1
Grammatikkarte, die, -n ... Opt.3/1
Grammatiktabelle, die, -n ... 6/6.1
Hauptsatz, der, "-e ... 12/2.5
Hörstrategie, die, -n ... 11/So geht's
Hypothese, die, -n ... Opt.2/4
Imperativ, der, -e ... 9/A
Imperativsatz, der, "-e ... 9/4.3
Infinitiv, der, -e ... 1/3.1
Info, die, -s (kurz für: Information) ... 2/3.1
Intonation, die, -en ... 1/2.1
Ja/Nein-Frage, die, -n ... 2/A
Kasten, der, "- ... 2/3.6
Kasus, der, - ... 9/So geht's
Kompositum, das, -a ... Opt.3/4
Konjugation, die, -en ... 4/So geht's
konjugieren ... 14/So geht's
Konjunktion, die, -en ... 16/A
Kontext, der, -e ... 4/3.1
Kontrastakzent, der, -e ... Opt.4/6
Kurs, der, -e ... 1/1
Kursbuch, das, "-er ... 4/So geht's
Kursleiter/in, der/die, -/-nen ... 6/3.3
Kursliste, die, -n ... 1/1.1
Kursraum, der, "-e ... 8/5.2
Kursteilnehmer/in, der/die, -/-nen ... 3/6.5
kurzer Vokal, kurze Vokale ... 1/A
Ländername, der, -n ... 4/A
Ländeskunde, die, * ... Opt.2/2
landeskundlich ... Opt.2/4
langer Vokal, lange Vokale ... 1/A
Lektion, die, -en ... 7/So geht's
Lernkarte, die, -n ... 7/6.2
Lernplakat, das, -e ... 10/1.5
Lernplan, der, "-e ... 13/So geht's
Lerntipp, der, -s ... 1/5.4
Liste, die, -n ... 1/1.1
Lücke, die, -n ... 5/5.4
Lückensatz, der, "-e ... 5/5.4
markieren ... 1/A
maskulin ... 7/4.5
Maskulinum, das, * ... 7/So geht's
Melodie, die, -n ... Opt. 1
Merksatz, der, "-e ... 9/So geht's

Eigennamen und Ortsnamen

Frankfurt (am Main)	große Stadt in Hessen (Westdeutschland) | Börse und Finanzhauptstadt Deutschlands	**1/2.1**
Frankreich	Staat in Westeuropa (EU) | Hauptstadt: Paris	**1/2.1**
die Türkei	Staat in Südosteuropa und Kleinasien | Hauptstadt: Ankara	**1/2.1**
Schweden	Staat in Nordeuropa (EU) | Hauptstadt: Stockholm	**1/3.4**
Offenbach	Stadt in Hessen (bei Frankfurt/Main)	**1/3.4**
Warschau	Hauptstadt von Polen	**1/4.1**
Polen	Staat in Osteuropa (EU)	**1/4.1**
Mannheim	Stadt in Baden-Württemberg (Südwestdeutschland)	**1/4.1**
Italien	Staat in Südeuropa (EU) | Hauptstadt: Rom	**1/So geht's**
das Goethe-Institut	deutsches internationales Sprach- und Kulturinstitut	**2/A**
Unter den Linden	berühmteste Straße Berlins (Mitte)	**2/2.6**
Dortmund	Stadt in Nordrhein-Westfalen (Nordwestdeutschland)	**2/3.1**
Österreich	Staat in Mitteleuropa (EU) | Hauptstadt: Wien	**2/3.1**
die Schweiz	Staat in Mitteleuropa | Hauptstadt: Bern | Landessprachen: Deutsch, Französisch, Italienisch, Rätoromanisch	**2/3.1**
Rüsselsheim	Stadt in Hessen (Westdeutschland)	**2/3.2**
Hamburg	Freie Hansestadt: zweitgrößte Stadt und größter Hafen Deutschlands | Bundesland in Norddeutschland	**2/4.6**
Wien	Hauptstadt von Österreich	**2/5.3**
Dänemark	Königreich in Nordeuropa (EU) | Hauptstadt: Kopenhagen	**2/5.3**
Siemens	große deutsche Firma (Informations- u. Kommunikationsbranche)	**2/5.3**
München	größte Stadt und Landeshauptstadt von Bayern	**2/So geht's**
Der Vorleser	Roman von Bernhard Schlink (**1944 bei Bielefeld*), Jurist und Autor	**3/3.3**
Angola	Staat in Südwestafrika | Hauptstadt: Luanda | Amtssprache: Portugiesisch	**3/4.2**
Emden	Stadt in Niedersachsen (Nordwestdeutschland)	**3/5.3**
Los Angeles	größte Stadt Kaliforniens an der Südwestküste der USA	**3/5.3**
der Oscar	amerikanischer Filmpreis	**3/5.3**
Brad Pitt	(** 1963 in Shawnee, Oklahoma, USA*) Schauspieler	**3/5.3**
Eric Bana	(** 1968 in Melbourne, Australien*) Schauspieler	**3/5.3**
Orlando Bloom	(** 1977 in Canterbury, Kent, England*) Schauspieler	**3/5.3**
Ilias	Epos von Homer (** 8. Jahrhundert v. Chr., griechischer Dichter*) | ältestes Literaturzeugnis Europas	**3/5.3**

Stuttgart	größte Stadt und Landeshauptstadt von Baden-Württemberg	**3/6.1**
Ungarn	Staat in Osteuropa (EU) | Hauptstadt: Budapest	**4/A**
Bratislava	Hauptstadt der Slowakei	**4/A**
Ljubljana	Hauptstadt von Slowenien	**4/A**
der Buckingham Palast	Königspalast in London	**4/A**
der Petersdom	größte Kirche der Welt (Vatikan) in Rom	**4/A**
das Brandenburger Tor	Sehenswürdigkeit in Berlin: westlicher Abschluss der Straße „Unter den Linden"	**4/A**
Liechtenstein	kleiner Staat in Mitteleuropa | Hauptstadt: Vaduz | Landesprache: Deutsch	**4/A**
Lissabon	Hauptstadt von Portugal	**4/A**
Malta	unabhängige Inseln (seit 1964 nicht mehr in britischem Besitz) im Mittelmeer (Südeuropa – kleinster Staat der EU) | Hauptstadt: Valletta | Landesprachen: Maltesisch, Englisch und Italienisch	**4/A**
Zypern	unabhängige geteilte Insel im südöstlichen Mittelmeer (überwiegend griechisch – 80% der Bevölkerung – und türkisch (19%) im Norden. Der griechische Teil der Insel gehört seit Mai 2004 zur EU. | Geteilte Hauptstadt: Nikosia | Landesprachen: Griechisch, Türkisch und Englisch	**4/A**
Portugal	Staat in Südwesteuropa (EU) | Hauptstadt: Lissabon	**4/A**
Irland	Staat in Westeuropa (EU) | Hauptstadt: Dublin | geteilte Insel: Nordirland gehört offiziell zu Großbritannien	**4/A**
das Atomium	Sehenswürdigkeit in Brüssel: 102 m hohes Bauwerk, das ein Atommodell darstellt. Es wurde zur Weltausstellung 1958 gebaut.	**4/A**
Athen	Hauptstadt von Griechenland	**4/A**
Brüssel	Hauptstadt von Belgien | Sitz der europäischen Kommission	**4/A**
Prag	Hauptstadt von der Tschechischen Republik (Tschechien)	**4/A**
der Prater	Volks- und Vergnügungspark in Wien mit dem Riesenrad als Wahrzeichen	**4/A**
die Europäische Zentralbank	Zentralbank für die gemeinsame europäische Währung, den Euro | Sitz in Frankfurt (am Main)	**4/A**
Zürich	größte Stadt der Schweiz (im Norden) | Hauptstadt des gleichnamigen Kantons	**4/A**
Karlsruhe	Stadt in Baden-Württemberg (Südwestdeutschland)	**4/1.1**
Mercedes-Benz	Große deutsche Firma (Automobilbranche)	**4/1.1**
Weimar	Stadt in Thüringen (Mitteldeutschland)	**4/1.1**
Thüringen	Bundesland in Mitteldeutschland	**4/1.1**
Erfurt	größte Stadt und Landeshauptstadt von Thüringen	**4/1.1**
Grenoble	größte Stadt der französischen Alpen (Département: Isère) in Südostfrankreich	**4/1.1**
Opel	große deutsche Firma (Automobilbranche)	**4/1.1**

Eisenach	Stadt in Thüringen (Mitteldeutschland)	**4/1.1**
Sankt Pölten	Landeshauptstadt von Niederösterreich (Nordösterreich)	**4/1.1**
Venedig	größte Stadt und Hauptstadt der Region und der Provinz Venetien (Nordostitalien)	**4/1.1**
Tschechien	(die Tschechische Republik) Staat in Mitteleuropa (EU) | Hauptstadt: Prag	**4/1.1**
Spanien	Staat in Südwesteuropa (EU) | Hauptstadt: Madrid	**4/1.3**
Südtirol	Region in Norditalien	**4/1.3**
Griechenland	Staat in Südosteuropa (EU) | Hauptstadt: Athen	**4/1.3**
Benelux	Wirtschaftsunion (Freihandelzone): Seit dem Benelux-Vertrag von 1958 Belgien, Niederlande, Luxemburg	**4/1.3**
Belgien	Staat in Westeuropa (EU) | Hauptstadt: Brüssel | Landesprachen: Niederländisch im Norden und Westen, Französisch im Südosten, Deutsch im Nordosten	**4/1.3**
die Niederlande	Staat in Westeuropa (EU) | Hauptstadt: Amsterdam	**4/1.3**
Luxemburg	kleiner Staat in Mitteleuropa (EU) | Hauptstadt: Luxemburg | Landessprachen: Luxemburgisch, Französisch und Deutsch	**4/1.3**
Skandinavien	Halbinsel Nordeuropas: Norwegen und Schweden (im weiteren Sinn auch Dänemark und Finnland)	**4/1.3**
Norwegen	Staat in Nordwesteuropa | Hauptstadt: Oslo	**4/1.3**
Finnland	Staat in Nordosteuropa (EU) | Hauptstadt: Helsinki	**4/1.3**
England	Teil des Vereinigten Königreiches (= Schottland, Wales, England und Nordirland) (EU)	**4/1.3**
Estland	kleiner Staat in Nordosteuropa (EU) | Hauptstadt: Tallinn | Landessprachen: Estnisch und Russisch	**4/2.1**
Lettland	kleiner Staat in Nordosteuropa (EU) | Hauptstadt: Riga | Landessprachen: Lettisch und Russisch	**4/2.1**
Litauen	kleiner Staat in Nordosteuropa (EU) | Hauptstadt: Vilnius | Landessprache: Litauisch	**4/2.1**
Weißrussland (Belarus)	Staat in Mittelosteuropa | Hauptstadt: Minsk | Landessprachen: Weißrussisch und Russisch	**4/2.1**
Ukraine	Staat in Mittelosteuropa | Hauptstadt: Kiew | Landessprachen: Ukrainisch und Russisch	**4/2.1**
Slowakei	kleiner Staat in Mittelosteuropa (EU) | Hauptstadt: Bratislava	**4/2.1**
Moldawien	kleiner Staat in Südosteuropa | Hauptstadt: Chisinau | Landessprachen: Rumänisch und Russisch	**4/2.1**
Slowenien	kleiner Staat in Mitteleuropa (EU) | Hauptstadt: Ljubljana	**4/2.1**
Kroatien	kleiner Staat in Mitteleuropa | Hauptstadt: Zagreb | Landesprachen: Kroatisch, Serbisch, Ungarisch und Italienisch	**4/2.1**
Bosnien-Herzegowina	kleiner Staat in Südosteuropa | Hauptstadt: Sarajewo | Landesprache: Bosnisch, Kroatisch, Serbisch	**4/2.1**
Serbien-	Staat in Südosteuropa | Hauptstadt: Belgrad |	**4/2.1**

Montenegro	Landessprache: Serbisch und Albanisch	
Rumänien	Staat in Südosteuropa | Hauptstadt: Bukarest	**4/2.1**
Bulgarien	Staat in Südosteuropa | Hauptstadt: Sofia	**4/2.1**
Albanien	kleiner Staat in Südosteuropa | Hauptstadt: Tirana	**4/2.1**
Mazedonien	kleiner Staat in Südosteuropa | Hauptstadt: Skopje | Landessprachen: Mazedonisch, Albanisch, Türkisch, Serbisch u. a.	**4/2.1**
Korsika	Region in Frankreich (Mittelmeerinsel)	**4/2.1**
Sardinien	Region in Italien (Mittelmeerinsel)	**4/2.1**
Mallorca	Region in Ostspanien (Mittelmeerinsel)	**4/2.1**
der Irak	Staat im Norden der arabischen Halbinsel | Hauptstadt: Bagdad | Landessprachen: Arabisch und Kurdisch (Kurdistan)	**4/2.2**
der Iran	Staat im Nahen Osten | Hauptstadt: Teheran | Landessprachen: Persisch, Arabisch, Kurdisch u. a.	**4/2.2**
der Libanon	kleiner Staat am östlichen Mittelmeer | Hauptstadt: Beirut | Landessprachen: Arabisch, Französisch und Englisch	**4/2.2**
der Sudan	großer Staat in Nordostafrika | Hauptstadt: Khartum | Landessprachen: Arabisch, Englisch u. a.	**4/2.2**
der Tschad	Staat in Zentralafrika | Hauptstadt: N'Djamena | Landessprachen: Französisch, Arabisch u. a.	**4/2.2**
Teheran	Hauptstadt des Irans	**4/2.2**
Ankara	Hauptstadt der Türkei	**4/2.2**
Linz	Landeshauptstadt von Oberösterreich (Nordösterreich)	**4/2.4**
Innsbruck	Landeshauptstadt von Tirol (Westösterreich)	**4/2.4**
Mainz	Landeshauptstadt von Rheinland-Pfalz	**4/2.4**
Graz	zweitgrößte Stadt Österreichs und Landeshauptstadt der Steiermark	**4/2.4**
Klagenfurt	Landeshauptstadt von Kärnten (Südösterreich)	**4/2.4**
Bern	Hauptstadt der Schweiz und des Kantons Bern	**4/2.4**
Basel	nach Zürich und Genf drittgrößte Stadt der Schweiz und Kanton im Nordwesten	**4/2.4**
Köln	größte Stadt von Nordrhein-Westfalen (Westdeutschland)	**4/2.4**
Bonn	Stadt in Nordrhein-Westfalen | ehemalige Hauptstadt Westdeutschlands	**4/2.4**
Lübeck	Stadt in Schleswig-Holstein (Norddeutschland)	**4/2.4**
Schwerin	Landeshauptstadt von Mecklenburg-Vorpommern	**4/2.4**
Lausanne	Hauptstadt des Kantons Waadt (Vaud: frankophoner Kanton) im Südwesten der Schweiz	**4/2.4**
Genf	nach Zürich zweitgrößte Stadt der Schweiz und Kanton im Südwesten (Genfer See) | Hauptstadt des Welthandels und Sitz vieler Weltorganisationen, wie z. B. der Vereinten Nationen (UNO) und des Hochkommissariats für Flüchtlinge (UNHCR)	**4/2.4**

Leipzig	Stadt in Sachsen (Ostdeutschland)	**4/2.4**
Dresden	Landeshauptstadt von Sachsen	**4/2.4**
Granada	Stadt in Südspanien	**4/4.1**
die Reeperbahn	berühmteste Straße Hamburgs (St. Pauli)	**4/5.1**
Sachsen	Bundesland im Osten Deutschlands	**4/5.2**
Tirol	Bundesland im Westen Österreichs	**4/5.2**
Luzern	Stadt und Kanton im Zentrum der Schweiz	**4/5.2**
der Kreml	Sehenswürdigkeit in Moskau: vieltürmiger Festungskomplex | ehemalige Residenz russischer Herrscher und Patriarchen | seit 1918 Sitz der russischen Regierung	**4/5.3**
die Semperoper	Staatsoper und Wahrzeichnen von Dresden | 1841 von Gottfried Semper als erstes königliches Hoftheater erbaut | 1945 beim großen Bombenangriff auf Dresden zerstört | die Semperoper von heute: eine originalgetreue Rekonstruktion	**4/So geht's**
Nürnberg	große Stadt im Norden von Bayern | wirtschaftliches und kulturelles Zentrum von Franken	**Opt. 1/4.1**
Regensburg	Stadt in Bayern (Südostdeutschland)	**Opt. 1/4.2**
Heidelberg	Stadt im Norden von Baden-Württemberg (Südwestdeutschland) | älteste Universität Deutschlands	**Opt. 1/4.2**
Bamberg	Stadt im Norden von Bayern (Franken)	**Opt. 1/4.2**
Milka	Schokoladenmarke aus der Schweiz (gehört Suchard)	**5/2.2**
Düsseldorf	Landeshauptstadt von Nordrhein-Westfalen (Westdeutschland)	**5/8.1**
Das Dorf	The Village | amerikanischer Fantasy-Film von M. Night Shyamalan (2004)	**6/1.3**
Gegen die Wand	deutsches Filmdrama von Fatih Akin (2003) | Goldener Bär auf der Berlinale 2004	**6/1.3**
7 Zwerge – Männer allein im Wald	deutsche Komödie (Film) von Sven Unterwaldt jr. (2004) | mit dem deutschen Komiker Otto Waalkes	**6/1.3**
Alfred Hitchcock	berühmter englischer Filmregisseur, Autor und Produktionsleiter (**1899 bei London – †1980 in Los Angeles*) ging 1939 nach Hollywood – gilt als Meister des Spannungsfilms | z.B. „Psycho" 1960, „Die Vögel" 1963	**6/1.3**
Ein Fall für zwei	Krimiserie im ZDF (Zweites Deutsches Fernsehen)	**6/1.3**
Australien	großer Staat im Pazifik | Hauptstadt: Canberra | Landesprache: English	**6/1.6**
die Nationalelf	nationale Fußballmannschaft für internationale Wettkämpfe	**6/6.1**
Fred Feuerstein	Star der amerikanischen Steinzeit-Zeichentrickserie (1960-1966) | wurde in mehr als 80 Ländern ausgestrahlt	**7/A**
Willy Brandt	deutscher SPD-Politiker (**1913 in Lübeck – †1992 bei Bonn*) | *1957 – 1966* Bürgermeister von Berlin (West) | *1969 – 1974* Bundeskanzler | *1971* erhält den Friedensnobelpreis	**7/A**
Johann Sebastian Bach	berühmtester deutscher Komponist (**1685 in Eisenach – †1750 in Leipzig*) | Barockmusik	**7/A**

Thomas Mann	deutscher Schriftsteller (**1875 in Lübeck – †1955 bei Zürich*) vor allem bekannt durch seine Romane: „Buddenbrooks" 1901 und „Der Zauberberg" 1924	**7/A**
Ostdeutschland	bezeichnet den Teil von Deutschland, der 1949 – 1990 die DDR (Deutsche Demokratische Republik) war.	**7/5.3**
Westdeutschland	Teil von Deutschland, der 1949 – 1990 die BRD (Bundesrepublik Deutschland) war.	**7/5.3**
Bayern	größtes Bundesland Deutschlands (Süddeutschland)	**8/2.2**
H&M	Modekaufhaus aus Schweden | heute in 20 Ländern vertreten	**Opt. 2/1.1**
C&A	weit verbreitetes holländisches Bekleidungshaus	**Opt. 2/1.1**
die Paulskirche	erbaut 1786-1833, Parlament (Frankfurter Nationalversammlung) 1848/49	**9/A**
die Liebfrauenkirche	Kirche im Zentrum von Frankfurt am Main	**9/A**
Hessen	Bundesland in Westdeutschland, Landeshauptstadt: Wiesbaden	**9/1.1**
die Hauptwache	zentraler Platz in Frankfurt am Main	**9/1.2**
das Goethe-Haus	Geburtshaus von Goethe, 1749	**9/1.2**
der Römer	historisches Rathaus von Frankfurt am Main	**9/2.2**
der Messeturm	256 m hoher Wolkenkratzer in Frankfurt am Main, bis 1997 höchstes Gebäude in Europa, Bürogebäude	**9/2.4**
die Alte Oper	großes Konzerthaus in Frankfurt am Main	**9/2.5**
Madrid	Hauptstadt von Spanien	**10/2.3**
der Tag der Arbeit	1. Mai (Feiertag)	**11/A**
der Tag der Deutschen Einheit	deutscher Nationalfeiertag, 3. Oktober, anlässlich der Wiedervereinigung von West- und Ostdeutschland 1990	**11/A**
Helau, Alaaf!	Helau = Karnevalsruf besonders in Düsseldorf und Mainz, Alaaf = Karnevalsruf besonders in Köln	**11/1**
das Oktoberfest	seit 1810 Volksfest in München, fängt aber im September an	**11/2.2**
die DDR	1949-1990 Deutsche Demokratische Republik (Ostdeutschland)	**12/A**
Sigmund Freud	österreichischer Psychiater, Begründer der Psychoanalyse, 1856-1939	**12/A**
Charlie Chaplin	1889-1977, englischer Filmschauspieler	**12/A**
Wolfgang Amadeus Mozart	1756-1791, österreichischer Komponist	**12/A**
Günter Grass	deutscher Schriftsteller, Literaturnobelpreis 1999, Graphiker, * 1927	**12/A**
Carl Benz	Ingenieur, gründete 1883 die Firma Benz & Cie., 1926 Daimler Benz AG	**12/A**
Sorgun	Ferienort an der türkischen Riviera	**12/1.1**
Izmir	große Stadt in der Westtürkei	**12/1.1**
Kassel	Stadt in Nordhessen, bekannt durch die Kunstausstellung	**12/1.1**

	Documenta	
Bosch	Firma der elektrotechnischen Industrie, Stuttgart	**12/1.1**
Istanbul	größte Stadt der Türkei, früher Konstantinopel	**12/1.1**
die Alpen	Gebirge in Europa, höchster Berg: Mont Blanc 4807 m	**12/2.9**
Audi	große Firma, Automobilindustrie, Ingolstadt	**12/3.2**
Aschaffenburg	Stadt in Unterfranken (Bayern), 45 km von Frankfurt am Main	**12/4.6**
Garmisch-Partenkirchen	Kurort und Wintersportplatz in den bayrischen Alpen	**13/3.2**
Monopoly	bekanntes Brettspiel	**13/4.4**
Straßburg	große Stadt im Elsass/Frankreich	**13/7.1**
der Bodensee	See am Alpenrand zwischen Deutschland, Österreich und der Schweiz	**14/3**
Friedrichshafen	Stadt und Hafen am Bodensee	**14/3.1**
Lindau	Stadt z.T. auf einer Insel im östlichen Bodensee	**14/3.1**
Bregenz	Stadt in Österreich am Bodensee	**14/3.1**
Ludwigshafen	Stadt am Rhein, gegenüber von Mannheim	**16/3.2**
Göttingen	Stadt im Bundesland Niedersachsen, Universität	**16/3.2**
Augsburg	Stadt in Bayern	**16/4.1**

Alphabetische Wortliste Wortschatz von Einheit 1 – Option 4

Wörter, die Sie nicht unbedingt zu lernen brauchen, sind *kursiv* gedruckt.
Die Zahlen geben an, wo die Wörter vorkommen (z. B. 2/2.3 bedeutet Einheit 2, Abschnitt 2.3; HT 2/3.1 = Hörtext in Einheit 2, Abschnitt 3.1; 8 /A = Einheit 8, Auftaktseite)

Opt. = Option	ạ = kurzer Vokal	*	= dieses Wort existiert nur im Singular
SE = Selbstevaluation	a̲ = langer Vokal	Pl.	= dieses Wort existiert nur im Plural
	"- = Umlaut im Plural	Dat.	= Dativ
		Akk.	= Akkusativ

Wort	Fundstelle
ab	2/2.3
abbiegen, abgebogen	10/3.9
Abend, der, -e	3/5.1
abends/am Abend	6/4.3
aber	1/1.1
abhängen *(von)*	6/5.4
abholen	7/4.4
Abitur, das, -e	12/4.6
ablehnen	11/4
abnehmen, abgenommen	7/5.3
abnehmend	7/5.3
Absage*, die, -n*	11/4.6
absagen	12/2.4
Abschnitt*, der, -e*	10/3.10
abschreiben, abgeschrieben	4/So geht's
absolut	6/5.4
Abteilung, die, -en	8/4.1
abwarten	15/2.2
ach	2/3.4
ach so	1/2.1
achten *(auf)*	10/4.2
Adresse, die, -n	12/4.6
Advent*, der, -e*	11/2.2
Aerobic*, das, **	6/5.1
Affe*, der, -n*	9/3.1
Affenhaus*, das, "-er*	9/3.2
aha	1/2.1
Ähnlichkeit*, die, -en*	15/1.5
aktiv	15/4.2
Aktion*, die, -en*	9/2.2
Aktivität*, die, -en*	4/1.3
akzeptieren	6/5.4
Alaaf!	11/1
Alkohol, der, -e	15/2.4
alle	10/1.4
allein	7/5.3
allerdings	Opt. 1/2
alles	5/2.2
allgemein	10/3.9
Alltag*, der, **	13/A
Alphabet*, das, -e*	2/1
alphabetisch	Opt. 4/5.1
als	2/2.3
als (+ Beruf)	10/1.3
also	1/1.1
alt	5/7.1
Altbauwohnung, die, -en	16/3.2
älter	6/5.4
Alter*, das, -*	4/5.2
Alternative*, die, -n*	10/3.2
Altstadt*, die, "-e*	4/5.1
am liebsten	4/1.3
an	4/1.4
anbieten, angeboten	3/4.3
anderer, anderes, andere	2/A
ändern *(sich)*	3/So geht's
anders	10/3.2
anfangen, angefangen	6/1.4
Anfänger, der, -	3/3.3
Anfängerkurs, der, -e	3/3.3
Angabe*, die, -n*	4/A
angeben, angegeben	11/A
Angebot, das, -e	5/A
Angst, die, "-e	9/4.5
anhalten, angehalten	10/3.9
Anhang*, der, "-e*	Opt. 1/SE
ankommen (+ auf), *hier:* **das kommt darauf an, angekommen**	10/A
ankreuzen	3/A
anlachen	13/4.6
anlässlich	11/So geht's
anmachen	12/2.4
annehmen, angenommen	11/4
anprobieren	8/3.3
Anrede*, die, -n*	3/4.1
anrufen, angerufen	2/3.2
anschauen	1/1.1
ansehen, angesehen	2/3.3
ansprechen *(sich),* ***angesprochen***	3/4.3
Antwort, die, -en	1/2.3
antworten	1/1.2
anziehen, angezogen	11/3.5
Anzug, der, "-e	8/A
Apfel, der, "-	3/A

Apfelsaft, der, "-e 3/A
Apotheke, die, -n 15/3.1
Appartment, das, -s 16/3.2
April, der, -e (Pl. selten) 11/1
Arbeit, die, -en 3/6.5
arbeiten 1/A
Arbeiter/in, der/die, -/-nen 10/1.1
Arbeitgeber/in, der/die, -/-nen 15/2.5
arbeitslos 12/4.4
Arbeitszimmer, das, - 16/A.1
***Ärger**, der, ** Opt.2/1.1
Arm, der, -e 15/1.1
Artikel, der, - 13/7.1
Arzt/Ärztin, der/die, "-e/-nen 10/1.1
***Attraktivität**, die, ** 7/5.3
ätzend 13/2.4
au weia 8/3.3
auch 2/3.1
auf 1/A
Auf Wiederhören. 2/3.3
Auf Wiedersehen. 1/8.2
aufbauen 14/3.1
***Aufenthalt**, der, -e* 12/4.6
auffallen**, **aufgefallen 7/4.3
auffordern 9/A
***Aufforderung**, die, -en* 9/4
Aufgabe, die, -n 4/2.5
August, der, -s (Pl. selten) 11/1
aufhören 6/1.1
aufmachen 12/2.4
***Aufschlag**, der ,"-e* Opt.2/2
aufschlagen, **aufgeschlagen** 9/4.4
aufschreiben, **aufgeschrieben** 15/3.2
aufstehen, **aufgestanden** 6/2.1
***aufteilen** (unter)* Opt.1/2
aufwachen 13/4.6
aufwachsen**, **aufgewachsen 7/5.3
Aufzug, der, "-e 16/3.2
Auge, das, -n 15/1.1
***Au-Pair**(-Mädchen), das, -* 12/4.6
aus 1/2.1
Ausbildung, die, -en 12/4.6
***Aus-der-Haut-Fahren**, das, ** 15/1.5
***Ausdruck**, der, "-e* .... 7/So geht's
auseinander 12/2.8
ausfallen, **ausgefallen** 6/1.1
ausgehen, **ausgegangen** 6/2.2
ausgezeichnet 5/6.2
Auskunft, die, "-e Opt.1/6
Ausland, das, * 4/1.3
ausländisch 7/1.2
***Auslandsaufenthalt**, der, -e* 12/4.6
ausleihen, **ausgeliehen** 13/1.1
***Ausnahme**, die, -n* 7/4.5
auspacken 13/1.1
ausruhen (+ sich) 15/2.5
ausrutschen 15/2.6
ausscheiden**, **ausgeschieden 3/3.2
ausschlafen, **ausgeschlafen** 9/4.5
aussehen, **ausgesehen** 6/5.4
aussteigen, **ausgestiegen** 14/3.1
aussuchen 13/7.1
auswählen .... 3/So geht's
auswendig 13/4.1
authentisch 3/5.3
Auto, das, -s 1/7.3
***Autokino**, das, -s* 6/2.2
Automechaniker/in, der/die, -/-nen 10/1.1
Baby, das, -s 4/1.1
backen, **gebacken** 10/2.3
Bäcker, der, - 10/2.1
***Backstube**, die, -n* 10/2.3
Bad, das, "-er 16/1.4
***Badewanne**, die, -n* 16/1.4
Badezimmer, das, - 16/A
Bahnhof, der, "-e 9/5
bald 6/2.2
Balkon, der, -s/-e 16/1.1
Ball, der, "-e 3/3.2
***Ballsport**, der, ** 6/5.1a
Banane, die, -n 5/2.1
***Bananenschale**, die, -n* 15/2.6
***Band**, die, -s* 6/4.3
Bank, die, -en 4/5.1
***Bankkauffrau**, die, -en* 10/1.1
***Bankkaufmann**, der, -kaufleute* 10/1.1
***Bär**, der, -en* 9/3.1
Bar, die, -s 9/2.4
***Bardame**, die, -n* 10/A
Basketball spielen 6/A
basteln 6/5.1
Bauch, der, "-e 15/1.1
Bauchschmerzen, die, Pl. 15/2.1
bauen 10/1.4
Bauer/Bäuerin, der/die, -n/-nen 12/1.1
Baum, der, "-e 9/3.2
Baumwolle, die, * 8/1.3
***Beach-Volleyball**, der, ** 14/3.2
beantworten 8/3.4
bearbeiten Opt.1/7
Becher, der, - 5/1.3
bedeckt 14/4.3
***Bedeutung**, die, -en* 10/3.3
Befehl, der, -e 9/5.5
***Befinden**, das, ** 15/3.3
beginnen, **begonnen** 1/A
begründen 16/A
begrüßen 10/1.4
Begrüßung, die, -en Opt.1/7
behalten, **behalten** 9/4.5

bei 2/5.3
beide 6/5.2
Bein, das, -e 13/3.1
Beispiel, das, -e 1/1.2
bekannt 12/5.3
bekommen, bekommen 10/A
beliebt 4/1.3
benutzen 1/So geht's
beobachten 7/5.3
Berg, der, -e 4/1.3
berichten 4/5.2
Beruf, der, -e 7/2.3
beruflich HT4/A
Berufsausbildung, die, -en 12/4.6
Berufstätigkeit, die, -en 12/4.6
berühmt 7/A
***Besatzung**, die, -en* 3/5.3
Bescheid sagen 11/4.1
beschreiben, beschrieben 7/A
besprechen, besprochen 10/3.8
besonders Opt.2/4
besser 14/3.6
bestätigen 3/3.6
bestellen 3/A
besten, am besten 11/3.2
bestimmen Opt.4/5.1
Besuch, der, -e 10/3.11
besuchen 7/4.4
beten 10/A
betrachten 3/3.1
***Betreff**, der, -e* 3/5.1
Bett, das, -en 10/2.3
***Bettwäsche**, die, ** 8/4.1
Beutel, der, - 5/1.3
bewegen Opt.3/1
***Bewegung**, die, -en* Opt.2/3
bewölkt 14/3.6
bezahlen 8/3.4
***Bezeichnung**, die, -en* 7/1.4
***BH**, der, -s* 8/1.1
Bibliothek, die, -en Opt.1/6
Bier, das, -e 3/A
***Bierbrauerei**, die, -en* 14/7.2
***Bikini**, der, -s* 14/3.3
Bild, das, -er 1/1.1
***Bildcharakter**, der, ** Opt.3/2
***Bildergeschichte**, die, -n* Opt.4/4
Bildschirm, der, -e 16/5.1
billig 8/5.3
***Biografie**, die, -n* 12/A
biografisch 12/A
Birne, die, -n 5/A
bis 2/A
bitte 1/3.4
***Bitte**, die, -n* 9/4
bitten, gebeten 9/A
Blatt, das, "-er Opt.4/5.1
blau 8/1.1
blau sein 8/6.1
blaumachen 8/6.1
bleiben, geblieben 4/1.3
Bleistift, der, -e Opt.1/7
blitzen 14/3.6
blond Opt.2/1.3
bloß Opt.2/1.1
Blume, die, -n 13/3.3
Bluse, die, -n 8/A
Boden, der, "- 13/4.6
Bohne, die, -n 5/A
***Botschaft**, die, -en* 3/4.1
boxen 6/A
***Braten**, der, -* 10/So geht's
brauchen 5/2.2
braun 8/1.1
brechen, gebrochen 13/3.1
***Brezel**, die, -n* 5/6.1
Brief, der, -e 5/4.3
Briefkasten, der, "- 13/6.1
Briefmarke, die, -n 6/A
bringen, gebracht 5/5.3
***Broccoli**, der, ** 5/2.1
Brot, das, -e 5/A
Brötchen, das, - 10/2.3
Brücke, die, -n Opt.1/4
Bruder, der, "- 3/4.1
***Brüderchen**, das, -* 15/1.5
***Brunch**, der, -s* 14/1.2
Brust, die, "-e 15/1.1
Buch, das, "-er 1/6.3
Buchstabe, der, -n 3/3.3
buchstabieren 2/A
bums 13/3.3
Bundesland, das, "-er 4/5.1
Bundesrepublik, die, * 4/5.1
bunt 8/1.3
Büro, das, -s 9/2.3
Bürokauffrau, die, -en 10/1.1
Bürokaufmann, der, -kaufleute 10/1.1
Bus, der, -se 13/4.5
Butter, die, * 5/A
***bzw.** (= beziehungsweise)* Opt.3/2
Café, das, -s 3/A
Camping, das, * 14/3
Campingplatz, der, "-e 14/3.1
***Campingurlaub**, der, -e* 14/3.1
***Cartoon**, der, -s* 8/6.3
CD, die, -s 1/1.1
***Cello**, das, -s* 6/5.1
***Champignon**, der, -s* 5/A
***Chance**, die, -en* Opt.1/2

chaotisch 14/3.1
Chef/in, der/die –s/-nen 10/1.5
Chinesisch, das, * 4/2.2
Chips, *die, Pl.* 5/1.3
Chor, *der, "-e* 10/4.4
circa (ca.) Opt. 1/2
(Coca) **Cola**, die, das, -s 3/A
Collage, *die, -n* 5/1.1
Comic, *der, -s* 13/7.2
Computer, der, - 6/A
Computerarbeit, *die, ** 16/5.2
Computerspiel, das, -e 6/A
Containerschiff, *das, -e* 4/5.1
Controller/in, *der/die, -/-nen* 4/1.1
Cornflakes, *die, Pl.* 14/1.2
Cousin/e, der/die, -s/-n 7/1.1
Croissant, *das, -s* 14/A
da 2/3.4
dabei 13/1.3
dafür 6/5.3
damals 13/7.1
Dame, die, -n HT4/A
Damenabteilung, *die, -en* 8/4.1
Damenschuh, *der, -e* 8/4.1
damit HT4/A
danach 2/3.5
daneben 12/2.1
Dänisch, das, * 4/2.1
danke 2/A
dann 1/1.1
daran 15/2.2
darstellen 6/A
darum Opt. 2/1.1
Datum, das, Pl. Daten 11/A
Datumsangabe, *die, -n* 11/2
dauern 4/1.3
davon 13/4.1
dazuschreiben, ***dazugeschrieben*** 7/3.1
dazwischen HT 4/A
Decke, die, -n 16/1.4
Demokratie, die, -n 13/7.1
denken, **gedacht** 6/6.2
denn *(1) (Partikel)* 13/3.2
denn (2) (Konjunktion) 16/A
deshalb 13/So gehts
deutlich 7/5.3
deutsch 1/2.1
Deutsch, das, * 2/So geht's
Deutschbuch, *das, "-er* Opt. 1/5
Deutsche, der/die, -n 1/2.1
Deutschkurs, der, -e 1/1.1
Deutschlehrer/in, der/die, -/-nen 10/A
deutschsprachig 6/5.4
Dezember, der, - 11/1
dick 5/7
Dienstag, der, -e 6/4.1
dienstags 6/4.3
dieser, **dieses**, **diese** 1/6.5
Diktat, *das, -e* Opt. 1/4
Ding, *das, -e* HT 4/A
direkt 12/1.1
Direktor/in, der/die, -en/-nen 9/3.1
Disco, die, -s 3/4.2
Diskothek, die, -en 9/2.4
diskutieren 13/1.3
divers HT 5/A
doch 3/5.1
Doktor, der, -en 15/2.5
Dom, *der, -e* 9/A
donnern 14/3.6
Donnerstag, der, -e 6/4.1
Dorf, das, "-er 16/3.2
dort 2/3.6
Dose, die, -n 5/1.3
Drama, *das, Pl. Dramen* 3/5.3
Drei-Zimmer-Wohnung, die, -en 16/3.2
Dritte, der 5/8.1
Drittel, das, - 7/5.3
drucken 16/5.2
Drucker, der, - 16/5.1
dumm 6/1.1
Dunkel, *das, (hier:) im Dunkeln* 14/3.1
dunkelblau 8/3.5
durch 10/1.4
durcheinander 8/3.5
dürfen, **gedurft** 10/A
Durst, der, * 9/4.5
Dusche, **Dusche**, die, -n 16/1.5
duschen 12/2.3
duzen 3/4.3
DVD, die, -s 8/4.2
DVD-Brenner, *der, -* 16/5.1
DVD-Player, *der, -* 13/1.1
ebenfalls HT 4/A
effektiv 16/So geht's
egal Opt. 2/1.1
(Ehe-)mann/-frau, *der/die, "-er/-en* 7/1.1
Ehepaar, *das, -e* 7/5.4
eher 6/5.4
Ei, das, -er 5/2.1
eigener, ***eigenes***, ***eigene*** 2/3.1
Eigenschaft, *die, -en* 8/1.3
eigentlich 13/1.5
ein bisschen HT 2/A
einfach 14/1.2
einfarbig 8/1.3
einige 2/2.1
einkaufen 5/A
Einkaufsbummel, *der, -* Opt. 2/1.1
Einkaufsgespräch, *das, -e* 5/A

Einkommen, das, - ... 16/3.1
einladen, **eingeladen** ... 6/3.3
Einladung, die, -en ... 11/A
einmal ... 4/1.3
einsammeln ... Opt.2/3
einschlafen, **eingeschlafen** ... 13/4.1
eintragen, ***eingetragen*** ... 6/4.1
einverstanden ... HT 6/1.3
Einwohner/in, der/die, - /-nen ... 4/3.1
Ein-Zimmer-Appartment, das, -s ... 16/3.2
Eis, das, * ... 10/3.4
Eishockey, *das,* * ... 6/4.1
ekelhaft ... 5/6.2
Elefant, *der, -en* ... 9/3.1
Elektriker/in, der/die, -/-nen ... 10/1.1
Elektrotechnik, *die,* * ... 3/4.1
Elektrotechniker/in, *der/die, -/-nen* ... 4/1.1
Element, *das, -e* ... 6/2.2
Eltern, die, Pl. ... 7/1.1
E-Mail, die, -s ... 3/5.1
Emigrant/in, *der/die, -en/-nen* ... 12/5.3
Emigration, *die,* * ... 12/5
Empfang, *der, "-e* ... 11/So geht's
Ende, das, -n ... 11/1.2
enden ... 1/6.4
endlich ... 9/4.1
eng ... 8/1.3
Engländer/in, *der/die, -/-nen* ... 4/3.1
Englisch, das, * ... 4/3.1
Enkel/in, der/die, -/-nen ... 7/1.1
Entdeckung, *die, -en* ... 12/A
entlang ... 9/1.1
entscheiden, ***entschieden*** ... Opt.2/4
entschuldigen (sich) ... 2/3.6
Entschuldigung, die, -en ... 1/1.1
entspannt ... 15/4.2
Entspannung, *die, -en* ... 4/1.3
entstehen, ***entstanden*** ... Opt.4/6.3
entweder ... oder ... 1/5.3
Erbse, die, -n ... 5/1.3
Erdbeere, die, -n ... HT 5/A
Erde, die, * ... 13/4.6
Erdgeschoss, das, -e ... 8/4.1
Ereignis, *das, -se* ... 12/A
erfinden, ***erfunden*** ... 9/So geht's
erfreut ... 11/So geht's
ergänzen ... 1/3.4
Ergebnis, *das, -se* ... Opt.1/SE
Erkältung, die, -en ... 15/2.2
erkennen, ***erkannt*** ... 1/A
erklären ... 7/2.6
Erlebnis, *das, -se* ... 3/5.3
erschließen, ***erschlossen*** ... 4/A
ersetzen ... 3/3.5
erst ... 6/1.1
erst mal ... HT 4/A
erstellen ... 7/1.5
erster, **erstes**, **erste** ... 2/A
erwarten ... 3/4.3
erzählen ... Opt.2/5.2
Erzieher/in, der/die, -/-nen ... 10/1.1
Espresso, der, -s (auch: Espressi) ... 3/A
essen, **gegessen** ... 3/1.1
Essen, das, * ... 4/1.3
etwa ... 4/1.1
etwas ... 3/A
Euro, der, - ... 3/1.1
Euronotruf, *der,* * ... 2/3.1
Europa, das, * ... 4/A
europäisch ... 2/3.1
(Ex-)Mann/Frau, *der/die, "-er/-en* ... 7/5.1
Examen, das, - ... 12/4.6
Exil, *das, -e* ... 12/5.2
experimentell ... Opt.3/2
Experte/Expertin, *der/die, -n/-nen* ... 13/7.1
Fabrik, die, -en ... 10/1.1
Fabrikarbeiter/in, *der/die, -/-nen* ... 10/1.1
fahren, **gefahren** ... 2/5.3
Fahrkarte, die, -n ... Opt.4/2.3
Fahrrad, das, "-er ... 10/2.3
Fahrstuhl, der, "-e ... 8/4.2
fallen, **gefallen** ... 13/4.6
falsch ... 1/6.5
Familie, die, -n ... 3/4.3
Familienfoto, das, -s ... 7/2.6
Familienstand, *der,* * ... 7/So geht's
fangen, **gefangen** ... 3/3.2
Farbe, die, -n ... 8/A
fast ... 5/5.2
faul ... 9/4.5
Februar, der, e (Pl. selten) ... 11/1
fehlen ... 15/2.5
Feier, die, -n ... 11/3.5
feiern ... 11/A
Feiertag, der, -e ... 11/A
Feld, *das, -er* ... Opt.1/2
Fenster, das, - ... 16/1.1
Ferien, die, Pl. ... 12/1.1
Fernsehen, das, * ... Opt.1/2
fernsehen, **ferngesehen** ... 10/4.2
Fernseher, der, - ... 7/4.1
fertig ... 7/So geht's
Fest, das, -e ... 7/2.1
Feuerwehr, *die, */-en* ... 2/3.1
Fieber, das, - ... 15/2.2
Film, der, -e ... 3/5.1
Filmregisseur, *der, -e* ... 3/5.3
finanziell ... 7/5.3
finden, **gefunden** ... 1/7.1
Finger, der, - ... 15/1.1

Firma, die, Pl.: Firmen 14/1.2
Fisch, der, -e 5/6.1
Flasche, die, -n 5/1.3
Fleisch, das, * 5/8.1
***Fliege**, die, -n* Opt.4/1.1
fliegen, geflogen 13/3.2
***Fliegenklatsche**, die, -n* Opt.4/1.1
flirten 10/A
Flug, der, "-e 2/A
Flughafen, der, "- 3/6.1
Flugzeug, das, -e 10/2.3
Flur, der, -e 16/A
flüstern Opt.3/4.3
folgender, folgendes, folgende 3/5.4
Form, die, -en 4/4.1
formulieren Opt.3/SE
formell 1/3.3
Foto, das, -s 3/3.1
Frage, die, -n 1/2.3
fragen 1/A
Französisch, das, * 2/5.1
Frau, die, -en 1/1.1
Frauenberuf, der, -e 10/1
frei 3/4.1
Freitag, der, -e 6/4.1
Freizeit, die, * 6/A
Fremde, der/die, -n 3/4.3
Fremdsprache, die, -n 12/4.6
freuen (+ sich) 14/1.2
Freund/in, der/die, -e/-nen 3/4.3
freundlich 2/3.5
***Frikadelle**, die, -n* 14/7.2
frisch 14/1.2
Frisör/in, der/die, -e/-nen 8/4.1
froh 11/1
fröhlich 11/1
***Frottierware**, die, -n* 8/4.1
Frucht, die, "-e 5/6.1
früh 10/1.4
früher 12/1.1
Frühling, der, -e, (Pl. selten) 11/1
***Frühlingsrolle**, die, -n* 14/7.2
Frühstück, das, -e 14/A
frühstücken 10/2.7
***Frühstückspause**, die, -n* 14/1.2
fühlen (+ sich) 15/3.3
***Funktion**, die, -en* 13/7.1
funktionieren 13/1.1
für .... HT 2/3.1
furchtbar 14/3.1
fürchterlich 5/6.2
Fuß, der, "-e 15/1.1
Fußball spielen 6/A
***Fußballspieler/in**, der/die, -/-nen* 10/A
Fußboden, der, "- 16/1.1
ganz 2/A
ganzer, ganzes, ganze 4/5.1
gar nicht 13/2.4
***Gardine**, die, -n* 8/4.1
Garten, der, "- 7/2.1
***Gartenarbeit**, die, -en* 10/A
***Gartenfest**, das, -e* 11/4.4
Gast, der, "-e 10/A
geb. = geboren 12/5.2
Gebäude, das, - 4/5.1
geben, gegeben 3/6.5
Gebiet, das, -e 7/5.3
Geburt, die, -en 7/5.3
Geburtsdatum, das, Pl. –daten 12/4.6
Geburtsort, der, -e 12/4.6
Geburtstag, der, -e 7/2.1
Geburtstagsfeier, die, -n 11/4.1
***Geburtstagsständchen**, das, -* 11/3.2
Gedicht, das, -e Opt.3
gefallen, gefallen 8/3.7
gegen 15/2.4
gegenseitig 1/2.4
Gegenstand, der, "-e 6/5.3
***Gegenteil**, das, -e* Opt.2/2
gehen, gegangen 2/A
gehen um, gegangen um 7/5.2
gehören (zu) 7/A
geil Opt.2/1.1
gelb 8/1.1
Geld, das, * 7/4.1
***Geldautomat**, der, -en* 8/4.1
geliebt Opt.2/1.1
gemeinsam Opt.3/2
Gemüse, das, * 5/6.1
gemütlich 13/1.3
genau .... HT 2/A
genauso 13/3.3
***Generation**, die, -en* 6/5.4
genug 16/A
geöffnet 6/2.1
geografisch 4/A
***Geographie**, die, ** 4/2
gerade 15/4.2
geradeaus 8/4.2
Gerät, das, -e 13/7.1
geraten, geraten 8/3.5
***Geräusch**, das, -e* 6/A
***Geräuschcollage**, die, -n* Opt.3/3.1
***Germanistik**, die, ** 12/4.6
gern, gerne 2/5.1
Geschäft, das, -e 15/2.6
***Geschäftsessen**, das, -* 10/A
Geschenk, das, -e 10/4.2
Geschichte (1), die, -n .... 9/So geht's
Geschichte (2), die, * 12/A

geschieden 7/2.1
***Geschwister**, die, Pl.* 7/So geht's
Gesicht, das, -er 15/1.1
Gespräch, das, -e 2/3.3
***Gesprächspartner**, der, -* 3/4.3
gest. = gestorben 12/5.2
gestern 12/2.9
gestreift 8/1.3
gesund 5/8.1
Gesundheit, die, * 15/A
***Gesundheits-Check**, der, -s* 15/A
Getränk, das, -e 3/A
Getränkekarte, die, -n 3/A
Gewicht, das, -e 5/8.1
***Gewinn**, der, -e* Opt. 1/2
gewinnen, **gewonnen** Opt. 1/2
***Gewinner**, der, -* Opt. 1/2
Gewitter, das, - 14/3.6
***Giraffe**, die, -n* 9/3.1
Gitarre, die, -n 6/5.1
Glas, das, "-er 5/1.3
glauben 8/3.5
gleich 10/1.2
gleicher**, **gleiches**, **gleiche 5/8.1
Gleis, das, -e HT/Opt.4/2.2
Glück, das, * Opt. 1/2
***Glückshormon**, das, -e* 15/4.2
***Glücksspiel**, das, -e* Opt. 1/2
Glückwunsch, der, "-e 11/A
Grad, das, -e 14/4.3
***Grafik**, die, -en* Opt. 3/2
Gramm (g), das, - 5/1.1
Grammatik, die, -en 1/So geht's
Gras, das, "-er 8/6.1
grau 8/1
grillen 11/4.1
groß 4/1.1
Größe, die, -n 8/A
Großeltern, die, Pl. 7/1.1
Großmutter, die, "- 7/1.1
größter, **größtes**, **größte** 4/5.1
Großvater, der, "- 7/1.1
grün 8/1.1
Grund, der, "-e 16/3.3
Grundschule, die, -n 12/4.6
Gruppe, die, -en 4/3.1
Grüß Gott! 1/1.2
Gruß, der, "-e 3/5.1
***Gummibärchen**, das, -* 5/6.1
***Gurke**, die, -n* 14/2.1
***Gurkensalat**, der, -e* 14/2.1
gut 1/1.1
gut tun 15/4
Gute Besserung! 15/2.5
Guten Abend! 1/1.2
Guten Morgen! 1/1.2
Guten Tag! 1/A
Gymnasium, das, Pl. Gymnasien 12/4.6
***Gymnastik**, die, ** Opt. 2/3
Haar, das, -e 15/1.1
haben 3/A
haben: ich hätte gern ... 5/1.3
Hafen, der, "- 4/5.1
Hähnchen, das, - 5/6.1
halb 6/1.1
***halbieren** (sich)* 7/5.3
halbtags 16/3.2
Hälfte, die, -n 7/5.4
***Halle**, die, -n* 9/2.2
Hallo 1/A
Hals, der, "-e 15/1.1
Halsentzündung, die, -en 15/2.4
Halsschmerzen, die, Pl. 15/2.1
halten, **gehalten** Opt. 2/1.1
Haltestelle, die, -n Opt. 4/3
***Hamburger**, der, -* 14/7.2
Hand, die, "-e 15/1.1
Handtuch, das, "-er 14/3.3
Handy, das, -s 3/5.1
hängen, **gehängt/gehangen** 8/5.3
hässlich 9/A
häufig 3/4.3
***Hauptkasse**, die, -n* 8/4.1
Hauptstadt, die, "-e 4/A
Haus, das, "-er 7/2.1
Hausarzt/Hausärztin,
der/die, -/-nen 15/2.4
Hausaufgabe, die, -n 10/A
Hausfrau, die, -en 10/1.1
Haushalt, der, -e 8/4.2
***Haushaltsabteilung**, die, -en* 8/4.2
***Haushaltswaren**, die, Pl.* 8/4.1
Hausmann, der, "-er 10/1.1
Hausnummer, die, -n Opt. 1/6
***Heavy Metal**, der, ** 13/2.1
Heft, das, -e 1/3.2
***Heiligabend**, der, -e* 11/A
Heimat, die, * 7/5.6
Heirat, die, * 7/5.3
heiraten 7/5.3
heiß 14/4.3
heißen, **geheißen** 1/A
heizen 16/3.2
Helau! 11/1
helfen, **geholfen** 1/4.1
hell 16/3.2
Hemd, das, -en 8/A
herausschreiben**, **herausgeschrieben 15/1.2
her damit Opt. 2/1.1
Herbst, der, -e, (Pl. selten) 11/1

Herd, der, -e ... 16/1.4
hergeben, hergegeben ... 9/4.1
Herkunft, *die, ** ... 1/So geht's
Herr, der, -en ... 1/1.1
Herrenabteilung, *die, -n* ... 8/4.2
Herrenmode, *die, -n* ... 8/4.1
Herrenschuh, *der, -e* ... 8/4.1
hervorziehen, hervorgezogen ... 7/2.6
Herzlich willkommen! ... HT 4/A
Herzlichen Glückwunsch! ... 3/3.1
heute ... 3/4.1
heute Abend ... 6/2.2
hier ... 1/1.1
Hi-Fi-Anlage, die, -n ... 16/1.1
Hifi-Center, *das, -* ... 8/4.1
Hilfe, die, -n ... 4/1.2
Hilfsmittel, *das, -* ... 16/So geht's
Himmelsrichtung, *die, -en* ... Opt. 1/7
hineinpassen ... 16/2.2
hinsehen, hingesehen ... 8/So geht's
hinten ... 7/1.2
hinter ... 7/2.1
Hip Hop, *der, ** ... 13/2.1
historisch ... 4/5.1
Hitliste, *die, -n* ... 4/1.3
Hobby, das, -s ... 4/1.1
hoch ... 9/A
Hochhaus, das, "-er ... 9/A
Hochzeit, die, -en ... 7/5.4
höflich ≠ unhöflich ... 6/5.4
holen ... 9/4.1
Holz, das, * ... 10/1.4
Honig, die, -e ... 14/A
hören ... 1/1.1
Hörer, *der, -* ... 2/3.3
horizontal ... Opt.3/1
Hose, die, -n ... 8/A
Hotel, das, -s ... 9/2.4
Hotelangestellte, *der/die, -n* ... 10/1.4
Hotelfachfrau, *die, -en* ... 10/1.1
Hotelfachmann, *der, -fachleute* ... 10/1.1
Huhn, das, "-er ... 5/3.2
Husten, der, - ... 15/2.2
Hut, der, "-e ... 8/A
ideal ... 13/7.1
Idee, die, -n ... 11/3.3
Illustration, *die, -en* ... Opt. 4/1.1
immer ... 1/5.4
in ... 1/2.1
individuell ... 14/1.2
Industrienation, *die, -en* ... 5/8.1
Informatiker/in, der/die, -/-nen ... 10/1.1
Information, die, -en ... 3/5.4
Inhalt, *der, -e* ... Opt. 1
inspiriert ... 3/5.3
Institut, *das, -e* ... HT 2/A
Instrument, das, -e ... 6/5.1a
interessant ... 4/So geht's
interkulturell ... 8/6
international ... 1/6.1
Internet, das, * ... 6/A
Interview, das, -s ... 3/6.5
Intonation, *die, ** ... Opt. 3/2
Italiener/in, *der/die, -/-nen* ... 4/1.1
Italienisch, das, -s ... 4/1.1
ja ... 1/1.1
Jacke, die, -n ... 8/A
jagen ... Opt. 4/1.1
Jahr, das, -e ... 4/1.1
Jahreszahl, *die, -en* ... 12/A
Jahreszeit, die, -en ... 11/1
Jahrgang, *der, "-e* ... 7/5.3
Jahrhundert, das, -e ... 13/7.1
Januar, der, e (Pl. selten) ... 11/1
Jazz, *der, ** ... 13/2.1
je ... 2/4.2
Jeans, die, - ... 8/3.3
jeder, jedes, jede ... 2/2.1
jemand ... 1/4.1
jetzt ... 1/2.4
Job, der, -s ... 12/2.9
joggen ... 6/5.1
Joghurt, der, -s ... 5/1.3
Jubiläum, *das, Pl. Jubiläen* ... 11/So geht's
Judo, das, * ... 6/5.1
jung ... 6/5.4
jüngerer, jüngeres, jüngere ... 3/4.3
Juli, der, -s (Pl. selten) ... 11/1
Jungfrau, *die, (hier:) ** ... 11/2.5
Juni, der, -s (Pl. selten) ... 11/1
Kaffee, der, -s ... 3/A
Kakao, der, -s ... 3/A
Kalender, der, - ... 11/1.1
Kalorie, *die, -n* ... 5/8.1
kalt ... 14/2.1
Kamera, die, -s ... 16/5.1
Kandidat/in, *der/die, -en/-nen* ... HT 4/A
Kanton, *der, -e* ... 4/5.1
kaputt ... 15/2.6
Karaoke, *das, ** ... 6/A
Karate, *das, ** ... 6/5.1
kariert ... 8/1.3
Karneval, *der, (meistens Sg.)* ... 11/A
Karotte, die, -n ... 5/1.3
Karte, die, -n ... 1/A
Karten spielen ... 14/3.6
Kartoffel, die, -n ... 5/1.3
Kartoffelsalat, *der, -e* ... 14/2.1
Käse, der, * ... 5/1.3
Kasse, die, -n ... 8/3.5

Kasten, der, "- ... 5/1.2
Katastrophe, *die, -n* ... 3/5.3
Katastrophenfilm, *der, -e* ... 3/5.3
kaufen ... 5/2.1
Kaufhaus, das, "-er ... 8/A
Kaufrausch, *der, ** ... Opt. 2/1.1
kein, kein, keine ... 3/A
Keller, der, - ... 16/3.2
Kellner/in, der/die, -/-nen ... 3/1.1
kennen, gekannt ... 1/7.3
kennen lernen ... 1/A
Kilogramm (kg), das, - ... 5/1.1
Kilometer (km), der, - ... 4/1.1
Kind, das, -er ... 3/4.3
Kinderabteilung, *die, -en* ... 8/4.1
Kindergärtnerin, die, -nen ... 10/1.1
Kindergarten, der, "- ... 16/4.1
Kinderkleidung, *die, ** ... Opt. 2/4
kinderlos ... 7/5.3
Kinderzimmer, das, - ... 16/A
Kindheit, die, * ... 12/3.1
Kinn, das, -e ... 15/1.1
Kino, das, -s ... 3/5.1
Kiosk, *der, -e* ... 9/So geht's
Kirche, die, -n ... 9/A
Kirsche, die, -n ... HT 5/A
Klangcharakter, *der, -* ... Opt. 3/2
klar ... 6/2.2
klären ... 3/A
klasse ... 8/3.3
Klasse, die, -n ... 2/A
Klassik, *die, ** ... 13/2.1
klatschen ... Opt. 2/5.1b
Klatschen, *das, ** ... Opt. 2/5.1b
Klavier, das, -e ... 15/1.4
Kleid, das, -er ... 8/A
Kleidergeschäft, das, -e ... 15/2.6
Kleidung, die, * ... 8/1
Kleidungsstück, *das, -e* ... 8/A
klein ... 1/6.4
klettern ... 14/3.2
klingeln ... Opt. 3/3.2
Kloß, *der, "-e,* ... 14/7.1
Kneipe, die, -n ... 13/2.5
Knie, das, - ... 15/1.1
Knoblauch, der, * ... 5/6.1
Koch/Köchin, der/die, "-e/-nen ... 10/1.1
kochen ... 7/1.7
Kochrezept, das, -e ... 13/7.2
Koffer, der, - ... 8/5.1
Kohle, *die, ** ... Opt. 2/1.1
Kohlenhydrat, *das, -e* ... 5/8.1
Kollege/Kollegin, der/die, -n/-nen ... 3/4.3
komisch ... HT 4/A
kommen, gekommen ... 1/A
Kommode, *die, -n* ... 8/5.1
Kommunikation, *die, -en* ... 1/8
Komödie, *die, -n* ... 3/6.4
komplett ... 3/6.4
Komponist/in, *der/die, -en/-nen* ... 8/2.2
Konfitüre, die, -n ... 5/1.3
Kongress, *der, -e* ... 4/5.1
konkret ... Opt. 3/2
können, gekonnt ... 2/2.1
Kontakt, der, -e ... 2/A
Kontrolle, *die, -n* ... 8/3.6
kontrollieren ... 5/2.2
Konvention, *die, -en* ... 2/3.3
konzentrieren *(+ sich)* ... 11/So geht's
Konzert, das, -e ... 6/4.3
Kopf, der, "-e ... 15/1.1
Kopfhörer, *der, -* ... 16/5.1
Kopfschmerzen, die, Pl. ... 15/2.1
Körper, der, - ... 15/A
Körperteil, das, -e ... 15/A
korrekt ... 1/1.1
korrigieren ... 2/1.3
Kosmetik, *die, -a* ... 8/4.1
kosten ... 5/A
Kostüm, *das, -e* ... Opt. 2/5.6
Krabbe, *die, -n* ... 14/7.1
krabbeln ... HT Opt. 4/1.2
krank ... 10/5.2
Krankenhaus, das, "-er ... 10/1.5
Krankenpfleger, der, - ... 10/1.1
Krankenschwester, die, -n ... 10/1.1
Krankheit, die, -en ... 15/A
Krankmeldung, die, -en ... 15/2.5
krankschreiben, krankgeschrieben ... 15/2.5
kreativ ... 15/4.2
Krebs, *der, (hier:) ** ... 11/2.5
kreuzen *(+ sich)* ... 13/7.1
Krieg, der, -e ... 3/5.3
kriegen ... Opt. 4/1.1
Kriegsdrama, *das, Pl. Kriegsdramen* ... 3/5.3
kritisieren ... 13/7.1
Küche, die, -n ... 16/A
Kuchen, der, - ... 6/3.3
Küchentisch, *der, -e* ... 16/1.4
Kugel, *die, -n* ... HT 4/A
Kühlschrank, der, "-e ... 16/1.4
Kuli (Kugelschreiber), der, -s ... 7/2.7
Kunde/Kundin, der/die, -n/-nen ... HT 5/A
Kunst, die, "-e ... 9/2.5
Kunstfaser, *die, -n* ... 8/1.3
Kurs, der, -e ... 1/A
Kursteilnehmer/in, der/die, -/-nen ... 3/6.5
kurz ... 1/So geht's
kurzärmlig ... 8/1.3
Kuss, der, "-e ... 13/1.6

küssen 15/1.4
lachen 15/A
Laden, der, "- 10/2.3
Lage, die, -n 4/5.2
Lampe, die, -n 16/1.1
Land, das, "-er 10/1.2
landen 10/2.3
landeskundlich .... Opt. 2/4
Landessprache, *die, -n* 4/A
Landesteil, *der, -e* 4/5.2
Landkarte, *die, -n* 4/2.4
ländlich 7/5.3
lang, lange .... 1/So geht's
langärmlig 8/1.3
langsam 1/2.1
langweilen (+ sich) 14/3.1
langweilig 9/A
lassen, gelassen 8/1.4
laufen, gelaufen 9/3.2
Laune, die, -n 15/2.2
laut 1/2.1
laut *(+ Dat.)* 7/5.3
Laut, *der, -e* Opt.3/4.3
Lautsprecher, der, - 16/5.1
leben 7/2.1
Leben, das, - 7/2.3
Lebenslauf, der, "-e 12/A
Lebensmittel, das, - 5/A
lecker 15/4.1
Leder, das, - 8/1.3
Lederwaren, *die, Pl.* 8/4.1
legen 7/2.7
Lehrbuch, das, "-er 12/5.1
Lehrer/in, der/die, -/-nen 1/1.1
leicht 12/2.5
leichter 4/3.1
Leid tun 2/3.4
leider 4/4.1
Leinen, *das, ** 8/1.3
leise 9/4.1
Leopard, *der, -en* 9/3.1
lernen 1/5.4
lesen, gelesen 1/1.1
letzter, letztes, letzte 7/5.3
Leute, die, Pl. 10/1.4
Lexikon, *das, Pl. Lexika* 12/5.1
Licht, das, -er 14/5.1
lieb 3/5.1
Liebe, die, * 9/4.5
Liebe Grüße 3/5.1
lieben 6/4.3
lieber .... 3/So geht's
Lieber/Liebe (Anrede im Brief) 14/1.2
Liebesbrief, der, -e 6/6.2
Lieblingsgetränk, das, -e 3/A
Lieblingskneipe, *die, -n* 13/2.5
Lieblingsraum, *der, "-e* 16/A
Lied, das, -er 11/1.3
liegen, gelegen 3/3.3
Linie, *die, -n* 15/1.1
links 7/2.1
Liste, die, -n 1/ 2.1
Liter (l), der, - 5/1.1
locker 15/4.2
lohnen *(sich)* Opt.2/4
los! 9/4.1
lösen .... Opt. 3/1
Lösung, *die, -en* .... Opt. 1/SE
Lotto, *das, ** .... Opt. 1/2
Lottozahl, *die, -en* .... Opt. 1/2
Löwe, *der, -n* 9/3.1
lügen, gelogen 13/4.6
Luft holen .... Opt. 3/4.3
Lust, die, * / "-e 9/4.5
Luxemburgisch, *das, *,* 4/2.1
machen 1/3.2
Mädchen, das, - 4/1.1
Magister-Examen, *das, -* 12/4.6
Mai, der, -e (Pl. selten) 11/1
mal 3/5.1
Mal, das, -e 9/5.2
malen .... Opt. 3/2
man 1/A
mancher, manches, manche 14/1.2
manchmal 10/2.3
Mann, der, "-er 5/3.3
Männerberuf, der, -e 10/1
Mantel, der, "- 8/A
Margarine, die, -n 14/A
Marke, die, -n 5/2.2
Markt, der, "-e 3/1
März, der, -e (Pl. selten) 11/1
Marmelade, die, -n 5/A
Maßangabe, *die, -n* 5/6.2
Material, das, -ien 8/1.3
Mauer, *die, -n* 9/3.2
Maurer, *der, -* 16/3.2
Maus (1), *die, "-e* .... Opt. 3/1
Maus (2), die, "-e 16/5.1
maximal .... Opt. 3/SE
Maximum, das, * 6/5.4
Mechaniker/in, der/die, -/-nen 12/1.1
Medium, *das, Medien* 13/A
Meer, das, -e 4/1.3
mehr 5/8.1
mehrere 4/2.1
mehrmals 13/3.3
Meine Damen und Herren .... HT 5/A
meinen 8/3.2
Meinung, die, -en 13/7.1

meist 6/4.3
meisten, *die, Pl.* Opt. 2/3
meistens 13/A
melden *(sich)* 2/3.6
Meldung, *die, -en* HT 6/1.6
Menge, die, -n 5/A
Mengenangabe, *die, -n* 5/1.2
Mensch, der, -en 7/5.6
merken 14/3.1
Messe, *die, -n* 9/2.2
Messehalle, *die, -n* 9/2.2
Meter, der, - 9/1.1
Methode, *die, -n* 9/So geht's
Miete, die, -n 16/3.2
mieten 14/3.1
Mikrowelle, *die, -n* 16/1.4
Milch, die, * 5/1.3
Milliliter (ml), *der, -* 5/1.1
Million, die, -en 4/1.3
mindestens 6/5.4
Mineralwasser, das, - 3/A
Minute, die, -n 7/3.1
mischen 9/4.9
Mist, der, * 8/3.3
mit 1/1.1
mit Hilfe 4/1.2
mitbringen, mitgebracht 6/3.3
mitfahren, mitgefahren 6/3.3
mitkommen, mitgekommen 3/5.1
mitmachen Opt. 2/4
mitnehmen, mitgenommen 8/1.1
mitschreiben, mitgeschrieben 2/3.1
Mittag essen, zu Mittag essen, zu Mittag gegessen 14/5.1
Mittagessen, das, - 14/1.2
mittags / am Mittag 6/4.3
Mittagschlaf, *der, ** 15/A
Mitte, die, * 9/A
mitten 13/4.6
Mittwoch, der, -e 6/4.1
Möbel, das, -, (meistens Pl.) 10/1.4
möchten, gemocht 3/1.1
Mode, die, * 8/4.1
Modell, *das, -e* 8/3.7
modern 9/A
modisch 8/1.3
mögen, gemocht 3/A
möglich 7/3.1
Möglichkeit, die, -en 4/A
Moment, der, -e HT 2/3.1
Monat, der, -e 11/1.1
Mond, der, -e 13/4.6
Mondlandung, *die, -en* 12/A
Montag, der, -e 6/4.1
montags 6/4.3
morgen 3/5.1
morgens / am Morgen 6/4.3
Motorboot, *das, -e* 6/5.1
Motorrad, Motorrad, das, "-er 6/5.1
MP 3-Player, der, - 13/A
müde 9/4.5
Müll, der, * 10/1.4
Müllmann, *der, "-er* 10/1.4
Mund, der, "-er 15/1.1
Münze, die, -n 6/5.1
Museum, das, *Pl. Museen* 6/5.1
Musik, die, * 10/3.5
Musikabteilung, *die, -en* 8/4.1
Muskel, *der, -n* 15/4.2
Müsli, *das, -s* 14/A
müssen, gemusst 10/A
Mutter, die, "- 7/1.1
Muttersprache, *die, -n* 1/6.2
Mütze, *die, -n* 8/A
na klar 3/4.1
nach 4/1.4
nach Hause 13/4.2
Nachbar/in, der/die, -n/-nen 2/4.4
Nachdenken, *das, ** Opt. 4
Nachmittag, der, -e 6/4.3
nachmittags / am Nachmittag 6/4.3
Nachname, der, -n 1/A
Nachrichten, die, Pl. 6/1.4
nachschauen 13/1.5
nachschlagen, nachgeschlagen 7/4.6
nachsehen, nachgesehen 11/4.6
nächster, nächstes, nächste 4/4.1
Nacht, die "-e 13/4.6
nachts / in der Nacht 6/4.3
nah 15/4.2
Nähe, die, * 16/3.2
nähen 6/5.1
naja, na ja 2 / So geht's
Name, der, -n 1/A
nämlich 6/2.1
Nase, die, -n 15/1.1
Nasentropfen, der, - 15/2.5
Nationalelf, *die, ** 6/6.2
Nationalsozialismus, *der, ** 12/5.2
natürlich 8/3.5
Nebel, der, - 14/3.6
neben 7/2.1
neblig 14/3.6
Neffe, der, -n 7/1.1
negativ 5/5.2
nehmen, genommen 3/1.1
Neid, *der, ** 8/6.1
nein 2/A
nennen, genannt 1/A
nett 16/3.4

neu 1/6.5
Neujahr, das, * 11/2.2
neutral 2/3.5
nicht 1/2.1
Nichte, die, -n 7/1.1
nichts 3/5.2
nie 13/7.2
Niederländisch, das, * 4/A
niedrig 9/A
niesen 15/3.3
Nilpferd, *das, -e* 9/3.1
noch 1/5.3
noch einmal 1/1.1
nominiert 3/5.3
Norden, der, * 4/2
nördlich von 4/2
nordwestlich 4/5.1
normal 8/5.3
nötig 10/3.7
notieren 1/7.2
Notiz, *die, -en* 5/6.2
Notrufnummer, *die, -n* 2/3.1
notwendig 10/3.8
November, der, - 11/1
Nudel, die, -n 5/6.1
Nummer, die, -n 2/A
nun 7/2.6
nur 10/1.2
o.k. (= okay) 9/1.1
ob 8/3.7
oben 13/4.6
Obst, das, * 5/6.1
ocker 8/1.1
oder 14/1.2
offen 6/2.1
offiziell 6/1.4
öffnen Opt. 3/4.4
oft 1/6.4
ohne 6/6.2
Ohr, das, -en 15/1.1
Oktober, der, - 11/1
Öl, das, -e 5/2.1
Olive, *die, -n* 5/A
Olivenöl, *das, -e* 5/2.2
Oma, die, -s 7/2.1
Onkel, der, - 7/1.1
Opa, der, -s 7/2.1
Open-Air-Kino, *das, -s* 9/2.4
Oper, die, -n 9/2.5
Option, *die, -en* Opt. 1
orange 8/1.1
Orange, die, -n 3/A
Orangensaft, der, "-e 3/A
Orientierung, *die, -en* 8/A
Ort, der, -e 3/6.5
Oscar, *der, -s* 3/5.3
Ostdeutsche, *der/die, -n* 7/5.3
Ostdeutschland, *das, ** 7/5.3
Osten, der, * 4/2
Österreicher/in, der/die, -/-nen 3/4.3
Ostern, das, - 11/A
östlich von 4/2
Paar, das, -e 7/5.6
Packung, die, -en 5/1.3
Panther, *der, -* 9/3.1
Papa, der, -s 7/2.1
Paprika, der/die, -s 5/A
Parfümerie, *die, -n* 8/4.1
Park, der, -s 9/2.3
parken 10/3.9
Partner/in, der/die, -/-nen 2/1.3
Party, die, -s 6/5.4
Pass, der, "-e Opt. 1/6
passen 1/8.1
passend Opt. 2/3
passieren 5/4.4
Patient/in, der/die, -en/-nen 10/5.2
Pause, die, -n 5/4.3
Pension, die, -en 13/4.2
per du sein 3/4.3
Person, die, -en 1/3.3
persönlich 7/2.7
Perspektive, *die, -n* 7/1.4
Pfanne, die, -n 8/4.2
Pfarrer/in, *der/die, -/-nen* 10/A
Pferd, das, -e 13/7.1
Pfund (500 g), das, -e 5/1.1
Pharma-Firma, *die, -en* HT 4/A
Physik, die, * 12/1.1
Physiker/in, *der/die, -/-nen* 12/5.2
Pilot/in, der/die, -en/-nen 10/2.1
Pilz, der, -e 5/6.1
Pizza, die, *Pl. Pizzen* 3/1.2
Plan, der, "-e 9/5.1
planen 2/ So geht's
Platz, der, "-e 3/4.1
plötzlich 13/4.7
Po, der, -s 15/1.1
Poesie, *die, ** Opt. 3/2
Poker, *das, ** 6/5.1
Pole/Polin, *der/die, -n/-nen* 4/3.1
Politik, die, * 13/7.1
Polizei, die, * 2/3.1
Polnisch, das, * 4/3.1
Polo, das, * 6/5.1
Pommes frites, die, Pl. 5/6.1
Pop, *der, ** 13/2.1
Popo, *der, -s* 15/1.5
Portugiesisch, das, * 3/6.1
positiv 5/5.2

Post, die, * ... 13/4.3
Postkarte, die, -n ... 14/5.2
Postleitzahl, die, -en ... Opt. 1/6
***Postweg,** der, -e* ... 13/7.1
Praktikum, das, Pl. Praktika ... 12/2.9
praktisch ... 8/1.3
präsentieren ... Opt. 2/1.4
Preis, der, -e ... 5/A
prima ... 3/6.1
pro ... 4/1.3
probieren ... 8/3.1
Problem, das, -e ... 1/8.2
Produkt, das, -e ... 5/A
produzieren ... 13/7.1
***Professor,** der, -n*
***Professorin,** die, -nen* ... 5/8.1
***Programmierer/in,** der/die, -/-nen* ... 4/1.1
Prost Neujahr ... 11/1
Prozent, das, -e ... 4/1.3
Pullover, der, - ... 8/A
Punkt acht ... 6/2.1
pünktlich ≠ unpünktlich ... 6/5.4
***Pünktlichkeit,** die, ** ... 6/5.4
putzen ... 10/2.7
Putzfrau, die, -en ... 10/1.1
***Putzhilfe,** die, -n* ... 10/1.1
***Puzzle,** das, -s* ... 3/1.2
qm = Quadratmeter, der, - ... 16/3.2
Qualität, die, -en ... HT 5/A
***Quark,** der, -s* ... 5/2.1
***Quiz,** das, ** ... 4/A
Rad, das, "-er ... 15/1.4
Radio, das, -s ... 1/7.3
***Radiodienst,** der, -e* ... HT 6/1.6
***Rand,** der, "-er* ... 14/A
***Rat,** der, Pl. Ratschläge* ... 9/A
raten, geraten ... 3/6.5
Rathaus, das, "-er ... 9/2.4
Rätoromanisch, das, * ... 4/2.1
***Rätsel,** das, -* ... 2/2.5
rauchen ... 10/3.4
***Raucher-Zone,** die, -n* ... 10/3.4
rauf ... 8/4.2
Raum, der, "-e ... 2/A
raus ... Opt. 2/1.1
Rechnung, die, -en ... 3/So geht's
rechts ... 7/2.1
reden ... 9/4.1
reduzieren ... Opt. 2/4
Regal, das, -e ... 16/1.1
Regel, die, -n ... 1/6.4
Regen, der, * ... 14/3.6
***Reggae,** der, ** ... 13/2.1
Region, die, -en ... 7/5.3
***Regisseur/in,** der/die, -e/-nen* ... 3/5.3
regnen ... 14/3.6
Reihe, die, -n ... 2/2.5
***Reihenfolge,** die, -n* ... 8/3.5
Reihenhaus, das, "-er ... 16/3.2
***Reim,** der, -e* ... 9/So geht's
Reis, der, * ... 5/6.1
***Reisbrei,** der, -e* ... 14/2.1
Reise, die, -n ... 4/1.3
Reiseführer, der, - ... 14/3.2
reisen ... 4/1.3
***Reiseziel,** das, -e* ... 4/1.3
***Reissuppe,** die, -n* ... 14/2.1
reiten, geritten ... 14/3.2
Rentner/in, der/die, -/-nen ... 16/3.2
reparieren ... 13/1.7
***Reportage,** die, -n* ... 7/5.2
Restaurant, das, -s ... 4/1.3
***Revolution,** die, -en* ... 12/A
***Revolver,** der, -* ... 9/4.1
Rezept, das, -e ... 15/2.5
Rezeption, die, -en ... 10/1.4
richtig ... 6/1.1
***Richtige,** Pl.* ... Opt. 1/2
Richtung, die, -en ... 8/A
riechen, gerochen ... 15/1.4
***Rindersteak,** das, -s* ... 5/6.1
Ring, der, -e ... 7/2.6
Rock (1), der, "-e ... 8/A
***Rock (2),** der, ** ... 13/2.1
***Rockmusik,** die ** ... 9/4.5
Rolle, die, -n ... 8/4.2
Rolltreppe, die, -n ... 8/4.2
Roman, der, -e ... 3/3.1
***Romanistik,** die, ** ... 12/4.6
romantisch ... 13/1.3
rosa ... 8/1.1
rot ... 8/1.1
***Rückblick,** der, -e* ... Opt. 4
Rücken, der, - ... 15/1.1
***Rückenproblem,** das, -e* ... 14/4.2
Rückenschmerzen, die, Pl. ... 15/2.1
***Rückseite,** die, -n* ... 4/So geht's
***Rugby,** das, ** ... 6/5.1
Ruhe, die, * ... 4/1.3
ruhig ... 9/A
rund ... HT 4/A
***Runde,** die, -n* ... Opt. 3/1
runter ... 8/4.2
***Sachbuch,** das, "-er* ... 13/7.2
Sache, die, -n ... 16/2.2
Saft, der, "-e ... 3/A
sagen ... 1/A
Saison, die, -s ... Opt. 2/4
Salami, die, -s ... 5/1.3
Salat, der, -e ... 3/2.2

sammeln ... 1/3.2
Samstag, der, -e ... 6/4.1
Sandwich, das, -(e)s ... 3/2.2
Sänger/in, der/die, -/-nen ... 8/2.2
Sanitäter, *der, -* ... 2/3.1
Satz, der, "-e ... 2/4.1
sauber ... 10/1.4
Sauerkraut, *das, ** ... 5/6.1
Saxofon, das, -e ... 6/A
schade! ... HT 4/A
schaffen ... 14/3.1
Schal, der, -s ... 8/A
Schauspieler/in, der/die, -/-nen ... 12/5.2
Scheibe, die, -n ... 14/So geht's
scheiden lassen *(sich)* ... 7/5.3
scheinen, geschienen ... 14/3.6
schenken ... 11/3.3
scheußlich ... 5/6.2
schicken ... 13/A
schießen, geschossen ... 10/A
Schiff, das, -e ... 14/5.2
Schild, das, -er ... 10/3.9
Schinken, der, - ... 5/A
schlafen, geschlafen ... 10/1.4
Schlafsack, *der, "-e* ... 14/3.1
Schlafzimmer, das, - ... 16/A
Schlange stehen, gestanden ... Opt. 2/1.1
schlank ... 5/8.1
schlecht ... 14/3.6
schließen, geschlossen ... 8/1.4
Schlüsseldienst, *der, -e* ... 8/4.1
Schlüssverkauf, *der, ** ... Opt. 2/4
schmecken ... 14/1.2
Schmerz, der, -en ... 15/2
Schmuck, der, * ... 8/4.1
Schnäppchen, *das, -* ... Opt. 2/1.1
Schnäppchen-Jäger, *der, -* ... Opt. 2/4
Schnee, der, * ... 8/6.1
schneiden, geschnitten ... 12/2.8
schneien ... 14/3.6
schnell ... 5/8.1
Schnellimbiss, *der, -e* ... 14/7.2
Schnitt, der, *hier:* **im Schnitt** ... 7/5.3
Schnitzel, *das, -* ... 14/2.1
Schnupfen, der, - ... 15/2.2
Schokolade, die, -n ... 5/1.3
schon ... 2/2.1
schön ... 4/5.1
Schrank, der, "-e ... 8/5.1
Schreck, *der, -en* ... Opt. 2/1.1
schrecklich ... HT 11/4.3
schreiben, geschrieben ... 1/A
Schreibtisch, der, -e ... 9/3.1
Schreiner/in, der/die, -/-nen ... 10/1.1
Schrift, *die, -en* ... Opt. 3/2
Schriftsteller/in, *der/die, -/-nen* ... 12/5.2
Schritt, *der, -e* ... Opt. 1/8.2b
Schuh, der, -e ... 8/A
Schulbildung, *die, ** ... 12/4.6
Schule, die, -n ... 4/1.1
Schulfreund/in, *der/die, -e/-nen* ... 12/2.9
Schulter, die, -n ... 15/1.1
Schüssel, *die, -n* ... Opt. 4/1.1
Schütze, *der, (hier:) ** ... 11/2.5
Schwager, *der, "-* ... 7/1.1
Schwägerin, *die, -nen* ... 7/1.1
schwarz ... 8/1
schwarzfahren, schwarzgefahren ... 8/6.1
Schweineschnitzel, *das, -* ... 5/6.1
Schweizer/in, der/die, -/-nen ... 4/3.1
schwer ... 1/2.2
Schwester, die, -n ... 7/1.1
Schwesterchen, *das, -* ... 15/1.5
Schwiegersohn, der, "-e ... 7/1.1
Schwiegertochter, die, "- ... 7/1.1
schwierig, schwieriger,
am schwierigsten ... 7/5.3
schwimmen, geschwommen ... 10/3.8
See, der, -n ... 14/3.1
segeln ... 14/3.2
sehen, gesehen ... 6/6.1
Sehenswürdigkeit, die, -n ... 4/5.2
sehr ... 2/A
Sehr geehrter/geehrtes/geehrte ... HT 5/A
Seide, *die, ** ... 8/1.3
sein, gewesen ... 1/A
seit ... 6/6.2
Seite, die, -n ... 2/2.1
Sekretärin, die, -nen ... 2/3.2
Sekt, *der, -e,* ... 14/A
Sekunde, die, -n ... 10/5.1
selbst ... 1/7.3
selten ... 10/1.3
sensationell ... HT 5/A
September, der, - ... 11/1
Servus! ... 1/1.2
Sessel, der, - ... 16/So geht's
Shopping, *das, ** ... Opt. 2/1
sicher sein *(sich),* ***sicher gewesen*** ... HT 4/A
siehe ... 12/1.2
siezen ... 3/4.3
Silvester, der, - ... 11/A
singen, gesungen ... 6/A
Single, *der, -s* ... 7/5.6
sinken, gesunken ... Opt. 2/4
Situation, die, -en ... 3/4.3
sitzen, gesessen ... 7/2.1
Skat spielen ... 6/A
Ski fahren, Ski gefahren ... 13/3.1
Skilanglauf, der * ... 15/4.2

Skilehrer/in, *der/die, /-nen* 13/3.2
Skiunfall, *der, "-e* 13/3.3
Skorpion, *der, (hier:) ** 11/2.5
Slip, *der, -s* 8/1.1
Slowakisch, das, * 4/2.1
Slowenisch, das, * 4/2.1
Small talk, *der, -s* 3/So geht's
SMS, die, - 3/6.4
so 1/3.1
Sofa, das, -s 16/1.1
sofort 9/4.1
Sohn, der, "-e 4/1.1
solche 15/2.3
Sommer, der, - 11/1
Sonderangebot, das, -e 8/3.3
sondern Opt. 3/2
Sonne, die, -n 14/3.1
Sonnenbaden, *das, ** 4/1.3
Sonnenblumenöl, *das, -e* 5/2.2
sonnig 14/3.6
Sonntag, der, -e 6/4.1
sonntags 6/4.3
sonstiges 6/5.1a
Sorte, die, -n HT 5/A
sortieren 7/5.5
Soße, *die, -n* 14/7.1
Sozialwohnung, die, -en 16/3.2
Spaghetti, die, Pl. 5/6.3
Spalte, *die, -n* 5/5.3
Spanisch, das, * 2/4.6
Spanischlehrer/in, *der/die, -/-nen* 12/4.6
spannend 6/2.1
Sparkasse, *die, -n* 16/4.1
Spaß, der, "-e 10/A
spät 6/2.2
später 6/2.2
spazieren gehen,
spazieren gegangen 14/3.1
Spazierengehen, das, * 4/1.3
Spaziergang, der, "-e 13/1.6
Speck, *der, ** 14/2.1
Speise, die, -n 3/2
Spezialität, die, -en 14/7.1
Spiegel, der, - 16/1.4
Spiel, das, -e 3/3.2
spielen 1/4.2
Spieler/in, *der/die, -/-nen* Opt. 3/1
Spielfigur, *die, -en* Opt. 3/1
Spielkarte, *die, -n* 6/5.3
Spielpartner, *der, -* 6/5.3
Spielplatz, der, "-e 16/3.2
Spielwaren, die, Pl. 8/4.1
Spielzeug, das, * 8/4.2
spitze 5/6.2
Sport, der, Pl. Sportarten 6/5.1a
Sportabteilung, *die, -en* 8/4.1
Sportart, *die, -en* HT 6/4.1
sportlich 6/4.1
Sprache, die, -n 1/6
Sprachkurs, der, -e Opt. 2/5.2a
sprechen, gesprochen 1/1.1
springen, gesprungen 9/3.2
Spruch, *der, "-e* 11/1
Spüle, die, -n 16/1.4
Staat, der, -en 13/7.1
Staatsangehörigkeit, die, -en 12/4.6
Stadion, *das, Pl. Stadien* 6/6.2
Stadt, die, "-e 2/3.1
Stadtplan, der, "-e 9/1.1
Stammbaum, *der, "-e* 7/1.6
Stapel, *der, -* 10/4.3
Star, *der, -s* 3/5.3
stark 1/5.1
starten 10/2.3
Startfeld, *das, -er* Opt. 3/1
Statistik, *die, -en* 7/5.3
stattfinden, stattgefunden 6/1.1
Steak, das, -s 5/3
Steckbrief, *der, -e* 16/3.1
stecken 9/So geht's
stehen, gestanden 2/2.1
Stehlampe, *die, -n* 16/So geht's
steigen Option 3/4.2
Steinbock, *der, (hier:) ** 11/2.5
Stelle, die, -n 3/5.3
stellen 9/3.2
stellen, *(hier:) Fragen stellen* Opt.2/2
Sternzeichen, *das, -* 11/2.5
Stichwort, *das, "-er* 14/1.3
Stiefel, *der, -* Opt. 2/4
Stier, *der, (hier:) ** 11/2.5
stimmen 12/1.1
Stirn, die, (meistens:) * 15/1.1
Stock (1), der, *Pl. Stockwerke* 8/4.1
Stock (2), *der, "-e* 15/4.2
Strand, der, "-e 4/4.1
Straße, die, -n 3/4.3
Straßenbahn, die, -en 13/4.5
Straßenbahnhaltestelle, *die, -n* Opt. 4/3
strategisch 10/So geht's
Stress, der, * 4/1.3
stricken 6/A
Strumpf, der, "-e 8/5.1
Strumpfhose, *die, -n* 8/1.1
Student/in, der/die, -en/-nen 3/4.1
studieren 3/4.1
Studium, das, */*Studien* 12/4.6
Stufe, die, -n 13/3.3
Stuhl, der, "-e 8/5.1
Stunde, die, -n 10/3.4

stürzen 13/4.2
suchen 1/7.2
Süden, der, * 4/2
südlich von 4/1.1
super 5/6.2
Suppe, die, -n 5/3
surfen (1), im Internet, 6/A
surfen (2) 14/3.2
Symbol, *das, -e* Opt. 1/1
System, *das, -e* 7/1.5
systematisch 4/3.1
tabellarisch 12/4.6
Tabelle, die, -n 1/6.3
Tablette, die, -n 15/2.2
Tafel, die, -n 5/1.3
Tag, der, -e 4/1.1
Tagebuch, das, "-er 14/3.1
Tagesablauf, der, "-e 10/A
Tageszeitung, die, -en 13/7.1
täglich 13/7.2
Tante, die, -n 7/1.1
tanzen 6/5.1
Tanzlehrer/in, *der/die, -/-nen* 10/A
Tapete, die, -n 16/1.1
Tasche, die, -n 8/2.1
Tasse, die, -n 14/1.2
Tastatur, die, -en 16/5.1
Tätigkeit, *die, -en* 10/A
tauchen 14/3.2
Taufe, *die, -n* 15/1.5
tauschen 7/2.3
Taxi, das, -s 9/5.3
Taxifahrer/in, der/die, -/-nen 10/1.4
Team, das, -s 10/1.5
Technik, *die, -en* 15/4.2
technisch 13/7.1
Techno, *der, ** 13/2.1
Tee, der, -s 3/A
Teil, der, -e 7/1.4
teilen Opt. 2/3
Teilnehmer/in, der/die, -/-nen 1/1.1
Telefon, das, -e 2/3
Telefonat, das, -e 2/So geht's
Telefongespräch, das, -e 2/3.3
telefonieren 10/3.6
Telefonkarte, *die, -n* 6/5.1
Telefonkonvention, *die, -en* 2/3.3
Telefonnummer, die, -n 2/A
Teller, der, - 14/A
Tellerrand, *der, "-er* 14/A
Tendenz, *die, -en* 7/5.3
tendenziell 7/5.3
Tennis, das, * 6/4.1
Teppich, der, -e 16/1.1
Termin, der, -e 6/5.4
Test, der, -s 9/4.5
testen 4/A
teuer 8/3.3
Text, der, -e 2/2.3
Theater, das, - 6/5.1
Thema, das, Pl. Themen 6/5.1
tief 13/4.6
Tier, das, -e 9/3.1
Tierpark, *der, -s* 4/5.1
Tiger, *der, -* 9/3.1
Tipp, der, -s 10/1.4
Tisch, der, -e 6/4.1
Tischler/in, der/die, -/-nen 10/1.4
Tischtennis, das, * 6/4.1
Tischwäsche, *die, ** 8/4.1
tja 12/2.9
Toast, der, -s 13/4.4
Tochter, die, "- 7/A
Toilette, die, -n 8/4.1
toll 13/2.4
Tomate, die, -n 5/2.1
Top, das, -s 8/A
Topf, *der, "-e* Opt. 4/1.1
Tor, das, -e 10/A
Torte, die, -n 10/2.3
tot Opt. 4/1.1
total 8/5.3
Tourist/in, der/die, -en/-nen 4/5.1
Touristenattraktion, *die, -en* 4/5.3
traditionell 7/5.3
tragen, getragen 8/1.2
Tratsch, *der, ** 13/3.1
Traube, *die, -n* 5/2.3
Traum, der, "-e 13/4.6
traurig 13/6.1
treffen, getroffen 3/6.1
Trend, *der, -s* 7/5.3
Treppe, die, -n 8/4.2
Trikot, *das, -s* 6/6.2
trinken, getrunken 3/A
Tropfen, der, - 15/2.1
Tschechisch, das, * 4/2.1
Tschüss! 1/8.2
T-Shirt, das, -s 8/A
Tuch, *das, "-er* 7/2.7
tun, getan 10/3.7
Tür, die, -en 8/5.2
Turm, der, "-e 8/2.2
Tüte, die, -n 5/1.3
TV-Center, *das, -* 8/4.1
Typ, der, -en 6/4.1
typisch 4/1.3
üben 1/2.3
über 4/A
überlegen 11/3.4

Überschrift, die, -en ... 7/5.2
U-Boot-Besatzung, *die, -en* ... 3/5.3
Übung, die, -en ... 3/3.5
Uhr, die, -en ... 6/1.1
Uhrzeit, die, -en ... 6/A
um ... 6/1.4
Umfrage, die, -n ... 4/2.2
Umgangssprache, *die, -en* ... 6/1.4
Umkleidekabine, die, -n ... 8/3.2
Umschlag, *der, "-e* ... 4/2.4
umziehen, umgezogen ... 16/4.1
unbekannt ... 3/A
und ... 1/A
Unfall, der, "-e ... 13/3.1
unfreundlich ... 2/3.5
Ungarisch, das, * ... 4/2.1
ungefähr, ungefähr ... Opt. 1/2
unglaublich ... 13/3
Universität, die, -en ... 4/5.1
unmöglich, unmöglich ... 10/1.3
unten ... 2/2.1
unter ... 6/A
untereinander ... 3/4.3
Untergeschoss, das, -e ... 8/4.1
unterhalten (+ sich), **unterhalten** ... 13/3.1
Unterricht, der, * ... 1/8
unterrichten ... 4/1.1
Unterschied, der, -e ... 5/5.1
unterschiedlich ... 14/1.2
unterschreiben, unterschrieben ... 10/3.3
Unterschrift, die, -en ... 6/6.2
unterstreichen, unterstrichen ... 3/6.2
unterwegs ... 4/A
Urlaub, der, * ... 4/1.1
Urlauber/in, der/die, -/-nen ... 4/1.3
Variante, *die, -n* ... 7/5.3
variieren ... 2/3.6
Vase, die, -n ... 16/1.1
Vater, der, "- ... 1/2.1
verabreden *(sich)* ... 6/A
Verabredung, die, -en ... 6/2.3
verändern ... 9/5.5
verbieten, verboten ... 10/3.7
verbinden, verbunden ... 5/7.1
Vergangenheit, die, -en ... 12/A
vergessen, vergessen ... 5/5.3
vergleichen, verglichen ... 2/5.2
Vergnügungsviertel, *das, -* ... 4/5.1
verheiratet ... 2/5.1
verkaufen ... 10/2.3
Verkäufer/in, der/die, -/-nen ... 5/2.2
verlassen, verlassen ... 12/5.2
verliebt ... 9/5.5
verlobt ... 7/5.3
Vermutung, die, -en ... 14/2.2
verneinen ... 3/3.6
verreisen ... 8/1.1
verschieden ... 5/So geht's
Verschluss, *der, "-e* ... Opt.3/4.4
verschreiben, verschrieben ... 15/2.4
verstehen, verstanden ... 1/2.1
vertauschen ... 9/4.1
verteilen ... 8/4.2
vertikal ... Opt. 3/1
Vertreter/in, *der/die, -/-nen* ... Opt. 3/2
verwählen (sich) ... 2/3.6
Verwandte, der/die, -n ... 7/2.1
Verwandtschaft, die, -en ... 7/A
Verwandtschaftsbezeichnung,
die, -en ... 7/1.4
verwenden ... 12/1.2
Verzeihung! ... 9/1.1
Videothek, *die, -en* ... 13/1.1
viel ... 1/6
viele ... 3/5.3
Vielen Dank! ... 2/3.3
vielleicht ... 10/A
Viertel, das, - ... 6/1.4
violett ... 8/1.1
Volkshochschule, die, -n ... 9/2.2
Volkslied, *das, -er* ... 11/1
Volksmusik, *die, ** ... 13/2.1
Volksport, *der, Pl. Volkssportarten* ... 15/4.2
voll ... 3/4.1
Volleyball spielen ... 6/A
von ... 2/2.3
von ... bis ... 6/2.1
vor ... 8/4.2
vorbeikommen, vorbeigekommen ... 6/2.2
vorbereiten ... 2/So geht's
Vorbereitung, *die, -en* ... Opt. 3/1
Vorderseite, *die, -n* ... 4/So geht's
vorgehen, vorgegangen ... 14/1.3
vorhaben ... 11/4.6
Vorhang, der, "-e ... 16/1.1
vorher, vorher ... 16/3.2
vorkommen, vorgekommen ... 10/4.1
vorlesen, vorgelesen ... 1/1.1
vormittags /am Vormittag ... 6/4.3
Vorname, der, -n ... 1/A
vorne ... 7/1.2
Vorschlag, der, "-e ... 10/5.3
vorsichtig ... 9/4.7
vorspielen ... 9/1.2
vorstellen (sich) ... 1/A
Vorwahl, die, -en ... 2/3.1
Waage, *die, (hier:) ** ... 11/2.5
wählen ... 3/4.3
wahr ... 13/3
während ... Opt. 2/4

Wald, der, "-er ... 15/A
Wand, die, "-e ... 16/A
wandern ... 14/3.2
wann ... 3/4.3
***Ware**, die, -n* ... Opt. 2/4
warm ... 14/2.1
warten ... 10/3.1
warum ... 6/6.1
was ... 1/2.3
was für ... 12/5.1
Waschbecken, das, - ... 16/1.4
waschen, gewaschen ... Opt. 3/3.2
Wasser, das, - ... 3/A
***Wassermann**, der, (hier:) ** ... 11/2.5
WC, das, -s ... 16/A
wechseln ... 2/1.3
Wecker, der, - ... Opt. 3/3.2
weg ... 6/3.3
Weg, der, -e ... 9/A
wegfahren, weggefahren ... 6/3.3
weglassen, weggelassen ... 16/4.2
wehtun, wehgetan ... 15/2.1
Weihnachten, das, - ... 11/A
Wein, der, -e ... 3/A
Weinglas, das, "-er ... 8/4.2
***Weintraube**, die, -n* ... 5/A
weiß ... 8/1.1
weit ... 8/1.3
weiterer, weiteres, weitere ... 3/1.3
weiterfahren, weitergefahren ... 14/3.1
weiterfragen ... 11/3.1
weitergehen, weitergegangen ... 2/2.5
weitermachen ... 10/2.6
weiterschreiben,
weitergeschrieben ... 7/2.3
welcher, welches, welche ... 1/2.2
Welt, die, -en ... 4/5.1
***Weltgeschichte**, die, ** ... 12/A
***Weltkrieg**, der, -e* ... 3/5.3
wenig ... 5/8.1
wenig, weniger, am wenigsten ... 7/5.3
wenn ... 6/5.4
wenn auch ... 7/5.3
wer ... 1/1.1
***Werbung**, die, ** ... HT 4/A
werden, geworden ... 11/4.1
werfen, geworfen ... 9/3.2
Werkstatt, die, "-en ... 10/1.4
Werkzeug, das, -e ... 10/1.4
***Westdeutschland**, das, ** ... 7/5.3
Westen, der, * ... 4/2
westlich von ... 4/1.1
Wetter, das, * ... 4/1.3
Wetterbericht, der, -e ... 14/4.2
WG, die, -s, *oder:*
Wohngemeinschaft, die, -en ... 16/3.2
***Whiskey, Whisky**, der, -s* ... 15/2.2
wichtig ... 10/3.2
wickeln ... 10/A
***Widder**, der, (hier:) ** ... 11/2.5
wie ... 1/1.1
Wie bitte? ... 1/2.1
Wie geht's? ... 1/1.1
wie viel ... 6/1.4
wieder ... 13/6.1
wiedergeben, wiedergegeben ... 4/So geht's
wiederholen ... 9/4.4
***Wiederholung**, die, -en* ... 4/A
***Wiederholungsspiel**, das, -e* ... Opt. 3/1
wiederkommen, wiedergekommen 15/2.4
willkommen ... 1/1.1
Winter, der, - ... 11/1
***Wintermantel**, der, "-* ... Opt. 2/4
***Winterpullover**, der, -* ... 16/2.2
***Wintersport**, der,*
Pl. Wintersportarten ... 15/4.2
***Wintersport-Profi**, der, -s* ... 15/4.2
wirklich ... 5/2.2
wissen, gewusst ... 3/1.1
Wissen, das, * ... 4/A
wo ... 1/A
Woche, die, -n ... 4/4.1
Wochenende, das, -en ... 4/1.1
Wochentag, der, -e ... 6/A
Wochenzeitung, die, -en ... 13/7.1
woher ... 1/A
wohin ... 6/2.2
wohl ... 14/3.1
wohnen ... 1/A
***Wohnform**, die, -en* ... 16/3.4
Wohnort, der, -e ... 1/ So geht's
Wohnung, die, -en ... 7/4.1
***Wohnwagen**,* der, - ... 14/3.6
Wohnzimmer, das, - ... 16/A
***Wohnzimmerschrank**, der, "-e* ... 16/So geht's
***Wohnzimmertisch**, der, -e* ... 16/So geht's
Wolke, die, -n ... 14/4.1
***Wolkenkratzer**, der, -* ... 9/A
Wolle, die, * ... 8/1.3
wollen ... Opt. 2/1.1
woran ... 16/A
Wort, das, "-er ... 1/5.1
Wörterbuch, das "-er ... 1/6.3
***Wörterlein**, das, -* ... 9/So geht's
***Wortfeld**, das, -er* ... Opt. 4/5.1
worum ... 7/5.2
wozu ... 15/1.4
wunderbar ... Opt. 2/1.1
wundervoll ... 12/2.10
wünschen ... 5/2.2

Würfel*, der, -* ... Opt. 1/3
Würfelspiel*, das, -e* ... Opt. 1/3
Wurst, die, "-e ... 14/A
Würstchen, das, - ... 11/4.1
Würstsalat*,* der, -e ... 9/4.9
Yoga machen ... 6/A
Zahl, die, -en ... 2/A
zahlen ... 3/1.1
zählen ... 2/2.4
Zahn, der, "-e ... 15/A
Zahnschmerzen, die, Pl. ... 15/2.2
Zebra*, das, -s* ... 9/3.1
Zehe,die, -n, *auch:* **Zeh**, der , -en ... 15/1.1
zeichnen ... 1/7.3
Zeichnung*, die, -en* ... Opt. 2/1.3
zeigen ... 3/5.3
Zeit, die, -en ... 3/5.1
Zeitschrift, die, -en ... 13/7.2
Zeitung, die, -en ... 1/7.3
Zeitungsartikel, der, - ... 5/8.1
Zelt, das, -e ... 14/3.1
Zeppelin*, der, -s* ... 14/3.1
Zettel, der, - ... 2/So geht's
ziehen, **gezogen** ... 16/3.2
Ziehung*, die, -en* ... Opt. 1/2
Ziffer*, die, -n* ... 2/2.3
Zigarette, die, -n ... 14/2.1
Zimmer, das, - ... 13/3.2
Zirkus*, der, -se* ... 6/5.1
Zoo, der, -s ... 9/A
Zorn*, der, ** ... 8/6.1
zu ... 5/8.1
zu dritt ... 8/3.3
zu Ende ... 6/1.4
zu Fuß ... 16/3.2
zu Hause ... 1/So geht's
zu viel ... 5/8.1
zu viert ... Opt. 1/3
zu zweit ... HT 1/8.2
zuerst ... 1/1.1
Zug, der, "-e ... 13/3.2
zuhören ... 7/4.1
zuletzt ... 12/2.10
zum Beispiel (z. B.) ... 1/7.1
zumachen ... 9/4.4
zunächst ... 14/So geht's
Zunge*, die, -n* ... Opt. 3/4.4
zurück ... 3/1.1
zurückbringen, zurückgebracht ... 10/3.11
zurückfahren, zurückgefahren ... 6/3.3
zurückgehen, zurückgegangen ... Opt. 3/1
zurückkommen, zurückgekommen 13/3.3
zurückrufen, zurückgerufen ... 11/So geht's
Zusage*, die, -n* ... 11/4.6
zusammen ... 2/1.3
zusammengehören ... 7/1.1
zusammenlaufen,
zusammengelaufen ... 13/7.1
zusammenpassen ... 5/1.3
Zuschauer/in*, der/die, -/-nen* ... HT 4/A
zuwerfen *(sich),* ***zugeworfen*** ... 3/3.2
zweierlei ... 7/5.3
Zweifelsfall*, der, "-e, hier:*
im Zweifelsfall ... 3/4.3
zweimal ... 2/3.1
zweiter, zweites, zweite ... 8/4.1
zweitgrößter, zweitgrößtes,
zweitgrößte ... 4/5.1
Zwieback*, der, -e* ... 14/2.1
Zwiebel, die, -n ... 5/1.3
Zwillinge*, die, (hier:) Pl.* ... 11/2.5
zwischen ... 4/1.1

Bild- und Textquellen

Bildquellen

© **Agentur Focus:** Zimmermann, S. 139 *(a)*
© **Akg-images:** Schütz, S. 73 *(d)*
© **a-location:** Hejkal, S. 85 *(1. Reihe: 2. von rechts)*
© **Arco:** Frank, S. 161 *(unten)*; Dieterich, S. 99
© **artur:** Borkenau, S. 175 *(a);* Hempel, S. 173 *(links),* Huthmacher, S. 171 *(d);* Keller, S. 177 *(Mitte)*
© **ARTvertise:** S. 63 *(3. Reihe rechts),* S. 160 *(links)*
© **Avenue Images/Index Stock:** Siteman, S. 171 *(b);* Skjold, S. 124 *(oben links)*
© **Bachakademie:** Denner, S. 73 *(c)*
© **Bilderbox:** S. 70 *(unten Mitte)*, S. 163 *(3)*
© **Blickwinkel:** Baumann, S. 66 *(2)*, S. 113 *(2. Reihe rechts)*; Gruenewald, S. 84 *(unten rechts)*
© **Caro:** Hechtenberg, S. 113 *(1. Reihe links)*, S. 179 *(b)*; Jandke, S. 111 *(oben 2. von rechts)*; Korth, S. 171 *(c)*; Oberhaeuser, S. 89; Riedmiller, S. 164 *(links)*, S. 169; Trappe, S. 63 *(2. Reihe: 2. von links)*; Westermann, S. 163 *(2)*
© **christophe L:** S. 35 *(Mitte)*
© **Cinetext:** S. 35 *(rechts)*
© **Comstock:** (RF), S. 24 *(oben)*, S. 143 *(oben 2. von links)*, S. 152, S. 177 *(i)*
© **Corbis:** Carroll, S. 25 *(rechts)*; Everton, S. 79 *(unten rechts)*; Fleming, S. 119 *(11)*; McCarthy, S. 119 *(6)*; Minielli, S. 79 *(Mitte rechts)*; Nowitz, S. 132; Pelaez, S. 67; Prezant, S. 84 *(unten links)*; Rob & Sas, S. 40 *(unten)*; Savage, S. 17; Vogt, S.123; (RF), S. 79 *(unten links)*, S. 111 *(oben 1. von rechts)*
© **Corbis/LWA:** Kennedy, S. 13 *(links)*
© **Corbis/zefa:** Tobbe, S. 109 *(1)*
© **Cornelsen:** U2, U3, S. 42; Corel-Library**:** S. 19 *(2. von links)*, S. 25 *(links)*, S. 31 *(1. Reihe: 2. 3. und 4. von links, 2. Reihe: 1. und 4. von links, 3. Reihe: alle)*, S. 58 *(oben)*, S. 60 *(6, 12, 15 und 17)*, S. 63 *(1. Reihe links)*; Goebel, (RF), S. 124 *(oben Mitte)*, S. 177 *(e)*; Helmut Litters, S. 60 *(4 und 7)*, S. 63 *(1. Reihe: 2. von links)*, S. 68 *(rechts und 2. von rechts)*, S. 85 *(3. Reihe links)*, S. 90, S.124 *(Mitte rechts)*, S. 143 *(oben links, unten Mitte und rechts)*, S. 162 *(links)*, S. 172 *(oben links)*, S. 177 *(a)*, S. 183 *(oben und unten)*; Lücking, (RF), S. 19 *(2. von rechts)*, S. 40 *(Mitte)*, S. 66 *(rechts)*, S. 68 *(links und 2. von links)*, S. 70 *(unten links)*, S. 84 *(oben rechts)*, S. 85 *(3. Reihe: 2 von links)*, S.124 *(oben rechts)*, S.128 *(oben rechts)*, S.184 *(8)*; Maly, (RF) S. 124 *(Mitte)*; Mouginot, (RF) S. 60 *(8)*; Naumann, S. 153, S. 183 *(Mitte)*; Perregaard, (RF) S. 28; Schulz, S. 29, S. 32, S. 34, S. 36, (RF) S. 84 *(oben links)*, S. 144, S. 184 *(5)*
© **CoverSpot:** Lauter, S. 85 *(1. Reihe: 2. von links)*
© **Das Fotoarchiv:** Tack, S. 179 *(c)*
© **ddp-Archiv:** Willnow, S. 87 *(rechts)*
© **f1 online:** Diaphor, S. 109 *(6)*; Kraus, S. 163 *(1)*; Prisma, S. 119 *(2)*; Ridder, S. 157 *(vorn rechts)*; Wolf, S. 128 *(oben links)*; Young, S. 70 *(unten rechts)*
© **Fotex:** S. 30 *(unten)*
© **Getty images:** Dreyer, S. 21 *(Mitte)*; (RF) Digital Vision, S. 13 *(rechts)*
© **Guido Schiefer:** S. 180
© **Illuscope:** S. 13 *(Mitte)*, S. 23 *(unten Mitte)*
© **Interfoto:** Reetz, S. 127 *(2)*
© **irisblende.de:** (RF) S. 177 *(b)*
© **Jahreszeiten Verlag:** Hasenrueck, S. 173 *(rechts)*; Raben, S. 172 *(unten)*; Zimmermann, S. 172 *(oben rechts)*
© **Joachim E. Roettgers/GRAFFITI:** S. 111 *(unten rechts)*
© **Jochen Tack Fotografie:** S. 83 *(oben rechts)*
© **Joker:** Gloger, S. 109 *(5)*, S. 113 *(1. Reihe rechts)*
© **Keystone:** Schulz, S. 87 *(links)*; Topham Picturepoint, S. 163 *(7)*
© **laif:** Gonzalez, S. 119 *(7)*
© **LOOK GmbH:** Johaentges, S. 179 *(d)*
© **Matthias Stolt:** S. 163 *(8)*
© **Mauritius:** age, S. 109 *(8)*; age fotostock, S. 163 *(4)*; Ball, S. 45 *(oben)*; Beuthan, S. 109 *(2)*; Cash, S. 23 *(links)*; Fergusson, S. 71, S. 184 *(10)*; Haag + Kroop, S. 23 *(unten rechts)*; Phototheque SDP, S. 40 *(oben)*; Torino, S. 45 *(Mitte)*
© **mediacolors/dia:** S. 163 *(6)*
© **One to X:** S. 21 *(rechts)*, S. 24 *(unten)*, S. 49 *(rechts)*
© **Panthermedia:** (RF), S. 120 *(oben)*, S. 175 *(d)*, S. 177 *(h)*
© **photothek.net:** Imo, S. 171 *(a)*
© **Picture-Alliance/AKG:** S. 135 *(oben)*
© **PA/akg-images:** S. 42 *(oben)*, S. 73 *(a)*, S. 79 *(oben links)*, S. 85 *(2. Reihe: 2. von rechts)*, S. 127 *(1, 4, 6, 7, 8)*, S. 135 *(unten)*; Beethoven-Haus Bonn, S. 85 *(2. Reihe rechts)*; Lessing, S. 85 *(2. Reihe links)*
© **PA/ASA:** ActionPlus, S. 63 *(1. Reihe: 2. von rechts)*
© **PA/Berlin Picture Gate:** Brexendorff, S. 63 *(2. Reihe links)*
© **PA/dpa:** Hofer, S. 109 *(4)*, S. 184 *(12)*; Van den Berg, S. 111 *(oben 2. von links)*
© **PA/dpa-Bildarchiv:** S. 127 *(3)*; Dedert,

S. 162 *(rechts)*; Eilmes, S. 182 *(unten)*; Hesse, S. 63 *(3. Reihe: 2. von rechts)*; Lenz, S. 119 *(4)*; Perrey, S. 55; Puchner, S. 159; Schnörrer, S. 119 *(1)*; Schulte, S. 63 *(3. Reihe: 2. von links)*; Weihrauch, S. 83 *(Mitte links)*; Witschel, S. 49 *(Mitte)*
© **PA/dpa-Bildfunk:** Kuhröber, S. 109 *(9)*
© **PA/dpa-Film:** Warner, S. 35 *(links)*
© **PA/dpa-Fotoreport:** S. 161 *(oben links)*; Altwein, S. 121 *(unten links)*; Carstensen, S. 19 *(rechts)*, S. 39; epa AFP Nasa, S. 127 *(10)*; Grimm, S. 53; Kluge, S. 129; Lander, S. 95; Leonhardt, S. 121 *(Mitte)*; Lehtikuva, S. 72 *(links)*; May, S. 37; Weigel, S. 48 *(links)*; Weihrauch, S. 58 *(Mitte)*; Zucchi, S. 109 *(3)*
© **PA/dpa-Report:** Düren, S. 119 *(3)*; Elsner, S. 120 *(Mitte links)*; Fühler, S. 175 *(c)*; Kneffel, S. 175 *(b)*; Scheidemann, S. 109 *(10)*
© **PA/dpa-Sportreport:** Kasper, S. 63 *(1. Reihe rechts)*
© **PA/dpa/Stockfood:** Eising, S. 58 *(unten)*, S. 60 *(10)*
© **PA/dpa/ZB-Special:** Falko, S. 111 *(oben 1. von links)*; Wolf, S. 56, S. 157 *(hinter)*
© **PA/Godong:** Lissac, S. 19 *(links)*
© **PA/HB-Verlag:** Lubenow, S. 182 *(oben)*
© **PA/KPA:** S. 85 *(3. Reihe: rechts und 2. von rechts)*; S. 127 *(5)*, S. 135 *(Mitte)*; Andres, S. 127 *(9)*; Bach, S. 49 *(links)*; Hage, S. 85 *(2. Reihe: 2. von links)*; Hochheimer, S. 25 *(Mitte)*, S. 63 *(3. Reihe links)*; Mehner, S. 113 *(2. Reihe links)*; Theissen, S. 31 *(2. Reihe: 2. von rechts)*; Uselmann, S. 119 *(10)*; Weiser, S. 85 *(1. Reihe rechts)*
© **PA/OKAPIA:** Hänel, S. 85 *(1. Reihe links)*; Kehrer, S. 31 *(1. Reihe links)*
© **PA/Picture Press:** Lee, S. 63 *(2. Reihe rechts)*; Wartenberg, S. 111 *(unten links)*
© **PA/ZB-Fotoreport:** Endig, S. 83 *(unten Mitte und rechts)*; Hirschberger, S. 19 *(Mitte)*; Kalaene, S. 63 *(2. Reihe: 2. von rechts)*; Settnik, S. 179 *(a)*; Zimmermann, S. 41
© **Peter Peitsch/Peitschphoto:** S. 138
© **plainpicture:** S. 74; Buell, S. 163 *(9)*; Pfennig, S. 66 *(links)*; Sebastian, S. 70 *(oben rechts)*; Weingaertner, S. 139 *(d)*
© **Project Photos:** *(RF)*, S. 121 *(unten rechts)*, S. 163 *(5)*
© **Ostkreuz:** Hauschild, S. 109 *(7)*
© **Schapowalow:** Waldkirch, S. 45 *(unten)*
© **Stock4B:** Blaschke, S. 166; Henthorn, S. 20 *(links)*; Sudek, S. 154
© **StockFood:** Bischof, S. 60 *(5)*; Bumann, S. 60 *(2)*; Cimbal, S. 160 *(Mitte)*; Garlick, S. 60 *(18)*; Joff Lee Studios, S. 60 *(9)*; Köb, S. 60 *(1, 11 und 14)*; Kroeger/Gross, S. 160 *(oben)*; Maximilian Stock LTD, S. 60 *(16)*; Mewes, S. 60 *(3)*; Newedel, S. 160 *(rechts)*; Hrbková, S. 121 *(oben)*; Studio Bonisolli, S. 60 *(13)*, S. 160 *(unten)*
© **Superbild:** Anderson, S. 79 *(oben rechts)*; B.S.I.P., S. 31 *(2. Reihe: 2. von links)*, S. 62; Ducke, S. 21, S. 48 *(rechts)*; Marco Polo, S. 30 *(oben)*, S. 30 *(Mitte)*, S. 50; Option Photo, S. 79 *(Mitte links)*
© **TV-yesterday:** S. 139 *(b)*
© **ullstein:** Goodman, S. 184 *(11)*; Hermann, S. 23 *(oben Mitte)*; Röhnert, S. 73 *(b)*; Tollkühn, S. 23 *(oben rechts)*
© **Varnhorn:** S. 20 *(oben rechts)*
© **Vision photos:** Feldberg, S. 83 *(oben Mitte und links)*
© **Visum:** Steinmetz, S. 70 *(oben links)*; The Image Works, S. 155
© **Werner Bachmeier:** S. 120 *(unten)*
© **Zefa:** *(RF)* S. 15, *(RF)* S. 143 *(rechts)*, S. 146, *(RF)* S. 164 *(rechts)*; Huber und Starke, S. 38

Textquellen

© **Brösel,** „Du schwarz – ich weiß", S. 91
© **Ernst Jandl,** Jürgen Spohn, aus: „Falamaleikum, Gedichte und Bilder", Luchterhand Literaturverlag, München, 1993, S. 138
© **Hoffmann und Campe Verlag,** Hamburg, Otto-Waalkes, aus: „Das Buch Otto", S. 63 *(unten)*
© **Manfred Hausin,** aus: „Betteln und Hausin verboten!", Emmerke, 1997, S. 165
© **StolzDesign,** Rodgau, „Frankfurt Map", S. 100

Wir danken den Unternehmen Nokia (S. 143) und dem Restaurant Stella Alpina (S. 161 rechts) für die freundliche Unterstützung.